le
Mémorial
du Québec

le Mémorial du Québec

TOME VIII

1966 - 1976

Une réalisation
La Société des édition du Mémorial (Québec)
2120 est, rue Sherbrooke, (Suite 605)
Montréal, (Québec) H2K 1C3

2e édition, revue et corrigée.

© Les Éditions du Mémorial (Québec) Inc.
Dépôts légaux, troisième trimestre 1979:
Bibliothèque nationale du Québec
Bibliothèque nationale du Canada
ISBN 2-89143-000-X

Directrice de la rédaction et de la fabrication   Éliane Catela de Bordes

assistée de   François Robichaud

Auteur des textes   Clément Fluet

Comité de rédaction

Gilles Blanchard
Roger Champoux
Pierrette Champoux
Roger Guil
Père Ambroise Lafortune
Phil Laframboise
Père Émile Legault, csc
Me Mario du Mesnil
France Nadeau
Arthur Prévost
Père Marcel de la Sablonnière, SJ
Paul Taillefer
Henri Tranquille

Conseiller iconographique   Paul Taillefer

Conception artistique
Phototypographie
Montage   Doutre + Dupras Ltée

SOMMAIRE

Ont collaboré à la rédaction de cet ouvrage:

François Piazza
Gilles Blanchard
France Nadeau
Roger Guil
Philippe Laframboise
Pierrette Coudray
Michel Benoît
Bernard Dagenais
Georges Selzer
Pierrette Champoux
Pierre-Louis Mallen
Arthur Prévost
Minou Petrowski
Pierre Dépatie

FOLIE POUR
LE POP

Disques vendus par millions, concerts publics pour lesquels aucune salle au monde n'est assez vaste, évanouissements, crises de nerf et même suicides: les jeunes montréalais et montréalaises n'échapperont pas à la frénésie qui s'empare des adolescents, des « teen-agers » du monde entier —ou presque— aussitôt qu'apparaissent les Beatles. Un beau soir de mai, dès vingt heures, ils commencent à arriver avec leurs duvets ou leurs couvertures. Quatre cents jeunes, et pas seulement des anglophones, par une température de 6^0C. À l'ouverture des portes, à huit heures, ils se précipitent en hurlant vers les guichets qui n'ouvriront que deux heures plus tard. Ils sont déjà plus de mille et leur nombre ne cesse d'augmenter! L'un d'eux sera même arrêté parce qu'il « trouble la paix »... Pourtant, cette manifestation-là est on ne peut plus pacifique!

« Mais où sont-ils, les Beatles? Ils jouent ici ce soir? » « Pas ce soir... le 8 septembre, dans quatre mois! » « Mais alors, tous ces jeunes? » « Ils viennent acheter leur billet. Ils ont attendu toute la nuit pour être sûrs d'avoir une bonne place, suffisamment près pour voir leurs idoles, pour les toucher, même! »

Septembre 1964... Enfin, ils sont là! Quatre garçons dont la coiffure fait alors scandale, leur valant le surnom de « têtes de moppe » (est-ce de là que vient le nom des célèbres marionnettes, les « muppets »?) Ils ont l'air bien sages, cravatés, chemise blanche, un peu raides, un peu guindés dans leurs costumes à col de velours et bas de pantalon étroit! Ils se dandinent gentiment sur la scène en chantant ces chansons tendres qui ont failli sauver l'Angleterre de la faillite. Dans la salle, c'est le délire!

Une jeune fille tombée en syncope est évacuée. Elles seront plus de trente à s'évanouir ainsi en une soirée.

She loves you, yeh! yeh! yeh! susurrent en chœur Paul et John. L'enthousiasme gonfle, explose, c'est un tonnerre de cris, de hurlements, que les amplificateurs ne suffisent plus à couvrir! Imperturbable, Ringo tient le rythme, toujours le même. Dans la salle, des spectatrices manquent de souffle. Les policiers n'ont plus assez de bras pour transporter à l'air libre celles qui succombent au charme enivrant de leurs idoles!

1964. On ne parle pas encore de révolution, les hippies n'ont pas encore fait leur apparition... Demain, tous ces hystériques d'un soir regagneront les bancs de leurs collèges classiques ou de leurs couvents, bien coiffés, bien repassés...

Juillet 1970. Les Beatles se sont séparés, la folie n'est plus polarisée sur un ou deux groupes, elle s'est répandue. Les idoles prolifèrent. Il existe chez les jeunes québécois un enthousiasme insatiable de musique. Puisqu'ils veulent du « pop », on va leur en vendre... Après Woodstock, mais avant l'Ile de Wight, le Québec va enfin avoir son propre festival pop: les productions Woods organisent

1972. Une foule compacte se presse pour applaudir les Rolling Stones à Montréal.

« une grande fête de paix et d'amour » dans un champ de la ferme Napoléon à Manseau!

Le 29 juillet 1970, à quelques jours de l'événement, un groupe de jeunes formés en comité, convoque une conférence de presse, au cours de laquelle ils accusent les trois frères Filiatrault et leur beau-frère, Claude Lahaie, d'organiser un festival américain au Québec: « Ces pseudo-organisateurs québécois, assoiffés d'argent, n'hésitent pas à exploiter l'amour et la paix, pour garnir leur portefeuille! Le Comité Culturel du Québec, formé de jeunes de tous les coins du Québec, entend manifester son droit de ne pas être exploité sur son territoire en payant $15 comme prix d'entrée. »

En signe de protestation, tous leurs sympathisants vont donc s'asseoir devant les guichets dès le jour de l'ouverture, et informer les naïfs qui voudraient encore acheter des billets.

Festival pop ou festival de l'emballage perdu?

Pourquoi naïfs? Les organisateurs sont-ils vraiment des gens sans scrupules? En tous cas, il semble bien qu'ils n'en soient pas à leur coup d'essai: ils sont accusés d'avoir organisé, entre le 25 août 1969 et le 1er mai 1970, dans la région de Montréal, plusieurs spectacles où aucun artiste ne s'est présenté et d'avoir, cependant, empoché $4500 de droit d'entrée! Fernand Filiatrault a même été arrêté par la police, puis relâché sous caution, en attendant la tenue d'une enquête préliminaire, le 4 août. Leur conseiller technique,

Ils jouent même sur le toit des immeubles.

Quatre mois avant la venue des Beatles, plusieurs centaines de personnes n'hésitent pas à passer une nuit sur le trottoir pour être parmi les premiers à réserver leurs places.

Les Beatles au Forum.

lorsqu'on lui demande le nom des artistes invités, répond avec un sourire énigmatique: « la véritable vedette d'un festival pop, c'est le public qui y assiste! »

Appareil-photo en bandoulière, les pique-niqueurs du dimanche arrivent sur les lieux de la fête le 2 août, avec l'espoir de croquer sur le vif quelques hippies chevelus, des drogués ou encore des strip-teases spontanés. Ces voyeurs ne repartiront pas déçus. Mais il reste les 7000 crédules qui se sont laissés attraper malgré tous les avertissements; il reste tous les vendeurs de hot-dogs, de sandwiches, de pastèques, de crème glacée, ou de coca-cola qui espéraient faire fortune; tous sont repartis bredouilles: les uns n'ont rien vu, les autres n'ont presque rien vendu... Vedettes... ou dindons de la farce?

Seule la pluie était au rendez-vous: mis à part quelques groupes amateurs, les artistes ne sont pas venus. L'un des trois Filiatrault, Réal, tire « sa » morale de l'histoire: « Un festival pop, ce n'est tout simplement pas rentable, c'est impossible. » Tel est pris qui croyait prendre. On ne les y reprendra plus!

On passe le temps comme on peut...

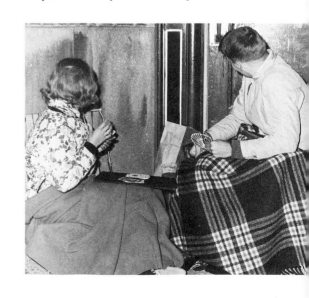

1970. Festival pop à Manseau. Mais
festival de dupes: la plupart des
artistes annoncés ne sont jamais
venus.

Sieste parmi les détritus.

17 juin 1972. Dès l'ouverture, près de six mille spectateurs impatients se précipitent aux guichets pour être aux premières loges, lors du spectacle des Rolling Stones, le 17 juillet. Certains d'entre eux ont passé la nuit sur le trottoir à attendre, comme en 1966, pour une autre apparition du groupe anglais. Mais, depuis, de nouveaux éléments sont intervenus: les fans ont les cheveux plus longs que leurs idoles, et pour passer le temps, ils ont apporté des provisions: bière, vin, fromage, mais aussi « pot », marijuana, haschisch, L.S.D., qui circulent librement d'un bout à l'autre de la longue file d'attente. Danny Roussel, 17 ans, fait remarquer qu'il n'a jamais goûté autant de vins différents en une seule nuit. Il y en a bien quelques-uns qui jouent aux cartes ou aux échecs, mais la plupart dansent et chantent au son de leurs propres instruments. Ils ne veulent plus se contenter d'assister au spectacle. Eux aussi

Parapluie commun. Contre la pluie ou contre les décibels?

Fatigué de lever le pouce en vain...

Exubérance des rythmes, exubérance partout.

doivent créer, agir! Tant et si bien que la brigade anti-émeute arrive pour arrêter une dizaine de jeunes un peu trop actifs qui se sont mis à briser les grandes baies vitrées du Forum, tandis que d'autres mettaient le feu à des poubelles! En juillet 1972, la folie du Rock 'n Roll n'est pas éteinte. Les Rolling Stones vont encore déchaîner l'hystérie chez leurs admirateurs!

Balzac, lui, ne pouvait écrire que debout...

LA MORT TRAGIQUE DU VICE-ROI

Au feuilleton de la Chambre des communes, Auguste Choquette vient de faire inscrire une question qui est en fait une accusation grave: « La gendarmerie royale fait-elle présentement enquête sur le feu qui a ravagé la résidence du lieutenant-gouverneur de la province de Québec, et possède-t-elle des indices relatifs à la possibilité d'activités terroristes provenant de révolutionnaires séparatistes? » En privé, le turbulent député libéral de Lotbinière affirme que M. Paul Comtois, qui vient de périr dans l'incendie de sa résidence, faisait depuis six mois l'objet de menaces précises.

À la chambre, dans le courant de l'après-midi, le premier ministre du Canada lui-même, M. Pearson, a affirmé que « les circonstances de la tragédie semblaient justifier une enquête sur les origines de l'incendie », tout en ajoutant — prudence oblige! — « rien ne porte à croire que l'incendie ait pu être provoqué par une main criminelle. »

Mais revenons en arrière, au soir du dimanche 20 février précisément. Il est près de minuit. Dans le vaste manoir de Bois-de-Coulonge (reconstruit en 1862 après avoir été détruit par les flammes en 1860), le silence règne. Madame Irène Comtois, sa fille Mireille et un couple d'amis qui a passé la fin de semaine avec la famille du lieutenant-gouverneur, M. et Mme Max Stearns, se sont retirés dans leurs chambres. Comtois s'est isolé dans le salon 13, une petite pièce exiguë qu'on utilise rarement. À 70 ans, Comtois mène encore une vie publique très active et il savoure ces rares moments de paix où la vie, cédant le pas à la nuit, semble elle aussi se retirer dans ses appartements pour s'endormir doucement. Il tient un livre entre ses mains mais ne lit pas vraiment. Il savoure simplement ce calme profond, ce silence harmonieux que trouble à

En 1957, Paul Comtois était ministre des mines. On le voit ici serrer la main du Premier Ministre d'alors, John Diefenbaker.

peine, de temps à autre, le glapissement d'un renard ou le hululement d'un oiseau de nuit.

Que s'est-il exactement passé? Certains supposent que Paul Comtois a été victime d'un malaise, d'autres parlent d'un court-circuit et d'aucuns envisagent un geste criminel. Nul ne connaîtra jamais la vérité... Restent les faits: en moins d'un quart d'heure, la vieille demeure, entièrement construite en bois, n'est plus qu'un brasier infernal. Une centaine de pompiers des villes avoisinantes de Sillery, Sainte-Foy et Québec arrivent presqu'aussitôt sur les lieux, mais la faible pression de l'eau à cet endroit ne leur permet pas de lutter efficacement contre les flammes, qui dévorent inéluctablement tout ce bois, sec depuis plus d'un siècle. Ils tentent de sauver une des ailes du manoir, mais en vain. À 3 heures du matin, il ne reste plus que des ruines fumantes. C'est alors qu'il faut se résigner à admettre la tragique vérité: aidés par le gardien des lieux, M. Soucy, Mme Comtois, sa fille et leurs invités ont échappé au sinistre, mais M. Comtois est resté sous les décombres. Vers 4 h, les membres de la Sûreté provinciale entreprennent donc de fouiller les cendres encore tièdes malgré un froid de 20 degrés sous zéro.

Lundi matin, la province de Québec est doublement affligée, puisqu'elle déplore la mort dans des circonstances dramatiques de son lieutenant-gouverneur, mais également la perte du magnifique manoir de Bois-de-Coulonge. Avant d'être rachetée par le Québec en 1865, l'ancienne demeure des gouverneurs généraux du Canada avait abrité pendant quelque temps le premier ministre britannique James Spencer, d'où le nom de Spencerwood qu'on lui connaissait jadis. Précieux vestige de l'histoire, la demeure avait été complètement rénovée peu de temps avant l'incendie.

La perte de Paul Comtois ramène l'unanimité sur les bancs du Parlement, où le premier ministre, Jean Lesage, et le chef de l'opposition, Daniel Johnson, tiennent à rendre hommage au disparu, avant d'ajourner la séance en signe de deuil. Jean Lesage

Autour de Paul Comtois et de son épouse, ses fils Jean et Yves (à dr.) et l'aîné Pierre (à g.) en compagnie de sa femme.

déclare: « Jamais je n'ai vu d'homme ressembler à ce point à tout le bien qu'on dit de lui, et jamais je n'ai vu autant d'harmonie et même de concordance dans les éloges qui se sont élevés à sa mémoire. »

Quant à Daniel Johnson, rappelant qu'une amitié vieille de 22 ans l'unissait à M. Comtois, gérant général de l'Office du Crédit Agricole sous Duplessis, puis député fédéral du comté de Nicolet-Yamaska, et ministre des Mines et des Relevés Techniques dans le cabinet Diefenbaker de 1957 à 1961, il dit: « Dans toutes ses fonctions, l'honorable Paul Comtois a manifesté à un haut degré les qualités qui caractérisent la noblesse rurale canadienne-française, bien ancrée dans le sol du Québec. »

C'est dans la Chambre rouge — la salle du Conseil — que le cercueil fermé a été placé. Dessus, une grande gerbe de fleurs portant une simple inscription: « *D'Irène* », touchant témoignage d'affection de celle qui a vécu à ses côtés pendant près de 45 ans et lui a donné cinq enfants. Mais, tandis que de nombreux hauts dignitaires de la province, du Canada et du monde entier, viennent rendre un dernier hommage à M. Comtois, tandis que les couronnes de fleurs s'amoncellent dans la salle funéraire, éclairée seulement par la lueur blafarde des cierges, dans les coulisses du parlement, la vie reprend ses droits. Dès mardi après-midi, M. Hughes Lapointe est arrivé de Londres, où il occupait le poste de délégué général du Québec. À 17 h, le colonel J-P. Martin, chef de cabinet du bureau du lieutenant gouverneur lisait la commission royale qui fait de M. Lapointe le représentant d'Elisabeth II dans la province. Celui-ci a ensuite prêté serment d'allégeance à la reine, devenant ainsi le vingt-deuxième vice-roi de la province.

Le vice-roi est mort! Vive le vice-roi!

LE CARDINAL LÉGER CHOISIT LES PAUVRES

Les Montréalais vibrent encore au diapason de Terre des Hommes et à quatorze jours de Noël 1967, ils baignent dans l'euphorie de la période des Fêtes.

Il est midi et plusieurs centaines de personnes, qui n'ont rien de voyageurs, hantent les couloirs de l'aéroport international de Montréal, à Dorval. On dénombre beaucoup d'ecclésiastiques, de religieuses et de personnes âgées, sans compter beaucoup de personnalités, notamment le maire Jean Drapeau, et des journalistes de tous les média du pays et même des États-Unis.

Quelques minutes avant le coup de quatorze heures, la foule s'anime. Les gens applaudissent, d'autres pleurent alors que les voyageurs étrangers en transit à Montréal et les habitués de l'aéroport se demandent à haute voix « who is he? ».

En fait, trente-deux jours plus tôt, le cardinal Paul-Émile Léger, archevêque de Montréal depuis dix-sept ans, annonçait de façon aussi soudaine qu'inattendue sa décision de tout abandonner pour aller oeuvrer en Afrique auprès des lépreux à titre de simple missionnaire.

Paul-Émile Léger, prince de l'Église depuis bientôt quatorze ans, ne passera donc pas la Noël parmi la multitude des siens, de ses deux millions d'ouailles. Un bien curieux cadeau de Noël pensent les Montréalais, que l'Expo aurait normalement dû blinder contre les surprises, les grands départs comme les grandes arrivées.

Aux journalistes, le 9 novembre 1967, Paul-Émile Léger explique que tout s'est joué le dernier jour du Synode, alors que le pape Paul

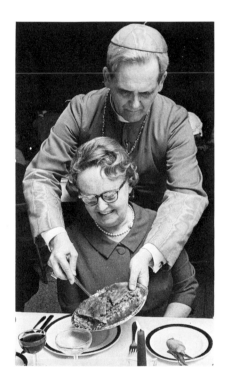

Noël 66, un réveillon dont se souviendra cette souriante invitée des Petits Frères des Pauvres.

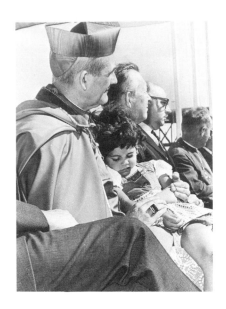

On doit faire de beaux rêves lorsqu'on s'endort sur les genoux d'un évêque.

VI acquiesçait à sa demande en acceptant sa démission projetée depuis plusieurs années. Ce jour même, dans sa livraison, le quotidien *La Presse* titre notamment avoir fait connaître en 1963 le projet du cardinal grâce à des informations obtenues par son représentant au concile.

Alors, subtilement démentie par l'affirmation du cardinal suivant laquelle il serait de retour à Montréal à la fin de la session en cours du concile, la nouvelle n'a cependant jamais été catégoriquement niée ni par le principal intéressé, ni par le Vatican.

« C'est au Synode, durant la discussion sur les problèmes de la foi et sur l'athéisme, que j'ai vécu un véritable drame de conscience », évoque le cardinal en laissant exploser sa bombe démissionnaire, bombe qu'il a amorcée en cinq phases devant les journalistes: « Le temps est venu de passer des paroles aux actes... Je pars donc pour l'Afrique, l'Église est essentiellement missionnaire et c'est tout d'abord aux humbles que l'Évangile s'adresse. Le geste que je pose se situe dans une logique de foi et de vie... Et la foi est avant tout un témoignage de vie. Je sais maintenant que je pourrai parler avec une sincérité nouvelle des problèmes qui angoissent la conscience humaine. C'est pour être sincère avec moi-même que j'ai demandé de partir en pays de missions dans le tiers-monde...

Ce 9 novembre 1967, Paul-Émile, cardinal Léger, se vide le coeur pour laisser le moins possible prise aux interprétations de son geste historique. « J'ai atteint l'âge de 63 ans, explique-t-il, où les scléroses menacent l'âme et le corps. Il faut se cravacher pour sortir des ornières. L'affrontement avec le paganisme peut stimuler la foi. »

Mais ragots et cancans vont néanmoins bon train. Et, même s'ils ne franchissent aucun seuil de crédibilité, ils sont malheureusement lancés. C'est ainsi que certains parlent de sénilité précoce, d'autres de frustrations remontant à la mort de Pie XII alors qu'il était aux dires de tous « papable », pendant que certains journalistes lui demandent carrément si son départ ne pouvait pas être interprèté comme reflétant peut-être la difficulté de demeurer un chef stable dans une société en complète évolution...

En Afrique, c'est tout d'abord Dakar, puis le Dahomey et le Cameroun. Bien accueilli par les autorités religieuses locales et par les miséreux, le cardinal inquiète les autorités civiles. « Je prend ma leçon d'Afrique », explique-t-il alors qu'on l'amène à reviser son objectif d'oeuvrer chez les lépreux et à canaliser ses énergies du côté des enfants handicapés.

Il s'occupe malgré tout des lépreux grâce à son oeuvre *Fame Pereo* (je meurs de faim) mais il ne sera jamais le pasteur d'une seule léproserie et n'en fondera aucune. En fait, Paul-Émile Léger parcourt le Cameroun en multipliant les conférences.

La dernière messe d'un cardinal qui s'exile...

Un prêtre camerounais explique que le cardinal Léger bien qu'il ait voulu redevenir simple missionnaire, ne peut pas empêcher qu'on le considère d'abord comme un prince de l'Église, un homme important mondialement connu, qui peut porter ombrage à des dirigeants africains. Autant de raisons pour lesquelles l'altesse ecclésiastique prêchera des retraites pour religieuses et acceptera des charges d'aumônier. Donc, son grand rêve s'écroule, sa mission doit s'ajuster à la réalité africaine.

Un an, jour pour jour, après l'annonce de sa démission, Paul-Émile Léger est reçu par Paul VI auprès duquel il puise le réconfort et en présence duquel il accepte de réaliser un centre de rééducation pour les enfants handicapés à Yaoundé, au Cameroun. Le cardinal avouera même que la plupart des léproseries qu'il a visitées sont bien organisées et jouissent de soins de santé adéquats.

À cette même période, mi-novembre 1968, le cardinal déclare: « mon pays, c'est l'Afrique ». En juin 1969, il suggère même que

l'Église abandonne discours et écrits pendant un an parce que, dit-il, on n'a plus le temps de méditer et de prier. « L'Église, conclut-il, a besoin de certitudes et d'exemples et non pas d'opinions. » Et c'est en sol québécois que le néo-africain décide de raffermir sa position de missionnaire au tiers-monde alors qu'il reçoit un prix de $50 000 de la Banque Royale à titre de personnalité canadienne en précisant: « Je suis devenu l'homme du Tiers-Monde, et le Tiers-Monde, c'est un mystère et un gouffre, et si nous n'avons pas le courage de le regarder sans fléchir, nous sommes déjà jugés. »

Toujours métaphorique, Paul-Émile Léger propose la création d'une NASA du développement du Tiers-Monde et convie les jeunes à le suivre là-bas « où il y a tant à faire. Le fossé qui sépare un certain monde, le vôtre par rapport au monde sous-développé s'élargit tous les jours. Il s'élargit à perte de vue depuis qu'Apollo XI est sorti des frontières de cette terre. »

Le cardinal revient par la suite au Canada régulièrement, la plupart du temps incognito. Il est miné par la fatigue et son système nerveux est atteint. C'est un secret de polichinelle, le cardinal est victime de dépressions et les médecins de l'Hôtel-Dieu de Montréal

Les jeunes ne s'y trompent pas, le Cardinal Léger est des leurs.

Les départs sont aussi des arrachements.

—où il possède une suite au Pavillon Olier— en 1971 comme en 1972, décident qu'il doit dorénavant se reposer tous les six mois.

En mai 1972, nouveau départ qui se veut encore une fois définitif et le missionnaire se propose encore une fois de ne plus revenir. Mais en février 1973, en plus des nombreuses maisons de rééducation, de dispensaires, d'écoles et de 80 léproseries réparties dans 20 pays africains, le cardinal accepte encore une fois de voyager. Les dons ont atteint en cinq ans $4 millions mais il doit revenir au Canada et visiter plusieurs pays industrialisés, car l'argent ne pousse pas dans les bananiers.

Il devient le missionnaire de la navette entre l'Afrique noire et les pays riches et même s'il est le premier à déplorer une certaine exploitation de son nom et de sa personne, Paul-Émile, cardinal Léger, s'acharne à frapper l'opinion publique. « Vous donnez du boeuf à vos chiens alors que l'Afrique meurt de faim », lance-t-il en brandissant le spectre de la bombe atomique.

Fin 74, après avoir passé plusieurs mois au couvent des Soeurs de Sainte-Anne, à Lachine, le cardinal est nommé curé à Ahuntsic, plus particulièrement à la paroisse Sainte-Madeleine-Sophie en remplacement du curé Maxime Lacroix. Il est secondé par l'abbé Pierre Gonneville qui était son secrétaire particulier avant qu'il ne s'exile en Afrique. Mais à l'archevêché, on s'empresse de dire que le cardinal assurera les suites de son travail en Afrique tout en assumant sa cure, une aventure qui ne dure que trois mois et à la suite de laquelle il retourne au couvent des Soeurs de Sainte-Anne.

Le cardinal ne porte plus la croix pectorale, il arbore celle des travailleurs en grève de la *United Aircraft* et à tous ceux qui tentent de minimiser sa fougue de novembre 1967, celui qui a troqué la robe pourpre pour la robe blanche du missionnaire rétorque qu'il ne s'est jamais senti aussi près de l'Afrique. Et c'est le grand départ.

Les larmes aux yeux, Paul-Émile, cardinal Léger, embrasse sa nièce, Madame Antonin Fréchette, née Hélène Léger, au pied du hangar d'Air Canada, qui l'amènera à New-York, dernière étape avant l'Afrique, car de la métropole-jungle américaine, il s'envolera à destination de la brousse africaine.

Il éclate en sanglots. Les mouchoirs s'agitent, lourds de larmes. Décembre est froid, mouillé de pluie glacée et de neige fondante. Tout est consommé. Paul-Émile Léger gravit une à une les marches de l'escalier menant à l'appareil. Il trébuche sur l'avant-dernière marche, se retourne infiniment triste et pendant qu'une hôtesse de l'air lui prend le bras gauche, il jette un dernier regard et pour saluer dix-huit années de sa vie, fait le signe de la croix, avant de s'engouffrer dans l'Histoire.

Partir du bon pied, abandonnant allègrement les fastes de la pourpre.

LE MONDE ENTIER À L'EXPO

Jeudi, 27 avril 1967, à Montréal. Il est 15 h 59. Le ciel est clair et ensoleillé. Il fait encore très froid. Pourtant, 7 000 personnes attendent l'ouverture de *Terre des Hommes*. Une rumeur dans la foule... C'est lui, le voilà. Le tout nouveau Gouverneur Général du Canada, S.E. Roland Michener, s'avance au micro et d'une voix forte et claire, en français puis en anglais, annonce: « Je déclare ouverte l'Exposition Universelle et Internationale de Montréal! »

Ces quelques mots marquent à la fois une fin et un commencement. La fin de près de dix années d'espoir, de travaux, de craintes, de course contre la montre et d'inébranlable volonté d'une poignée d'hommes; le commencement des six mois les plus extraordinaires que Montréal aura connus de toute son existence. Six mois au cours desquels des hommes, des femmes, des enfants, des vieillards, des riches, des pauvres, venus de tous les horizons, parlant une multitude de langues, ayant des idéologies différentes, se sont fondus dans un seul et même creuset: *l'Expo 67...*

Même si l'idée d'une Exposition Universelle à Montréal avait commencé à poindre dans certains esprits dès le début du siècle, il faut bien dire qu'il ne s'agissait là que d'une sorte de fol espoir et presque d'un voeu pieux. En fait la première véritable intention vint du président du Sénat Mark Drouin, alors qu'il présidait la délégation fédérale à la Journée du Canada lors de l'Exposition Universelle de Bruxelles, en 1958.

Des travaux préliminaires furent entrepris et la candidature du Canada présentée au Bureau International des Expositions qui devait prendre une décision à l'automne de 1960. Deux concurrents étaient en lice pour 1967: le Canada qui voulait de cette manière

L'île Sainte-Hélène et l'île Notre-Dame avant et après.

célébrer le Centenaire de la Confédération, et l'URSS qui, de son côté, tenait à fêter le Cinquantenaire de la Révolution d'Octobre. Après plusieurs tours de scrutin, les Soviétiques sortent vainqueurs de la lutte, mais moins de deux ans plus tard, sans grandes explications, ils renoncent à leur projet.

Tout est à recommencer. Le Canada se remet donc à espérer. Au premier tour de scrutin, il est choisi à l'unanimité... étant le seul candidat. Le Canada, oui, mais quelle ville du Canada? Toronto? Montréal? Déjà, les esprits s'échauffent. Dieu merci, Toronto déclare vite forfait et Montréal reste donc seul en lice. Ne restait qu'à bâtir l'Expo, ce qui n'était pas la moindre des entreprises...

Un Commissaire général est nommé en 1963, c'est Jean Bienvenu, mais il ne peut résister à l'ampleur de la tâche et surtout à l'idée « d'inventer des îles pour y implanter l'Expo. » Il démissionne et cède sa place à l'Ambassadeur Pierre Dupuy qui entre en fonction à l'automne 1963.

Entre-temps, les spécialistes s'étaient penchés sur les points principaux: le thème et le site. Pour le site, il fallait un endroit exceptionnel très près du coeur de la ville et parfaitement accessible. Or quoi de plus beau que des îles au milieu du Saint-Laurent? L'île Sainte-Hélène existe déjà, mais en partie seulement, et l'Ile Notre-Dame est entièrement à inventer. L'idée originale était de Guy Baudet, gérant du Port de Montréal, et ce n'est qu'après de longues hésitations que le maire Drapeau y souscrit. Il ne devait pas le regretter.

Les premiers coups de pioche.

Féérie nocturne.

Le grand ballet des camions commença au rythme d'un véhicule toutes les deux ou trois minutes —et ce 24 heures par jour. Plus de 25 millions de tonnes de pierres et de terre furent transportées et déversées sur les lieux. La ville de Montréal avait exactement un an pour mener ce remplissage à bien. Elle respecta les délais et le 1er juillet, au cours d'une grande fête de nuit, le Maire Jean Drapeau remettait les Iles au Commissaire général Pierre Dupuy.

Quant au thème, qui est une tradition dans toutes les grandes Expositions Universelles, il avait été l'objet d'une réunion d'un groupe de personnalités des mondes littéraire, journalistique, universitaire et scientifique qu'on devait désigner plus tard sous le vocable des « Sages de Montebello », car ils s'étaient retrouvés dans l'ancien Manoir de Louis-Joseph Papineau. Ils tombèrent d'accord pour utiliser le titre d'un des ouvrages de ce merveilleux écrivain et grand humaniste que fut Antoine de Saint-Exupéry, *Terre des Hommes.*

Cette idée directrice, on allait donc la retrouver partout et en premier lieu dans les pavillons thématiques qui ont représenté une grande première dans l'histoire des Expositions universelles et qui se répartissaient ainsi:

- Le génie créateur de l'Homme comprenant les Expositions internationales des Beaux Arts, de design et de photographie.
- L'Homme dans la cité, complété par l'Homme et la Santé et Habitat 67 qui offrait, et offre encore, un contexte d'habitation assez révolutionnaire et audacieux.

Le jour même de l'ouverture, un record fut battu avec la visite d'une américaine de... 97 ans!

- L'Homme à l'oeuvre démontrant que face à la technologie, l'homme a su maîtriser les différentes techniques et réussir sa transformation industrielle.
- L'Homme interroge l'univers avec, comme sous-thèmes:
L'Homme et la vie — L'Homme, la planète et l'espace — L'Homme et la mer — L'Homme et les régions polaires — L'Homme et l'alimentation.

Ce thème de *Terre des Hommes* représentait la véritable colonne vertébrale de toute l'Exposition.

Les pays furent une bonne centaine à l'heure du rendez-vous alors qu'au départ les plus optimistes n'en prévoyaient qu'une trentaine, et ce premier « record » n'était que le prémice de tous ceux qu'allait établir l'Expo 67 au cours de ses six mois d'existence.

Aux commandes d'un bulldozer, Jean Lesage, alors premier ministre, donne le coup d'envoi des travaux.

La Biosphère, pavillon des États-Unis, fut un des pôles d'attraction de l'Exposition. Elle fut détruite en quelques instants par un incendie, neuf ans plus tard.

Trois petits tours et puis s'en vont...

Mais nous voilà de retour à ce jeudi 27 avril 1967 et à l'inauguration officielle. Ce jour-là, le public ordinaire n'a pas encore été admis. Pour lui, le grand jour, ce sera demain. Sera-t-il à son tour au rendez-vous que les dirigeants de l'Expo lui ont fixé?

En ce vendredi 28 avril, on a prévu d'ouvrir les 228 tourniquets existants à 9h40 et tout un cérémonial a été mis au point. De ce

Même Dieu s'était fait représenter...

cérémonial il ne sera rapidement plus question puisqu'il a fallu laisser envahir les îles 45 minutes avant l'heure H. En effet, dès 8 heures, plus de 3 000 personnes se pressent aux différentes entrées. Toutes ont hâte de fouler ces « îles enchantées », de visiter ces pavillons dont elles ont entendu parler depuis si longtemps, d'utiliser ce *passeport* qui sur quelques hectares va leur permettre de faire un tour du monde en miniature.

Des jeunes plus courageux que les autres ont passé la nuit devant les portillons et plus les minutes passent, plus la foule s'enfle. À la station de métro Sainte-Hélène, les futurs visiteurs se retrouvent les uns contre les autres. À tout moment, on risque l'étouffement. Il faut donc lâcher la meute avant l'heure. Finies les cérémonies bien établies. Fini le bel ordonnancement. C'est la fête qui commence. Elle durera 185 jours.

Mais pour l'heure les visiteurs ne savent pas exactement comment s'orienter. Ils ne savent pas que choisir, que regarder. Comment, à travers cet interminable dédale, retrouver le pavillon du pays qu'ils désirent visiter en premier? On marche, on se croise, on se sourit, on s'interroge et surtout on s'extasie: « Merveilleux, sensationnel, fascinant ». Les qualificatifs volent de bouche en bouche. Et pendant ce temps le métro, l'autobus, les voitures, les vélos ne cessent de déverser de nouveaux flots de visiteurs. Ils sont partout. Sur l'Ile Sainte-Hélène, sur l'Ile Notre-Dame, à la Cité du Havre, dans l'Expo-Express, entre ciel et terre à bord du Minirail, dans les restaurants, les cafétérias et à la Ronde où les manèges et les attractions se sont mis au diapason.

Un ménage où personne ne porte la culotte...

À la fin de cette première journée, plus de 300 000 personnes peuvent dire avec fierté: « Nous avons vu l'Expo... et nous y reviendrons souvent. »

Il y a là un peu de tout: du gigantesque, du minuscule, du précieux, de l'élégant, de l'exotisme, de l'histoire, de la réalité de tous les jours, du clinquant, de la douceur, de la propagande, bien sûr, mais surtout beaucoup d'amitié et de chaleur humaine. Chacun a son style particulier et son originalité. Il y en a pour tous les goûts et de toutes les couleurs.

Les architectes, libérés de bien des contraintes s'en sont donnés à coeur joie et en se promenant du Canada à l'Allemagne, de l'URSS aux États-Unis, de la France à l'Angleterre, de la Tchécoslovaquie à la Thaïlande ou encore de l'Iran à Israël, on va de découverte en découverte, d'audace en audace, d'ingéniosité en ingéniosité. Le gigantisme des uns contraste avec la délicatesse des autres. La technique avant-gardiste de certains sert de pendant à la richesse de plusieurs. C'est cette mosaïque qui a donné à l'Exposition de Montréal son véritable caractère original.

Les pavillons aussi beaux, aussi passionnants, aussi attirants soient-ils ne peuvent suffire. Il faut les intégrer dans un ensemble, créer une animation, enjoliver les alentours. En bref donner une âme à cette diversité.

La Compagnie de l'Expo a réalisé cette tâche en assumant la conception de 847 édifices, 27 ponts, 30 kilomètres de route et de promenade, 40 kilomètres de tuyauterie, de décharge et d'égout, 170 kilomètres de conduites d'eau, de gaz et d'électricité, 90 000 kilomètres de fils de communication, 24 484 places de stationnement, 14 950 arbres, 187 acres de pelouse, 898 000 arbustes, plantes et bulbes, 256 étangs, fontaines et sculptures, 6 150 lampadaires, près de 3 000 bancs sans oublier... 4 330 poubelles dont certaines sont demeurées célèbres.

Mais retrouvons notre visiteur. Il a vu des pavillons, il s'est émerveillé, il s'est instruit, il a pris une dimension planétaire, il s'est beaucoup promené et il s'est beaucoup fatigué. Maintenant il a besoin de se substanter. Nourrir le corps après l'esprit. Reprendre des forces, et entreprendre un autre tour du monde mais d'un tout autre genre, puisque gastronomique celui-là.

Et en principe ce n'est pas la place qui lui manquera puisque 21 000 personnes peuvent s'installer, en même temps, dans tous les coins de l'Expo où l'on s'adonne à la « Grande Bouffe ». Les affamés peuvent choisir entre la quarantaine de restaurants situés dans les pavillons nationaux; tous ceux que l'on retrouve dans les différents pavillons des Provinces canadiennes, les 40 salles à manger, brasseries et établissements de divers types, les 70 comptoirs à sandwichs disséminés sur l'ensemble des terrains, les 46 boutiques de spécialités alimentaires et les 500 distributrices automatiques.

Un train miniature dans un monde miniature.

Mais on n'est pas venu à l'Expo pour dévorer un simple hamburger ou une crème glacée (on a pourtant mangé 5 931 578 hamburgers et plus de 33 500 000 cornets de crème glacée entre la fin avril et la fin octobre) quand les délices du monde entier sont sur la table. Tout est là: du saumon de l'Atlantique à la morue du Pacifique, du caviar d'Iran à celui de Russie, de l'entrecôte bordelaise au couscous d'Afrique du Nord, du boeuf argentin à la saucisse viennoise, du canard laqué chinois aux fruits de mer bien spécifiques des Antilles, de la lamproie langonnaisse de Raymond Oliver au Tandoori de l'Inde, du veau à l'italienne au boeuf de Kobé, du guacamole mexicain au smorgasbrod scandinave, de la viande des grisons suisse au bortch ukrainien...

Et pour faire passer tout cela, il faut du « liquide » et dans ce domaine, « C'est Byzance! ». Chacun offre les meilleures bouteilles, qu'il s'agisse des vins français, de l'aquavit scandinave, de la Tequila mexicaine, du saké japonais, des rhums antillais, des thés —qu'ils soient du Ceylan ou à la menthe— des cafés *espresso*, Espagnols, Irlandais ou tout autre.

Pour parcourir cette *Terre des Hommes* de la bonne table, les six mois ne seront jamais suffisants.

La Ronde de l'Expo, c'est un parc d'amusement certes, mais un parc d'amusement pas comme les autres. Ses concepteurs ont visité tout ce qui se fait dans le genre à travers le monde et ils ont voulu offrir aux montréalais et aux visiteurs venus des quatre coins de la

Changements de montures: la marine
troque ses torpilleurs contre des
éléphants et la police ses motos
obèses contre de frêles bicyclettes.

planète de l'inédit. Ils ont divisé toute cette zone en divers éléments bien distincts sans rompre, cependant, une certaine unité.

C'est pourquoi, « sur le papier » — et sur les 55 hectares de terrain — on retrouve spécifiquement l'Aquarium, la Terre des Pionniers, le Monde des Petits, le pavillon de la Jeunesse, le Lac des Dauphins, le Jardins des Étoiles, le Carrefour international, le Safari, le Village, le Téléphérique, le port Sainte-Hélène, la Spirale et le Centre des manèges.

Ce Centre des manèges qui est en fait le pôle d'attraction et où règne en grand maître le *Gyrotron* lequel, dès les premiers instants, est envahi par une foule de curieux avides de sensations.

On a voulu faire contraste entre le reste de l'Expo, à caractère éducatif, et la Ronde où on se divertit. Et c'est vrai que, comme on dit ici, « On a ben du fun à la Ronde ». Chacun y retrouve ce qu'il désire: un peu de son enfance sur les manèges, les grandes vedettes sur la scène du Jardin des Étoiles, les exploits sportifs au Lac des Dauphins, l'habileté des animaux au Cirque marin, le plaisir du magasinage au Carrefour international, la vision des grands espaces dans le téléphérique, les derniers progrès de la technique audio-visuelle à la Lanterna Magika, un léger frisson humide à bord de la Pitoune, l'air du grand large au port de plaisance, le « bon esprit » de chez nous au Village.

Oui, la Ronde, c'était le complément indispensable à l'Expo.

On a voulu faire de l'Expo la fête du « monde ordinaire » et on y est parvenu. Il n'en est pas moins vrai qu'à ce carrefour de *Terre des Hommes*, se sont également retrouvés bien des personnages importants de notre temps, qu'ils soient Chefs d'État, Premiers Ministres ou célébrités de toutes sortes.

Rien que du côté protocolaire, 57 visites officielles seront comptabilisées dont 17 Chefs d'État, le premier étant —le mardi 2 mai— l'Empereur d'Éthiopie Hailé Sélassié (qui causa tout un émoi en se faisant accompagner par son minuscule chien) et le dernier, le Président de la République du Cameroun, M. Ahmadou Ahidjo, le 18 octobre. Entre les deux, des hommes et des femmes comme la Reine Elisabeth II, le Président Lyndon B. Johnson, le Prince Rainier et la Princesse Grace de Monaco, le Président italien Giuseppe Saragat, la Reine Juliana de Hollande, le Président de la Côte d'Ivoire Houphouët-Boigny, le Président d'Israël Zalman Shazar, rappelé d'urgence dans son pays en raison d'une nouvelle crise au Moyen-Orient, sans oublier le général de Gaulle dont la visite (en dehors de l'Expo) fit un certain bruit...

Même le caractère officiel et un peu solennel de ces visites n'a rien enlevé à l'ambiance bon enfant de l'Expo. Les « grands » arrivaient... faisaient leur petit tour... repartaient... et les îles retrouvaient leur véritable vocation: la foule.

Une foule qui ne cesse de grossir. On avait prévu 30 000 000 de visiteurs. Ce chiffre est rapidement dépassé et personne n'ose plus spéculer sur le chiffre final. On vient à l'Expo et on y revient. Le bassin situé au pavillon de Belgique est presque transformé en Fontaine de Trevi, chacun y lançant sa pièce de monnaie. Et quand on aura tout pêché, il y en aura pour près d'une tonne et $5 000 remis au Service de recherches de l'Université de Montréal.

Même la grève des Transports en commun de Montréal, grève qui va durer un mois, si elle ralentit un peu le rythme, n'empêche pas l'Expo de voguer vers ce chiffre magique de 50 000 000 de passages aux tourniquets, chiffre qui sera atteint à la veille de la clôture. Ce cinquante millionième visiteur est en fait une visiteuse, il s'agit d'une québécoise « pure laine », madame Marthe Racine de Répentigny, qui se voit offrir une visite à l'Exposition Universelle... d'Osaka au Japon, en 1970.

Le printemps d'avril est bien loin, l'été de juillet dépassé et l'automne d'octobre bien entamé. Irrémédiablement on arrive à ce dimanche 29 octobre où il faudra que le rideau tombe sur cette grande scène de la connaissance, de l'amitié et de la fraternité.

Il va tomber, en ce dernier dimanche d'octobre, un dimanche où le froid n'empêche pas 220 000 personnes de venir une dernière fois « communier » sur les Iles qui furent pratiquement la patrie du monde pendant six mois. On va jeter un dernier regard furtif dans l'un ou l'autre des pavillons où déjà les caisses d'emballage ont fait leur apparition. On veut encore rire, mais c'est la nostalgie qui s'installe. On déambule dans les allées mais cette promenade ressemble plus à un pélerinage qu'à une curiosité de dernière heure. On voudrait bien conserver un souvenir de dernière minute, mais on n'ose pas détériorer ce qui a été si beau. Une femme pourtant se saisit d'un tibia qui était dans une tombe préhistorique et le cache sous son manteau. On la remarque. On l'arrête. Elle le rend à regret. « C'était pour le mettre sur le buffet de ma salle à manger », avoue-t-elle. On a les souvenirs qu'on peut...

Et pendant ce temps les tourniquets continuent de tourner. Il est 14 heures. Tout va s'arrêter. Un visiteur s'engouffre d'extrême justesse. Il s'appelle George Tuttle, c'est un étudiant de Calgary, il a 24 ans. Il est le dernier. Avant lui 50 306 647 autres personnes étaient passées par là.

Sur la Place des Nations, des discours, des voeux, des remerciements, des espoirs et la voix du Gouverneur Général Michener qui s'élève, plus sourde qu'en avril, pour annoncer la clôture officielle.

Maintenant, c'est bien fini. Pour une dernière fois les feux d'artifices éclatent dans le ciel, mais les lampions de la fête s'éteignent, laissant dans le coeur de tous les québécois une petite flamme de fierté qui ne s'éteindra pas de sitôt. *Terre des Hommes* revivra un jour, différente, enthousiasmante et riche. Mais l'Expo 67, elle, est bien morte...

LE ROI
JEAN DRAPEAU

Une foule joyeuse se précipite à l'Hôtel de Ville de Montréal: il y a
là partisans et badauds, participants traditionnels de ce genre de
petite fête que représente l'élection d'un maire. Mais, en ce soir du
27 octobre 1960, l'ambiance est quand même un peu plus gaie qu'à
l'ordinaire. La vertu a triomphé.

La vertu? C'est celui qui incarne la lutte contre la conscription, la
lutte contre le vice et les « red lights », l'enquête Caron. Le seul qui a
combattu Duplessis avec quelque succès (argument de poids en ce
début de révolution tranquille). C'est enfin ce prophète qui
annonce que « Montréal doit être une des grandes métropoles du
monde ». Son nom? Jean Drapeau, bien sûr...

Désormais, contre vents et marées, le roi Jean 1er de Montréal va
régner sans partage sur le destin de « sa » ville. Plutôt moyen, mais
bien en chair, une tête ronde tirant vers l'ovale, deux yeux inquiets
faisant une large trouée derrière des lunettes qui semblent presque
être là pour les protéger, la moustache en brosse, le menton carré et
volontaire, Jean Drapeau, toujours vêtu de sombre, donne
l'impression à chaque instant qu'il va éclater dans une sainte
colère. Sa voix qui détache et roule les mots au moment opportun
est celle d'un tribun. Il assène ses phrases sur un ton qui n'admet
pas de réplique. Son discours passe du grandiloquent à l'humour
trivial; pourtant on sent que l'assistance entend les mots qu'elle
espérait. Ceux d'un père ou d'un prophète. Car avec le temps, Jean
Drapeau a fait de son image sa première nature...

C'est un homme qui ne peut vivre qu'en accomplissant quelque
grande mission. Il est gaullien dans son sens de la légitimité, que
seul consacre le vote populaire, et dans son amour —certains disent

« folie »— de la grandeur, qui tient à la fois du baroque et du grandiose et qu'on retrouve d'ailleurs dans ses goûts musicaux: il adore la musique vénitienne et l'opéra, surtout wagnerien. Aussi, lorsqu'il prend la parole, sachant que les peuples ne sont grands que lorsqu'ils soutiennent quelque grande querelle (de Gaulle), chacun de ses discours contient un rêve ou un cauchemar: *les Quatre Saisons* alternent avec *le Crépuscule des Dieux...*

De son apprentissage à l'intérieur de la « Patente » (l'ordre de Jacques Cartier), il a gardé le goût du secret et la possession tranquille de *la* vérité. C'est un mystique dont la voix intérieure prime sur tout le reste. Il s'est senti appelé par Montréal pour lui donner la grandeur à laquelle elle a droit. Au mieux, il s'entoure de lieutenants mais jamais d'égaux; il écartera subtilement ceux dont l'envergure pourrait tôt ou tard lui porter ombrage. Dans la lutte, il écrase impitoyablement ses ennemis. Tous les moyens sont bons pour une cause juste! Il y a du démagogue dans chaque mystique. Ainsi, en 1970, il n'hésite pas à déclarer que, derrière ses adversaires, se cache le FLQ. Montréal, dit-il, risque de « baigner dans le sang »: son assurance lui fait prononcer des discours qui, chez tout autre, sembleraient ridicules. Lors des discussions financières qui précèdent les Jeux Olympiques, le débat étant porté sur la place publique, ses arguments sont infaillibles: « Les Jeux ne peuvent pas faire de déficit, pas plus qu'un homme ne peut être enceint! » ou encore « Il n'y a qu'à laisser le robinet couler et emplir la baignoire! » Et le bon peuple d'applaudir...

C'est le roi-père qui supporte mal la critique et l'opposition... Pour peu qu'il y en eut, en 1974, il la traite de « minorité abusive ». Il parle à la presse, certes, mais ne répond pas à ses questions. L'entrevue est une denrée rare et encore faut-il que l'impétrant présente toutes les garanties d'une saine compréhension. Mais, surtout, pas d'illusions: de toutes façons, Drapeau ne répondra qu'aux questions qu'il a lui-même choisies. Quand il veut parler, point besoin d'intermédiaire; il s'adresse directement au peuple, à l'occasion d'un cérémonial bien établi; il faut que cela ait lieu dans le cadre d'une solennité précise —inauguration, célébration—ou bien devant quelque aéropage de notables soigneusement choisis —Chambre de Commerce, Kiwanis, Rotariens ou Conseils du Patronat. Il arrive en dernier, distribuant à quelques heureux élus des propos de politesse . Puis, face à la forêt de micros et aux caméras, il lit son discours, sans en changer une virgule. C'est la célébration. Le dernier mot dit, il s'en va promptement, fuyant les questions complémentaires —Montréal a parlé!— pour se retirer dans son bureau, saint des saints du pouvoir municipal.

Deux grands « amis » par la force des choses: Jean Drapeau et Maurice Duplessis, en septembre 1958.

« I am the greatest! » Qui? Mohammed Ali ou Jean Drapeau?

Deux institutions: John Diefenbaker, alors Premier Ministre, et Jean Drapeau, en septembre 1966.

Avec Golda Meir, en novembre 1962.

Rencontre au sommet Trudeau - Drapeau.

L'envers du décor: après le Drapeau-des-villes, une rare photo du Drapeau-des-champs.

Les rois, même élus, doivent conserver la distance qu'impose le sacré. Car Jean Drapeau est devenu un symbole sacré, intouchable, dont les actes souffrent mal la critique, dans le public. Toute élection est finalement un plébiscite: il ne s'agit pas de réélire un maire —ce qui est chose acquise du moment qu'il est candidat!— mais en fonction de la majorité qu'on lui accorde, lui faire connaître le degré de satisfaction de son peuple.

Ce sont les petites gens et les pauvres (qui pourtant sont les premiers à souffrir financièrement de certaines de ses politiques) qui sont les « fans » inconditionnels de Jean Drapeau. Grâce à lui, le fait d'être montréalais confère une valorisation collective dont chacun bénéficie. Il a mis Montréal « sur la map » avec l'Expo universelle et les Jeux olympiques qui ont parlé de nous dans le monde entier. Jean Drapeau l'affirme: la Place des Arts est « la plus belle salle du monde », le métro, « le plus beau de monde », le stade olympique « le plus beau du monde ». L'unique est le privilège de tous: à l'étranger, beaucoup de montréalais disent « Je suis de Montréal » avec le même ton que les romains jadis devaient dire « Je suis citoyen romain »!

Dans le fond de l'âme canadienne-française, et surtout à Montréal où la dualité linguistique est plus forte qu'ailleurs, la frustration d'être un petit peuple mis en minorité trouve son exutoire dans la tradition et la grandeur. Dans cette psychose, le nouveau n'est acceptable que dans la grandeur, et la grandeur est la seule à mériter des sacrifices. Peu importe le prix. Cet état d'âme intuitif est incarné par Jean Drapeau puisqu'il le partage: en ce sens, il est le reflet parfait des Montréalais.

La maison dévastée.

Une bombe chez lui en septembre 1969: plus de peur que de mal...

Il n'en a pas été toujours ainsi. Le jeune étudiant Jean Drapeau a tout d'abord découvert sa voie dans le nationalisme: il fit partie de ce mouvement de jeunesse que l'on nommait *Jeune Canada*. Très tôt, il se lia avec André Laurendeau, Maxime Raymond et bien d'autres que la défense du Canada français et la lutte contre la conscription réunissaient. Drapeau était un jeune orateur, souvent inspiré par les thèses du Chanoine Lionel Groulx, à tel point que lorsqu'il fit partie plus tard du Bloc Populaire, ce fut un des orateurs de la soirée du 29 novembre 1944 qui développa le thème: « La seule réponse à la conscription, c'est l'indépendance »...

Auparavant, il avait tenté de faire une entrée sur la scène fédérale

Soirée de gala aux côtés de la princesse Grace de Monaco et de son mari, le prince Rainier.

45

1955. Drapeau prêt à s'envoler.
Pour la célébrité et, peut-être, pour
l'Histoire...

en 1942, lors d'une élection partielle dans Outremont. Son parti, le Bloc Populaire, avait décidé de ne pas y participer. Jean Drapeau se présenta quand même sous le titre de *candidat des conscrits*. Il était peut-être trop tôt. Jean Drapeau fut défait par un général. Peu importe, sa tentative lui apporte une certaine renommée. Le Bloc Populaire, qui rassemble un certain nombre de libéraux nationalistes, décide alors de se présenter aux élections provinciales. Cette fois-ci, Jean Drapeau est candidat officiel dans Jeanne-Mance. Hélas, coincé entre l'Union nationale et le parti Libéral, le Bloc Populaire obtient peu de députés. Jean Drapeau est battu...

Mais depuis, il a commencé à exercer sa profession d'avocat. À l'effritement du Bloc, il va se retrouver en compagnie de Pierre Des Marais qui est en lutte contre Camillien Houde, « M. Montréal », le maire « bleu », Jean-Léon Z. Patenaude (déjà secrétaire de différentes ligues), Gérard Filion naturellement, André Laurendeau qui vient d'accéder à la direction du *Devoir*. Un avocat nommé par le conseil municipal, Pax Plante, dénonce les accointances entre certains élus et la pègre. La bataille commence avec la formation d'une *Ligue de Vigilance*. En ce temps-là, Pierre Des Marais tient le haut du pavé; parmi ses projets, il y a la construction d'un métro! D'un métro qui sera « une immense faillite, un scandale », dit Pierre Laporte dans le journal *le Devoir*.

En 1950, la *Ligue de Vigilance* s'étant endormie, Jean-Léon Z. Patenaude fonde un comité pour la moralité publique. Pax Plante ayant été mis à l'écart, la pègre ne se gêne plus. Patenaude prend alors comme compagnon de lutte Jean Drapeau, dont il a découvert les talents d'orateur. Petit à petit, Pax Plante et Jean Drapeau, soutenus par Patenaude, vont faire équipe et obtenir une enquête sur la police et le crime à Montréal —l'enquête Caron. La bataille devient franchement électorale. Une ligue d'Action civique, dont le grand patron est Pierre Des Marais et le secrétaire J.L.Z. Patenaude, se constitue en parti municipal. Il faut essayer d'avoir la peau du maire Camillien Houde. Mais celui-ci est aussi aimé à l'époque qu'un certain Jean Drapeau le sera un jour...

Finalement, après 270 jours d'audience la commission d'enquête Caron termine ses travaux et fait prendre des mesures. C'est une victoire contre la mafia mais aussi pour Jean Drapeau qui est devenu un héros populaire.

Aux élections municipales du 25 octobre 1954, la ligue d'Action civique présente Jean Drapeau comme maire, mais avec Pierre Des Marais qui deviendra président du Conseil exécutif et

Souvenir d'un certain juin 1967.

Le ministre des Richesses Naturelles s'entretient avec le maire de Montréal.

En compagnie de l'Empereur Hailé Sélassié Ier, Jean Drapeau rêve-t-il d'un aussi long règne que celui du « Négus » — plus de quarante ans...

naturellement Patenaude, qui seront en fait les « vrais patrons ». Mais Drapeau est un travailleur acharné: de plus il continue à prendre des mesures qui combattent le crime, lesquelles, par la même occasion, renforcent les pouvoirs du maire. Ses compagnons commencent à trouver qu'il en fait un peu trop: il est moins docile qu'on le pensait! Aussi la zizanie commence à s'implanter parmi les gens de la Ligue et il n'est pas étonnant que Drapeau soit battu en 1957.

La défaite lui sert de leçon: en fait il ne sait pas encore s'il va continuer sur la scène municipale, ou bien s'il ira à Québec. En 1958, tout le laissait croire. Mais aller à Québec, c'est s'installer dans un parti. C'est-à-dire être encore le second de quelqu'un. Lors des élections, quittant définitivement ses anciens amis, il fonde le

Madame de Gaulle signe le livre d'Or de l'Hôtel de Ville de Montréal.

Parti Civique de Montréal et gagne haut la main les élections. Cette fois-ci, il est installé pour de bon. Il a compris qu'il valait mieux être le premier à Montréal.

Dans le reste de sa carrière, il y aura deux époques: celle avec Lucien Saulnier, et l'autre qui dure encore...

Lucien Saulnier est avant tout un administrateur, tandis que Drapeau est un inspirateur. Les deux ensemble feront merveille. Tout d'abord, dans le cadre du centenaire de la Confédération —que le nationaliste Drapeau jadis condamnait!— on arrive à faire passer le projet d'une Exposition universelle: le gouvernement d'Ottawa, dirigé par Diefenbaker qui cherche des appuis au Québec promet son aide. Dans le courant de cette Expo, on fait passer aussi le projet de la Place des Arts (qui devait se financer elle-même) et finalement subventionnée d'une manière statutaire! Le métro qui ouvrira ses lignes six mois avant et un complexe routier qui prolonge le boulevard Métropolitain. Ce qui fait que l'Expo qui devait revenir à 40 millions de dollars, dépasse largement les budgets.

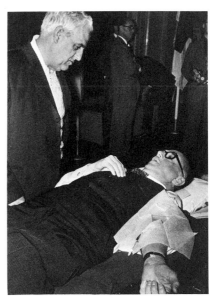

Une tradition: la clinique de sang à la mairie.

Mais Montréal est entrée dans la voie des modernisations. Et le peuple l'approuve. À preuve, les élections se transforment en plébiscite, les conseillers membres de l'opposition étant réduits à la portion congrue. Lucien Saulnier s'en va. C'est Laurence Hanigan qui lui succède. Entre temps, Drapeau essaye de faire appliquer son plan —*une île, une ville*— en menant une campagne annexioniste. La création de la Communauté urbaine de Montréal stoppera ses espoirs et créera un solide rempart contre Montréal à la recherche de son espace vital!

Le gouverneur de New York, Nelson Rockefeller, en visite à Montréal.

Tout ceci entraîne des frais, des dépenses et surtout des emprunts. La révolte commence à gronder à Montréal, et un groupe oppositionnel, le FRAP, commence à se former en vue des élections de 1970... Or, arrive l'affaire Cross et la loi des mesures de guerre. Drapeau saisit l'occasion pour attaquer à fond ses adversaires; certains d'entre eux sont des progressistes ou des nationalistes notoires. Aidé par les propos alarmistes de Jean Marchand, il dénonce la collusion possible des gens du FRAP avec les terroristes: en politique, tout fait ventre! Le meurtre de Pierre Laporte a fait peur. C'est un raz-de-marée qui reporte Jean Drapeau au pouvoir en novembre 1970, avec une majorité incroyable: 52 sièges sur 52 au Conseil municipal. Le FRAP est mort. Jean Drapeau est maintenant tout puissant!...

Tellement puissant que, contre vents et marées, il arrivera à faire accepter les Jeux olympiques à Montréal. Ottawa se dégage prudemment et apporte une aide indirecte (pour l'Expo, Ottawa a dû éponger les déficits!). Quant à Québec, une certaine résistance se manifeste: le Dr. Victor Goldbloom, ministre des Affaires municipales essaye de freiner. Peine perdue! Drapeau arrive à convaincre Bourassa. Mieux: lorsque celui-ci fera une commission d'enquête sur les coûts en cours, Jean Drapeau ira vaincre les résistances et, une fois que les choses seront trop avancées pour qu'on les arrête, se déchargera noblement sur la Régie des Installations olympiques de toute responsabilité puisque, par son biais, le gouvernement québécois veut tout contrôler! Ce qui fait que le déficit craint d'un milliard aura bel et bien lieu. Mais Jean Drapeau ne saurait en être tenu responsable.

Dans les coulisses du Parlement avec Robert Bourassa, en septembre 1974.

Entre temps, les gouvernements ont appris que nul ne pouvait lutter contre le roi de Montréal. Combien de temps durera son règne? Autant de temps qu'il voudra sans doute. Encore que son côté gaullien lui suggèrera peut-être de démissionner soudainement, comme l'illustre général, et de disparaître de la vie publique pendant un certain temps... Mais ceux qui le connaissent savent qu'un de ses projets a toujours été l'instauration d'un opéra à Montréal. Peut-être restera-t-il tant que ce dernier rêve ne sera pas réalisé?

Il fait visiter le chantier du parc olympique à Henry Kissinger.

GEORGES LEMAY, L'ARSÈNE LUPIN QUÉBÉCOIS

Ce jour-là, 6 mai 1965, le gardien de la marina de Fort Lauderdale suit sur son petit écran une émission extraordinaire: la première retransmise d'une émission télévisée par satellite dans le ciel de tous les pays dits occidentaux. Les grandes nations ont unis leurs efforts et leurs capitaux pour lancer dans la stratosphère ce laboratoire T.V. appelé *L'oiseau matinal* (Early Bird). Chacune participe au programme avec le concours de ses plus grandes vedettes. Les États-Unis proposent un show où apparaît la belle Marylin Monroe, la France une chanson interprétée par Yves Montand. Quant au Canada, il profite de cette occasion unique pour projeter à travers le monde la photo de celui qu'on désigne comme « l'homme le plus recherché », le « beau Georges », Georges Lemay, bandit québécois dont les exploits firent plus d'une fois la *une* des journaux.

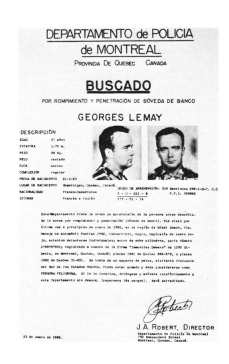

Voyant ce portrait sur son écran, le gardien de la marina sursaute: « Mais, c'est mon voisin! Mais oui, c'est René Roy! »

C'est en effet sous le nom de René Roy que Georges Lemay a enregistré son luxueux voilier qui se balance langoureusement près de celui du gardien de la Marina. Celui-ci, en bon citoyen, avertit aussitôt un ami policier. Et c'est ainsi que Georges Lemay fut arrêté...

On le recherchait depuis le 31 juillet 1961, date du plus considérable vol (on parlait de 4 à 5 millions) perpétré dans la succursale de la banque de Nouvelle-Écosse, située rue Ste-Catherine à Montréal, à l'angle de la rue St-Alexandre, en plein centre de la ville.

La bande à Lemay s'était introduite par un souterrain sous la

Georges Lemay photographié à travers les grilles du centre de police où les inspecteurs qui sont venus l'arrêter en Floride, l'ont interrogé.

chambre forte de la banque, avait découpé la lourde dalle de ciment à l'aide d'un appareil tout à fait nouveau, et éventré, profitant de cette longue fin de semaine de la fête de la Confédération, 377 coffrets de sûreté, sans attirer l'attention d'aucun gardien et sans déclencher le système électronique d'alarme qui ne protégeait que les murs et le toit.

Lemay et ses comparses réussissent à prendre le large et ce n'est qu'en janvier 1962 qu'un complice, Jacques Lajoie, les dénonce, vexé que les frères Lemieux, beaux-frères de Lemay, se refusent à lui verser la modique somme de $1 200 qu'ils lui devaient pour sa participation au vol.

Lajoie et les autres comparses de Lemay sont condamnés au pénitencier en cette année 1962, mais le *Beau Georges*, lui, court toujours. Réfugié aux États-Unis, dont il a traversé la frontière comme n'importe quel canadien peut le faire, il navigue entre la Floride et Cuba, ce qui lui permet de prolonger son séjour là-bas sans encourir les reproches de la loi qui interdit aux citoyens canadiens de rester plus de six mois consécutifs au pays de l'oncle Sam.

Il est cependant arrêté par les policiers de Miami sous l'inculpation d'avoir dépassé la limite permise de séjour. Ce n'est qu'un prétexte en attendant que les policiers montréalais viennent lui passer les menottes. Il est enfermé, en attendant, à la prison de Dade County, considérée comme la plus sécuritaire du monde. Mais quand on vient le transférer, le « Beau Georges » a réussi le tour de force de s'évader du douzième étage au bout des boyaux du système d'incendie de cette prison.

Les agents du FBI ne le retrouvent qu'un an plus tard: il s'est installé dans une luxueuse villa de la banlieue de Las Vegas, où son voisin immédiat n'est autre que... le chef de police locale avec lequel il joue régulièrement aux cartes et à qui il enseigne certaines martingales, inventées pour gagner à coup sûr au casino.

Revenu à Montréal, Lemay est condamné à sept ans de pénitencier, malgré la défense magistrale de l'éminent avocat Léo-René Maranda. Mais le témoin Jacques Lajoie, bien mis en réserve par la police, reparaît comme témoin et accable l'accusé.

Lemay purge toute sa peine au pénitencier. Lorsqu'il en ressort, les policiers gardent cependant un oeil sur cette vedette exceptionnelle du crime.

Malgré cette surveillance, on reverra Lemay en correctionnelle le 26 janvier 1979. Il est présentement gardé aux cellules de la Sûreté du Québec en attendant son procès sous une accusation d'avoir monté un laboratoire clandestin qui devrait fabriquer une drogue puissante connue sous le nom de PEC, à base de phenyl-cycloexyl-ethylamine, une drogue de cheval qui, selon la police, aurait pu alimenter tous les amateurs de paradis artificiel dans le Québec et ailleurs.

Au cours d'une enquête préliminaire devant le juge Raymond Bernier, on a appris que la Gendarmerie Royale avait suivi Lemay et un comparse, Quintal, depuis plus d'un an. Soixante limiers secrets de la Police Montée ont témoigné devant le juge et relaté l'exceptionnelle filature qui permit la découverte du laboratoire.

Malgré cela, Lemay, qui est moins que jadis le *Beau Georges*, à 57 ans, gardait un ineffable sourire au moment où un commando de police lui mettait la main au collet juste à l'instant où il entrait la clé dans la serrure de son entrepôt-laboratoire à Rivière des Prairies. Il se retourna et, avec le flegme qu'on lui connaît, il lança: « C'est encore une grossière erreur... »

Georges Lemay vient d'être arrêté sur son yatch: les policiers ne lui ont même pas laissé le temps d'enfiler une chemise.

55

Béliveau cède son chandail de capitaine à Henri Richard.

1976. Le premier ministre Trudeau remet la coupe du Canada.

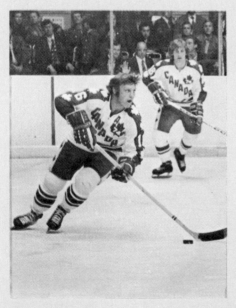

Bobby Hull.

Béliveau et la coupe Stanley à Détroit.

Le « patriarche » Gordie Howe dans une action peu régulière...

HOCKEY: PHOTOS D'UNE BELLE HISTOIRE D'AMOUR

Encore un pour Guy Lafleur!

Yvan Cournoyer dans une situation... renversante.

À Détroit, Henri Richard porte la coupe Stanley.

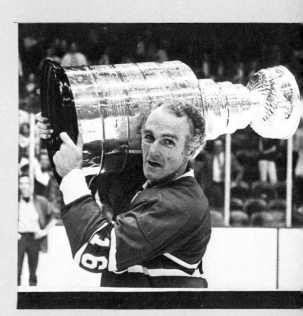

John McKenzie contre Tretiak.

Toe Blake et « ses » Canadiens.

Dryden et Robinson sablent le champagne.

Les deux Jean: Béliveau et Drapeau.

Guy Lafleur en action.

500ème but pour Frank Mahovlich.

Les Nordiques au travail.

Allez, Henri!

Lorne Worsley et Toe Blake.

Serge Savard au vestiaire.

Ça s'arrose! Toe Blake, Sam Pollock et Serge Savard.

Réjean Houle.

Bowman, Ruel et Béliveau.

Lapointe et sa cinquième coupe Stanley.

Coupe Canada.

Guy Lafleur à la parade dans les rues de Montréal.

Ils l'ont! Jean Béliveau, Henri Richard et Ken Dryden.

Al McNeil et Claude Ruel.

Jean-Claude Tremblay.

Gainey, Lapointe et Bouchard fêtent la victoire.

Un peu de nostalgie: l'ancien Forum. Et le nouveau, dont la maquette est présentée par Dave Molson.

Yvan Cournoyer, toujours menaçant.

Pete Mahovlich et Cournoyer, entourant Tretiak.

John Ferguson, Yvan Cournoyer, Charlie Hodge et Claude Provost.

Le sourire de la victoire pour Jean-Claude Tremblay, Jean Béliveau et Rogatien Vachon.

MOI, J'AIME
LE MÉTRO

L'hiver, à Montréal, les autobus sont forcément ralentis par les intempéries et quelquefois stoppés par la neige. Les usagers des transports en commun prennent leur mal en patience, dansant d'un pied sur l'autre pour ne pas geler ou se transformer en bonshommes de neige, les jours de tempête. Ceux qui ont le choix préfèrent utiliser leur voiture. Mais, en 1960, la population de la métropole a franchi le cap des deux millions. La circulation urbaine commence à se faire difficile. Que faire?

Toronto, la deuxième grande ville du Canada, a entrepris de résoudre ces problèmes dès 1949. Le maire Jean Drapeau affirme: « Pour conserver son rang de Métropole du Canada, Montréal a absolument besoin d'un métro. » Sa ville est en retard de quelques années et de quelques milles de tunnel souterrain. Qu'à cela ne tienne, on mettra les bouchées doubles!

Il y a fort longtemps qu'on en parle, depuis 1910 précisément! Une étude a même été menée en 1953, mais c'est finalement en 1960 que le projet définitif est choisi. Encore quelques mois pour tracer les plans et voter les budgets et, le 23 mai 1962, les travaux commencent. À peine un an plus tard, Montréal est choisie comme lieu de l'exposition internationale et universelle de 1967. Il faut absolument que le métro soit mis en service d'ici là. Aux deux lignes initialement projetées, on décide alors d'en greffer une troisième qui, passant sous le fleuve Saint-Laurent, ira jusqu'à Longueuil, après un arrêt à « Terre des Hommes », à l'Ile Sainte-Hélène, qui a été choisie comme site de l'exposition.

Pour aller plus vite, on octroie des contrats à vingt entrepreneurs.

Bien des années plus tôt, Montréal avait déjà été « éventrée » pour la commodité des voyageurs: il s'agissait alors d'installer les rails des tramways.

Chacun d'entre eux creuse et cimente son tronçon de tunnel. Aucune difficulté matérielle majeure ne vient interrompre leur progression dans le roc et, tels des taupes, ils avancent tous inlassablement de plus de dix mètres par jour.Mais le monstre d'acier réclame des sacrifices. Sa naissance sera entachée de sang: le 17 février 1966, un ouvrier est écrasé contre les parois de la voie souterraine par une chargeuse, à l'angle des rues Saint-Denis et Craig. Il meurt sur le coup. C'est la douzième victime depuis le début des travaux. Le 11 septembre 1964, trois ouvriers sont tués par une explosion sur le chantier « Lafontaine-du Havre »; quatre autres sont écrasés, soit par des éboulements dans les galeries qu'ils creusaient, soit par des blocs de ciment. Quatre autres accidents

Le métro! un demi-siècle de débats, cinq ans de construction, est inauguré le 14 octobre 1966 par son Honneur Jean Drapeau. À sa droite, Louis Joyce, ministre d'état du gouvernement français. À sa gauche, Paul Martin, ministre canadien des affaires extérieures, près de lui à l'extrémité, Daniel Johnson.

Monsieur Lucien L'Allier, que l'on a surnommé à juste titre « le père du métro » est présenté par Jean Drapeau au général De Gaulle en 1967.

En 1966, plusieurs grèves furent décidées par les syndicats pour protester contre les mauvaises conditions de travail sur les chantiers du métro et de l'Expo et contre les accidents graves dont avaient été victimes plusieurs ouvriers.

mortels: le mât d'une grue s'est abattu au sol, faisant une victime, un travailleur a perdu le contrôle d'un véhicule en descendant une rampe au chantier « Beaudry-Sainte-Catherine », il est mort; un autre a succombé à la suite d'une chute au chantier « Berri-De-Montigny », et le dernier a été broyé par un levier mécanique le 19 juillet 1965. Et les travaux ne sont pas encore terminés... On rend hommage aux victimes. Et on poursuit les travaux de plus belle...

La conception, la réalisation et la décoration de chaque station est confiée à un architecte différent, ce qui confère à chacune un cachet original. Les voitures, conçues par un dessinateur industriel de Montréal qui s'est inspiré du métro parisien sur pneumatiques, sont fabriquées à 82% au Canada, par la Canadian Vickers. Tout ce monde s'affaire tant et si bien que le jour de l'inauguration du métro de Montréal, le 14 octobre 1966, le réseau de tunnels long de 26 km (contre 23 à Toronto) est achevé, de même que vingt des vingt-six stations qu'il doit comporter.

Mus par l'électricité, les trains sont relativement silencieux. Bien que rapides, les accélérations se font sans heurts. Les wagons sont spacieux, bien éclairés, peints dans des tons gris-bleus. Jean Drapeau s'exclame: « Vraiment notre métro est plus beau et plus confortable que je ne l'avais imaginé! » Très vite, ce nouveau moyen de transport va devenir extrêmement populaire. Grâce à un système de correspondance très souple, cette popularité rejaillit sur les autobus. Et puis, il faut noter que, peu à peu, le centre-ville va se mettre au niveau du métro. Des galeries s'ouvrent, des commerçants, des restaurants, des cinémas, s'y installent. Certains grands magasins, des bureaux, la Gare Centrale, la Place Bonaventure, la Place Ville-Marie, le Complexe Desjardins, la Place des Arts, communiquent avec toute cette vie souterraine. La fourmilière se peuple.

La première rame va partir. Dieu est du voyage en la très sainte personne du Cardinal Léger.

23 janvier 1974. Alerte au feu à la station Laurier. L'intervention des pompiers est immédiate. Aucune victime.

Pour inciter les montréalais à se servir du métro et de son frère aîné l'autobus, la CTCUM orchestre de nombreuses campagnes publicitaires, campagnes dont la plus célèbre est sans doute « J'aime le métro, j'aime l'autobus », message commercial télévisé qui accroche l'oeil et l'oreille.

On prend l'habitude d'accorder son itinéraire d'emplettes à celui des stations de métro; d'éviter au maximum les marches sous la neige. Les banlieusards de la rive Sud... d'ailleurs laissent maintenant leurs voitures aux terminus et sont en quelques minutes au coeur de la ville.

Puis arrive la grande nouvelle: Montréal sera l'hôte des Jeux. Les installations olympiques seront érigées dans l'est de la ville et des centaines de milliers de visiteurs devront s'y rendre. On peut craindre des problèmes insolubles de circulation et de stationnement. Le métro sera la solution. La ligne numéro 1 dont le terminus était Frontenac est prolongée. Elle desservira le parc olympique à une cadence accélérée.

En jetant un regard sur 1976, on peut dire que pour son anniversaire (10 ans déjà), le métro de Montréal a battu tous les records: 9 904 902 voyageurs transportés du 17 juillet au 1er août, et avec le sourire. Qui dit mieux?

AU FEU!

« Les Québécois doivent considérer l'incendie comme un fléau national de très haute importance et leur vigilance ne doit jamais se relâcher pour se protéger de ce sinistre. »

Chaque année, le feu dévore sans discrimination églises, hôtels, restaurants, maisons d'habitation, etc. Aussi paradoxal que cela puisse paraître, le froid est l'un des premiers responsables de ces tragédies: c'est en janvier et en février, lorsque le mercure descend le plus bas, que les pompiers ont le plus de travail.

L'incendie fait rage au marché Bonsecours.

L'imprudence a évidemment sa part de responsabilité: à Saint-Jean d'Iberville, c'est un chapeau qui est à l'origine du pire incendie que la ville ait connu en vingt-cinq ans: apparemment, il aurait été oublié sur une forme chauffante dans la chapellerie des demoiselles Poulin, rue Richelieu. Les pompiers arrivent sur les lieux en moins de trois minutes et ils sont bientôt 125 à lutter contre les flammes. Pourtant, ils ne pourront rien sauver des huit logements et des six magasins de l'immeuble. Les dégâts se chiffrent à un demi million de dollars.

Le 3 mars 1967, madame Herménégilde Lachance meurt dans l'incendie de son logement. Elle avait malencontreusement brisé un gallon d'huile à chauffage sur son poêle!

Le 25 janvier 1961, une jeune fille appelle au secours de la fenêtre de sa cuisine. Que s'est-il passé? De l'huile sur le feu? Un fer à repasser qui est resté branché? Une cigarette allumée dans la poubelle? Un de ces gestes stupides que n'importe qui peut commettre dans un moment de distraction... Résultat ce jour-là: un immeuble de cinq étages situé au 5370 avenue McDonald est complètement détruit par les flammes. Deux cents personnes doivent quitter les lieux.

Les incendies semblent marquer
fortement l'imagination des enfants.
L'un d'entre eux a réalisé cette
peinture sur la palissade d'un
chantier de Montréal.

La majorité des accidents sont imprévisibles: le 3 mars 1966, vers 1h30 du matin, une explosion se produit dans une usine de produits chimiques située au 2535 ouest, rue Saint-Jacques. Tout un pâté de vieilles maisons situées derrière l'usine, de ces maisons qui ont des barils de mazout sur leur galerie de bois, est complètement détruit. Six cents personnes sont chassées de leur domicile en pleine nuit. Certaines ont tout perdu, d'autres, menacées par les flammes, préfèrent fuir avant qu'il ne soit trop tard. Sur le trottoir, un homme, Jacques Proulx, se lamente: « Je suis fini, moi! J'avais été slacké vendredi passé... mes enfants ont même plus de bas dans les pieds... Encore chanceux d'avoir pu les sauver. J'les ai amenés tous les huit chez ma belle-soeur. Mais j'pourrai pas rester là. Elle a sept enfants. On va être trop tassés. J'me demande où on va aller... »

Mais il y a aussi des tragédies qui auraient pu être évitées. À Lasalle Heights, le dossier est accablant pour les constructeurs d'un lotissement. À peine deux ans après que les clés du premier logement aient été remises à ses locataires, R.P. Opie, un ingénieur de la Société Centrale d'Hypothèques et de Logements, signale de graves défauts de construction. C'était en 1958. Le premier mars 1965, deux violentes explosions ébranlent tout le quartier vers 8h du matin. Des maisons volent en éclats, ensevelissant leurs occupants sous les décombres. Les matériaux propulsés par le souffle de la déflagration happent des passants, et des enfants qui se rendaient à l'école. Le feu s'empare des ruines. Bilan de cette épouvantable tragédie: 27 morts. L'enquête du commissariat des incendies révèle qu'une conduite de gaz était fissurée depuis des mois. R.P. Opie déclare qu'il est « moralement convaincu que des améliorations ont dû être apportées ». Pourtant, en visitant les lieux, on découvre que les recommandations qu'il avait faites en 1958 sont pratiquement restées lettre morte.

Un gigantesque palais de glace, deux cents personnes sans abri, c'est le sinistre de Noël 1968 à LaSalle.

Chaque année le nombre des victimes innocentes est terriblement impressionnant: durant la semaine de la prévention des incendies, en 1969, on révèle que le feu a provoqué la mort de 121 personnes entre le 1er avril 1968 et le 31 mars 1969, et 119 l'année précédente. On pourrait citer des dizaines de cas, tous plus dramatiques les uns que les autres

Le drame, l'insupportable, l'horreur.
Un enfant est mort, brûlé vif.

Le 3 décembre 1969, à Notre-Dame-du-Lac, l'hospice « Le repos du vieillard » est la proie des flammes. Le lendemain, on dénombre 38 morts et 28 blessés. Le 28 février 1961, trois enfants âgés de trois ans, un an et demi et trois mois, périssent dans les flammes de leur demeure, à Val des Bois, pendant que leur père travaillait et que leur mère prenait le café chez une voisine. Le 26 janvier 1961, au coin des rues Ontario et Wolfe, une maison de chambres, un magasin de meubles et quatre établissements commerciaux sont détruits. Une femme a été transportée inanimée dans le salon de barbier Malo. Tous les efforts pour la ranimer resteront vains. Le 22 janvier 1966, un immeuble brûle rue Outremont. Une femme se précipite en hurlant: « My son and my father are there! » (Mon fils et mon père sont là!) Les pompiers ne pourront rien faire pour les sauver. Au cours de l'enquête qui suivra, le commissaire Bolduc demande si certains pompiers ne sont pas partis avant que le feu soit circonscrit, en alléguant que « leur chiffre était fini ». Dollard

Fin d'un beau rêve: la biosphère a totalement brûlé.

Goulet, le directeur du service d'incendies d'Outremont, s'écrie, indigné: « Mes hommes ont du coeur au ventre! »

Il arrive d'ailleurs que les services de lutte contre les incendies payent un lourd tribut à la fureur aveugle des flammes: le 2 mars 1960, cinq pompiers sont sur le toit d'une maison en feu, quand celui-ci s'effondre sous leurs pieds. On retrouvera leurs corps carbonisés quelques heures plus tard. C'est le pire accident de ce genre depuis le 29 avril 1877. Ce jour-là, sept pompiers avaient péri dans l'incendie de la Oil Cabinet and Novelty Works, 3, rue Saint-Urbain. Et bien souvent, on se demande par quel miracle les incendies ne font pas plus de victimes!

Au lendemain de Noël 1960, une mère et ses onze enfants meurent

Hommes et chevaux reviennent à la caserne, leur devoir accompli. Ce siècle vient de naître...

Un des joyaux du Vieux Montréal, la place d'Youville entreprend ce jour-là une lutte sans merci avec le feu, l'eau et le froid.

Les pompiers, visages gelés, semblent parfois venir d'un monde sidéral qui dépasse la fiction.

dans l'incendie de leur masure, à Noyan, dans le district de Bedford. Les voisins, la presse, tout le monde s'apitoie sur le sort du malheureux père resté seul et qui a tout perdu. Pourtant, un doute plane bientôt... les témoins trouvent qu'il n'a peut-être pas lutté avec assez de conviction contre le sinistre. Une enquête est ouverte, au terme de laquelle Abel Vosburgh, 63 ans, sera inculpé de meurtre. Deux jours avant l'incendie, il aurait acheté trente gallons d'huile à chauffage. Or il n'en reste plus que quinze... et il lui en fallait cinq par jour, au grand maximum, pour se chauffer. Plusieurs témoins rapportent qu'il maltraitait son amie et qu'il avait des accès de colère extrêmement violents. Le 17 janvier 1961, il est accusé de « négligence criminelle » en attendant d'être jugé par la cour d'Assisses, à l'automne.

Le cas d'Abel Vosburgh est spectaculaire. Mais les incendies criminels ne sont pas rares. Comme l'hiver est propice aux feux, c'est aussi la saison des pyromanes, dont les crimes peuvent plus facilement passer pour des accidents! Cependant, bien souvent, les indices sont trop minces pour confirmer les doutes et le mystère demeure...

Et puis les beaux jours reviennent. Le chauffage cède la place au soleil qui, en ville, ne pose guère de problèmes aux pompiers. Dans les campagnes, par contre, c'est une autre histoire: assoiffées, desséchées, les forêts sont entièrement à la merci des promeneurs imprudents. Il suffit parfois d'un tesson de bouteille sur lequel tombe un rayon de soleil, d'une cigarette négligemment jetée dans les brousailles... et c'est l'embrasement!

Les pompiers sont souvent plus éloignés, moins bien équipés et moins nombreux que dans les centres très peuplés. Le dimanche 3 mai 1964, de 9h à 16h, tous les pompiers de Saint-Jérôme luttent contre le feu qui fait rage dans un bois près de l'autoroute des Laurentides. Pendant ce temps, à Village Lafontaine, les flammes menacent une forêt de résineux et un quartier résidentiel. Aidés par quelques hommes et du matériel de la Protection Civile, les habitants se transforment en pompiers. Au cours de la même fin de semaine, le gouvernement envoie des avions-citernes éteindre des incendies de forêt à Château-Richer et à Stoneham, dans la région de Québec.

La nuit de Noël 1974, par un froid sibérien, un incendie fait rage rue Grenet à Cartierville. Deux jours après, les pompiers retrouvent le cadavre d'une vieille dame disparue.

*Après les incendies d'hiver,
il faut souvent de très longues
heures avant de pouvoir dégager les
camions immobilisés dans la glace.*

Mais, de tous les incendies de forêt, ceux qui ont ravagé l'est du Canada en 1960 sont les plus tragiquement mémorables. Pas d'avion à cette époque. Les proportions du sinistre étaient telles que les faibles moyens de défense des hommes ne pouvaient pas changer grand'chose à la situation. En Gaspésie, trois paroisses sont plus particulièrement frappées: Saint-Gabriel, Saint-Charles et Val-d'Espoir. 125 familles ont été évacuées. Des fermes, des maisons, des granges où la récolte de l'année était entassée pour l'hiver, sont rasées. Dans un village, sauvée par un caprice du feu, l'école reste debout, intacte, au milieu des cendres des habitations qui l'entouraient. Les habitants, qui ont toujours eu à se battre contre les difficultés de la vie, ne perdent pas leur sang-froid. Ils trouvent des camions-citernes qu'ils vont remplir à la rivière et ils arrosent tant qu'ils peuvent, grâce à des pompes portatives. L'Ile du Prince-Édouard et les provinces Maritimes sont durement touchées, elles aussi. Un vent violent attise les braises et fait renaître des foyers qu'on croyait éteints. On évalue les pertes à plus de cinq millions de dollars. Il faudra des années, avant que ces grands arbres ne repoussent. La fumée, poussée vers le sud par le vent, a jeté son ombre sur la ville de New York pendant plusieurs jours. Il faudra finalement l'intervention du Royal 22e Régiment, assisté par les éléments naturels, pour venir à bout du sinistre qui sévit depuis près de trois semaines. Le dimanche 4 septembre 1960, il commence à pleuvoir et le vent souffle moins fort. Le soir même, le chef de district, R. Laterreur, loue l'efficacité et la ténacité des sapeurs-soldats, et déclare que la situation est désormais « sous contrôle ».

Les monuments, les vestiges de l'histoire, ne sont pas épargnés par le feu. De toutes les pertes matérielles qui lui sont imputables, ce sont certainement celles que l'on regrette le plus. Ainsi, on déplore la destruction totale du manoir de Bois-de-Coulonge, en 1966, mais aussi celle de monuments moins prestigieux, auxquels la population était cependant très attachée: le 20 février 1961, l'église de Saint-Louis de Gonzague, dans le comté de Dorchester, brûle entièrement, avec toutes les reliques du passé qu'elle abritait. Le 7 février de la même année, on a eu très peur. Un incendie s'est déclaré au dernier étage du parlement de Québec, dans une chambre forte contenant des dossiers des ministères des Terres et Forêts, de la Colonisation et du Travail. En une heure et demie, les pompiers maîtrisent les flammes. À quel prix?... Un véritable torrent descend du quatrième étage, endommageant tout sur son passage, suintant à travers les plafonds... Le feu a détruit de nombreux dossiers, les dégâts imputables à l'eau sont encore plus importants, mais la catastrophe a néanmoins été évitée. Le Parlement de Québec est sauvé.

Un officier pose pour la postérité en 1863.

Le premier sauvetage par filet au début de l'année 1915.

« VIVE LE QUÉBEC LIBRE! »

Les préparatifs de l'Exposition de 1967 touchaient à leur fin et la grande préoccupation des organisateurs était maintenant d'établir la liste définitive des personnalités qui viendraient à Montréal visiter ce que tout le monde n'appelait déjà plus que « L'Expo »... Cinquante chefs d'État avaient été invités, mais une seule question occupait en fait les esprits: oui ou non, de Gaulle viendra-t-il? Car chacun sentait que la rencontre entre « le plus illustre des Français » et le Québec « réveillé » ne pourrait être qu'un grand moment de l'Histoire...

Le Général, lui, hésitait encore. Nous savons avec certitude pourquoi, grâce au second des extraordinaires documents secrets rendus publics dix ans plus tard...

Réception à l'Hôtel de Ville.

En marge d'une dépêche diplomatique où on lui suggérait d'envoyer un message de félicitation pour le centième anniversaire du British North America Act de 1867, que les fédéralistes appelaient audacieusement « centenaire du Canada », de Gaulle écrit, le 9 décembre 1966, qu'il ne veut pas avoir l'air de s'associer à la célébration d'un « État » (il s'agit du Canada et il met « État » entre guillemets) « fondé sur notre défaite d'autrefois et sur l'intégration d'une partie du peuple français dans un ensemble britannique. »

En conséquence, il ne veut pas du programme prévu par le gouvernement fédéral qui, comme pour tous les autres chefs d'État invités, centre le voyage sur Ottawa, avec arrivée en avion dans la capitale fédérale, réception chez le Vice-Roi et à la Chambre des communes, puis comme accessoirement excursion à l'Exposition de Montréal. Seul au monde, il a été directement invité par le

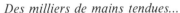
Des milliers de mains tendues...

gouvernement québécois: c'est au Québec qu'il veut d'abord et essentiellement rendre visite.

À un officiel français qui me confie alors l'embarras de l'Élysée devant l'obstination d'Ottawa, je suggère l'idée d'un voyage en bateau: ainsi la géographie imposera ce qu'exige la situation historique où nous nous trouvons. Enthousiasmé, il regagna Paris. Quelque temps plus tard (26 janvier 1967), il m'écrivit: « Vos idées ont fait leur chemin jusqu'à l'Élysée. Le Président de la République envisage effectivement, conformément avec les propos que vous m'aviez tenus, d'arriver au Québec par mer et le navire est déjà retenu. Vous voyez qu'il n'est pas toujours inutile de parler affaires. »

Des négociations laborieuses s'engagèrent entre Paris et Ottawa. Le 17 mars, *La Presse* révélait avec effarement dans un article sensationnel le programme exigé par de Gaulle, comparant à « l'arrivée de Cléopâtre devant César » « l'entrée en scène grandiose » du Général qui, « à bord du plus imposant des croiseurs (...) remonterait le Saint-Laurent pour être accueilli triomphalement à Québec. »

Le gouvernement fédéral comprenait avec inquiétude qu'il ne s'agissait pas d'une fantaisie orgueilleuse mais d'une pensée politique; non sans raison, il rapprochait de celle-ci l'intention —effectivement réalisée peu après— du gouvernement québécois de se doter d'un ministère des affaires intergouvernementales.

L'accélération du développement des relations franco-québécoises se manifeste avec éclat en mai quand, réalisant un projet dont nous avions parlé ensemble dans la nuit même de l'élection qui le plaçait à la tête du pays, Daniel Johnson se rend à Paris. Il y fut reçu magnifiquement; le président de la République salua en lui le chef « d'un peuple exemplaire et très cher en lequel (...) nous voyons un rameau du nôtre. » Plusieurs ministres français firent des déclarations dans le même sens.

Ces paroles auraient dû attirer l'attention des observateurs, les préparer à comprendre l'esprit dans lequel il allait faire son voyage. Mais ils continueront à être inattentifs: une fois débarqué sur la terre québécoise, de Gaulle développera de la façon la plus claire sa pensée jusqu'au moment, enfin, où il les tirera de leur somnolence —d'un mot...

Dimanche, le 23 juillet 1967, à 9 heures, de Gaulle descend du Colbert, amarré à l'Anse-au-Foulon. Il est accueilli solennellement

À l'Université.

FRANCE LIBRE
QUÉBEC LIBRE

FRANCE QUÉBEC LIBE

VIVE LA FRANCE
VIVE LE QUÉBEC

par le premier ministre du Québec et par le Gouverneur général du Canada: les autorités fédérales sont maîtresses des frontières, donc du port; c'est le seul endroit où elles seront présentes et où elles feront flotter leur drapeau, l'unifolié.

La foule hue le « God Save the Queen » et acclame « La Marseillaise ». De Gaulle n'a pas dit un mot et déjà, comme au début d'une symphonie, le ton est donné des journées que nous allons vivre.

Dans Québec, le fleurdelisé et le tricolore flottent à toutes les fenêtres, dans toutes les mains. À l'Hôtel de Ville, le Général définit la cité en l'appelant « Capitale du Canada français », ce qui est prendre le contre-pied de la conception des fédéralistes pour qui Québec n'est que la capitale d'une province.

Il entend la messe à Sainte-Anne-de-Beaupré, lieu de pèlerinage créé en 1650 par des marins bretons; l'immense basilique retentit d'applaudissements et d'acclamations: « Vive la France! Vive de Gaulle! » Le soir, les ovations l'accompagnent lorsqu'il traverse la ville pour se rendre au Château-Frontenac où est servi le dîner d'État. Dans les termes les plus clairs et dans une langue magnifique, de Gaulle expose sa pensée.

Une des rares pancartes hostiles au Général.

90

Ce discours du Frontenac est fondamental. Il s'articule en trois points:

1. Les Canadiens français sont des français: « en dépit du temps, des distances, des vicissitudes de l'histoire, un morceau de notre peuple est installé, enraciné, rassemblé ici. »

2. Les Canadiens français sont maintenant passés de la simple « résolution de survivre » à l'ambition de se « saisir de tous les moyens d'affranchissement, de développement »; vous, Québécois, précise-t-il, « n'acceptant plus de subir (...) la prépondérance d'influences qui vous sont étrangères! » Et il expose un aspect capital du problème et les modalités de la solution: « Compte-tenu des difficultés inévitables d'un tel changement, moyennant les accords et arrangements que peuvent raisonnablement comporter les circonstances qui vous environnent et sans empêcher aucunement votre coopération avec des éléments voisins et différents, on assiste ici, comme en maintes régions du monde, à l'avènement d'un peuple qui (...) veut disposer de lui-même et prendre en mains ses destinées. »

3. Cette évolution est tout à fait normale, elle provoque de façon naturelle le rapprochement du Québec et de la France, qui rendra service à l'une et à l'autre. Personne ne doit « s'étonner ou s'alarmer d'un mouvement aussi conforme (...) à l'esprit de notre

De Gaulle signe le Livre d'Or de Montréal.

temps. En tout cas, cet avènement, c'est de toute son âme que la France le salue... »

La péroraison partit du plus lointain de l'histoire pour aboutir au plus brûlant de l'actualité... « Ce que les français d'ici, une fois devenus maîtres d'eux-mêmes, auront à faire pour organiser, en conjonction avec les autres Canadiens, les moyens de sauvegarder leur substance et leur indépendance au contact de l'État colossal qui est leur voisin »... Tout, assurément, était dit. Rien pourtant n'était fait. Pour que les sourds entendent, il fallait crier, ou plutôt, c'est ce que de Gaulle, le lendemain, allait faire, dire « un mot de trop », le fameux, l'explosif, l'historique mot: libre.

Le lendemain, en effet, c'est la journée historique, lundi le 24 juillet 1967, jour anniversaire de celui où, 433 ans plus tôt (24 juillet 1534), Jacques-Cartier prit possession du Canada en plantant une croix à Gaspé. De Québec à Montréal, le long des 270 kilomètres du Chemin du Roi, ce fut une extraordinaire chevauchée, au milieu des drapeaux français et québécois, au milieu des acclamations d'un peuple entier, accouru des fermes les plus lointaines. Dans chaque village où des armoiries annoncent de quelle province française sont issus les habitants, et à Trois-Rivières, de Gaulle reprend son prêche, ajoutant chaque fois une idée nouvelle, un mot de plus.

À Montréal, c'est du délire. Le cortège avance avec peine au milieu d'un million de québécois dont les cris enthousiastes forment un hymne continu à la liberté. Du balcon de l'Hôtel de Ville, de Gaulle répond. Il comble enfin leur attente en criant, au terme de son discours, « Vive le Québec libre! »

Dans la rue, c'est une joie immense. Chez les notables, la perplexité. À Ottawa, le désarroi; il faudra 24 heures au gouvernement fédéral pour dire, sous la pression des Canadiens anglais, que l'adjectif est « inacceptable ». La pendule sur le haut de la façade marquait 19h45. Selon le plan, minutieusement préparé, du voyage, aucun micro n'était prévu sur le balcon. Le maire Drapeau comptait emmener le Général directement sur la terrasse, sur la façade arrière de l'Hôtel de Ville, où devant 600 invités, s'échangeraient des allocutions de simple courtoisie. Mais au cours d'une des séances de travail où se prépare la « couverture » radio-télévisuelle du voyage, je fis observer que si, à son arrivée, le Président de la République était applaudi, il voudrait sans doute remercier la foule. On décida donc d'ajouter un micro sur le balcon qui domine l'entrée de l'édifice. Détail piquant et significatif sur la situation du peuple minoritaire dans un pays prétendument bilingue, le technicien du son présent à cette réunion d'experts de Radio-Canada tous francophones étant un Canadien anglais, ce fut en anglais qu'on lui donna l'ordre de placer le micro supplémentaire dans lequel de Gaulle allait crier « Vive le Québec libre! »

Pendant deux jours, le Général, sous le nouveau cri mille fois répété par la foule, continue de visiter Montréal, l'Exposition, l'Université, le métro, oeuvre d'ingénieurs français.

Le mercredi 26, ce séjour tourmenté à Montréal s'achève par un déjeuner à l'Hôtel de Ville. Le maire, dont les propos sont d'ordinaire très clairs, prononce un discours ambigu qui sera très controversé. Dans sa réponse, de Gaulle résume la leçon à tirer de sa visite: « Pendant mon voyage —du fait d'une sorte de choc, auquel ni vous ni moi-même ne pouvions rien, c'était élémentaire et nous en avons tous été saisis (...) je crois avoir pu aller (...) au fond des choses (...) Aller au fond des choses, y aller sans arrière-pensée, c'est en réalité non seulement la meilleure politique mais c'est la seule politique qui vaille. Ensemble nous avons donc été au fond des choses et nous en recueillons les uns et les autres des leçons capitales (...) Et quant au reste, tout ce qui grouille, grenouille, scribouille n'a pas d'importance historique dans ces grandes circonstances. »

Le programme prévu au Québec est terminé. N'acceptant pas qu'on juge « inacceptable » ce qu'il dit, de Gaulle refuse de se rendre à Ottawa où il était attendu ce mercredi. Il arrête là son voyage et il repart pour Paris.

Dans l'avion, le directeur d'Amérique au ministère français des Affaires étrangères lui dit: « Mon Général, vous avez payé la dette de Louis XV ».

De Gaulle semble réfléchir un instant, puis il hoche la tête. « Oui, murmure-t-il, vous avez raison... »

Une Tour Eiffel symbolique avait été érigée sur le parcours...

Sur le parvis de l'Hôtel de Ville, il fait face à la foule qui l'acclame.

LE CANADA D'ANDRÉ LAURENDEAU

Quand en 1968, Lester B. Pearson, premier ministre du Canada, confie à André Laurendeau, rédacteur en chef du journal *Le Devoir*, la co-présidence de la Commission d'Enquête sur le biculturalisme et le bilinguisme, il ajoute beaucoup de crédibilité à ce nouveau groupe de travail que certains contestent déjà. Pearson ne peut faire un meilleur choix.

En effet, depuis bon nombre d'années, Laurendeau multiplie les éditoriaux réclamant ce genre d'enquête. Il a toujours espéré que le gouvernement fédéral et tous les citoyens du pays s'interrogent sur le sort réservé aux Canadiens français à l'intérieur de la Confédération et corrigent s'il y avait lieu certaines injustices dénoncées par beaucoup de Québécois. On a toujours parlé d'« inégalité de chances » mais personne n'a encore étudié en profondeur cette question.

Diefenbaker, le prédécesseur de l'actuel premier ministre a, quant à lui, refusé de mettre sur pied une telle commission la jugeant inutile. On doit sans doute en partie à l'arrivée de trois colombes à Ottawa, Trudeau, Pelletier et Marchand, la décision que prend Pearson d'accéder à cette demande faite depuis longtemps, tant par Laurendeau que par toute l'intelligentsia fédéraliste du Québec.

Le 23 juillet 1963, jour où il accepte sa nouvelle tâche, André Laurendeau s'adresse en ces termes aux lecteurs du *Devoir* : « Dans ma façon de voir, la mission des commissaires revient à étudier et à essayer de résoudre, dans le domaine fondamental de la langue et de la culture, le problème de la coexistence amicale des « deux nations »; mission redoutable qu'il convient d'aborder avec humilité... Au Canada, les deux langues et les deux cultures vivent-

André Laurendeau et Davidson Dunton viennent de remettre le rapport qui porte leur nom. Ils y travaillaient depuis quatre ans.

elles dans l'égalité? Sinon, quelles sont les causes des inégalités actuelles? Est-il possible de les redresser et par quel moyen?... Voilà trente ans que je me bats pour l'égalité. Je réclame la tenue d'une enquête depuis janvier 1962. J'en ai défendu l'idée dans vingt articles. J'y vais. Je plonge. »

André Laurendeau naît en 1912 dans une famille bourgeoise et intellectuelle qui consacre une bonne partie de ses énergies à la cause du nationalisme canadien-français. Faible de santé, il n'en termine pas moins son baccalauréat à l'âge de 19 ans au Collège Sainte-Marie où il s'est passionné pour la musique et la littérature française. Suit une période de repos qu'il utilise de concert avec Pierre Dansereau, Pierre Dagenais, Gérard Filion et quelques autres pour créer le mouvement des « Jeunes Canada ». Il multiplie alors les réunions publiques et la rédaction de manifestes où il prône le nationalisme québécois. Laurendeau veut susciter chez les siens une prise de conscience indépendantiste.

En 1935, on le retrouve en France où il étudie les lettres et la philosophie sociale à la Sorbonne et à l'Institut catholique. Ses maîtres: Berdiaeff, Maritain, Mounier, Siegfried. C'est à peu près à ce moment-là —et sans doute à cause de ce qu'il voit en Europe —qu'il décide d'opter pour la solution d'un Québec à l'intérieur du Canada plutôt que pour celle d'un Québec indépendant, sans cependant renier son nationalisme.

Il écrit alors à un de ses amis: « Sur le problème national, voyant les choses de l'extérieur, je cesse d'être séparatiste; et continuant d'une certaine façon de les voir de l'extérieur, je continue de l'être... L'effort de nous élever au-dessus de nous-mêmes dans la Confédération est à lui seul un élargissement... et puis sans s'en rendre compte, les séparatistes glissent tous vers le principe des nationalités. Or ce que ce principe a fait de ravage en Europe! » André Laurendeau ne reviendra jamais sur cette décision et beaucoup de ses amis accepteront mal sa nouvelle orientation.

À son retour au Canada, il remplace son père à la direction de l'*Action Nationale*, où il mène entre autres une violente campagne contre la conscription que King —en dépit de promesses formelles faites lors des élections— veut maintenant rendre obligatoire. Plus tard, Laurendeau se lance en politique et se fait élire en 1944 député de Montréal-Laurier, comme représentant d'un nouveau parti, le Bloc Populaire, dont il est le chef provincial. Mais il comprendra rapidement que la politique active ne l'intéresse pas et qu'il s'y dessèche.

Aussi acceptera-t-il sans hésiter en 1947 de se joindre à la nouvelle équipe éditoriale du *Devoir* maintenant dirigé par son ami Gérard Filion. André Laurendeau a trouvé sa voie, celle de l'écriture. Il s'y vouera corps et âme jusqu'en 1968, année où il accepte la co-présidence de la Commission d'Enquête sur le biculturalisme et le bilinguisme.

Mais cette tâche est sans doute trop lourde pour sa santé toujours fragile. Après avoir participé à la rédaction du premier livre (on y devine facilement son influence) le 1er juin 1968, à l'âge de 56 ans, il meurt à Ottawa, à la suite d'une hémorragie inter-crânienne. Il se plaignait depuis quelques semaines de violents maux de tête mais ne réussissait pas à trouver le temps d'aller consulter un médecin tant il était préoccupé par l'importance de sa nouvelle tâche.

Les membres de la Commission Royale sur le bilinguisme et le biculturalisme. De g. à dr.: Royce Frith, Jean Marchand (remplacé en 1965 par Paul Lacoste), Jaroslav B. Rudnyckyj, le révérend Clément Cormier, A. Davidson Dunton, André Laurendeau, Mme Gertrude M. Laing, Franck R. Scott, Paul Wyczynski et Jean-Louis Gagnon.

Après la mort de Laurendeau, le 1er juin 1968, Jean-Louis Gagnon et Davidson Dunton (à dr.) remettent le dernier rapport de la Commission.

LA GLOIRE DES EXPOS

Les amateurs de baseball québécois ne sont pas prêts d'oublier la date du 27 mai 1968. Ce jour-là, Montréal est accepté comme équipe de baseball National en même temps que Santiago en Californie. La métropole canadienne devient la première ville non américaine à joindre les rangs du baseball professionnel majeur. Bien que la nouvelle équipe doive disputer ses matches locaux dans un stade ouvert, un stade tout neuf dont on estime le coût à 45 millions de dollars, le choix de Montréal soulève la fureur des américains. Les magnats de la ligue nationale de baseball, le sport national des USA!, sont pris à partie par les idylles municipaux de Milwaukee, Buffalo et Dallas - Forth Wards dont les candidatures ont été refusées.

En août, une nouvelle en provenance de Chicago vole la manchette des journaux montréalais: Montréal, impuissante à respecter son engagement de construire dans les délais requis le stade promis, a remis sa concession à la Ligue nationale! Le maire Jean Drapeau et John Newman, l'un des premiers financiers approchés, nient immédiatement la nouvelle. Montréal ne s'est pas désistée: il y aura du baseball majeur! Mais il faut bien un stade! Des suggestions abondent... à la mesure de l'inquiétude des amateurs de baseball montréalais. On étudie même la possibilité de doter l'autostade d'un toit. Warren Giles, le président de la Ligue de Baseball national, s'amène à Montréal. Le maire Jean Drapeau, le conseiller municipal Gerry Snyder lui proposent un tour du propriétaire. Deux journalistes, Marcel Desjardins et Ross Taylor, ont suggéré le stade du Parc Jarry. Les trois hommes s'y arrêtent à l'occasion du match des étoiles de la ligue Montréal Junior. Les amateurs présents ne vont pas rater une si belle occasion! « Vous savez ce qu'il faut faire pour gagner vos prochaines élections? » demande l'un.

Le parc Jarry.

C'est la fête dans les rues de Montréal pour Tom Walker et Tim Foli, en 1972.

Warren Giles, le président de la Ligue Nationale, brandit le chèque de $1 120 000 U.S. qui concrétise l'entrée des Expos dans la Ligue.

Ron Brand vient d'exécuter un retrait spectaculaire.

L'ouverture officielle. Autour de Jean Drapeau et de son épouse, M. et Mme Jean-Jacques Bertrand, premier ministre du Québec (à dr.) et M. et Mme Sam Bronfman.

« Pourquoi ne pas installer le club professionnel ici! » précise un autre. Quelques jours plus tard, le rêve devient réalité. Le président Warren Giles a été séduit par le site et les possibilités qu'il offrait et le maire annonce que la formation montréalaise disputera ses matches au Parc Jarry jusqu'à ce que le stade promis soit construit. On évalue à $2 000 000 le coût des travaux d'agrandissement et d'aménagement du stade qui pourra accomoder 30 000 personnes. L'équipe de baseball de Montréal naît officiellement le 14 août

1968, à 16h35, au cours d'une conférence de nouvelles. À la table d'honneur, on remarque le nouveau président du Conseil de direction, monsieur Charles Bronfman; monsieur Paul Beaudry et Lorne Webster, les deux vice-présidents; messieurs Sidney Maislin et John Newman, deux directeurs; John McHale, le président de l'équipe; messieurs Gerry Snyder, Jean Drapeau et Lester B. Pearson, ancien premier ministre du Canada et président honoraire de l'équipe.

McHale et Fanning, deux hommes de baseball, travaillaient au bureau du commissaire au moment de leur sélection. Du groupe d'actionnaires, seul Paul Beaudry est francophone. Plus tard, son frère Charlemagne le rejoindra. Deux mois après sa naissance officielle, l'équipe à trouvé un nom « Les Expos », et un gérant, Gene Mauch, en provenance de Philadelphie. Le 14 octobre, elle repêche ses premiers joueurs, les Maury Wills, Donn Clendenon, Mack Jones, Jim « Mudcat » Grant, Jim Bateman, Jesus Alou et Manny Mota, premiers choix de l'équipe.

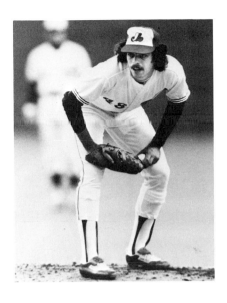

Ross Grimsley, premier lanceur à remporter vingt victoires avec les Expos.

Le frappeur-étoile des Expos, Rusty Staub, surnommé « le grand orange ».

Ron Fairley, un des joueurs les plus populaires.

Tim Foli joue au deuxième but dans une action avec Joe Morgan.

Sur ce tableau, le premier choix des joueurs originaux.

Ron Hunt, sans doute le champion des joueurs les plus souvent atteints.

Ron Brand, un des premiers receveurs des Expos, plonge vers le premier but.

Un journaliste, transporté d'enthousiasme, écrit que les Expos sont déjà plus puissants que les Mets de New York et que les Astros de Houston à leurs débuts. En janvier 1969, avant même le début du camp d'entraînement, les Expos concluent un échange retentissant. Ils cèdent Don Clendenon et Jesus Alou aux Astros de Houston en retour de Rusty Staub. Il sera la première super-vedette des Expos. Staub n'a que 24 ans mais il possède déjà une expérience de 6 saisons et deux matches d'étoiles. En 1967, il a terminé parmi les meilleurs frappeurs du circuit avec une moyenne de .333. Staub conquiert presque immédiatement le coeur des montréalais. En mars, plutôt que de se rendre à Houston, Clendenon menace de prendre sa retraite. La transaction risque d'être annulée. Staub déclare immédiatement que les montréalais et Montréal l'ont conquis et qu'il ne jouera nulle part ailleurs qu'au Québec. Le commissaire du baseball se prononce: Staub restera à Montréal.

1976. L'équipe au grand complet.

Bill Stoneman fut le seul à lancer deux parties sans coup sûr.

Gene Mauch, premier entraîneur des Expos, en compagnie de Jean Drapeau.

Le hockey —en la personne de Maurice Richard— visite le baseball lors du camp d'entraînement des Expos en 1976. Ici avec Tony Perez, Dick Williams et Dave Cash.

La grande parade des Expos descend la rue Peel.

Autour du financier Charles Bronfman, les premières têtes dirigeantes de l'équipe: John McHale (à g.) et Jim Fanning.

Le 8 avril, la formation montréalaise dispute son premier match et remporte une victoire éclatante de 11 à 10 à New York. Staub obtient deux coups sûrs dont un circuit; Maury Wills frappe en lieu sûr trois fois et vole un but; et Coco Laboy devient le premier héros avec un circuit victorieux. Le lanceur Dan McGinn réussit également un circuit au cours de cette rencontre historique. À Montréal, une bonne partie de la population a les yeux rivés sur le téléviseur. La victoire est accueillie avec enthousiasme. Le lendemain, *Montréal-Matin* titre: « Expos, nos amours! » Il n'est déjà plus possible de douter de l'idylle qui s'engage entre les Expos et le public de Montréal. Six jours plus tard, 29 184 spectateurs envahissent le Parc Jarry et sont témoins d'une autre victoire spectaculaire des Expos. Les montréalais d'adoption perdent en effet une avance de 6 - 0, puis finissent par triompher 8 à 7. Mack Jones, un joueur de couleur, réussit le premier circuit de l'histoire du baseball majeur au Parc Jarry et multiplie les prouesses

Gary Carter en action.

Gary Carter. L'attrapera?
L'attrapera pas?

Un « catch » particulièrement
spectaculaire de Rusty Staub.

Les Expos fêtent leur cinquième
anniversaire.

Claude Raymond, seul lanceur canadien-français du Québec pour les Expos, et Gene Mauch face à un bien étrange joueur...

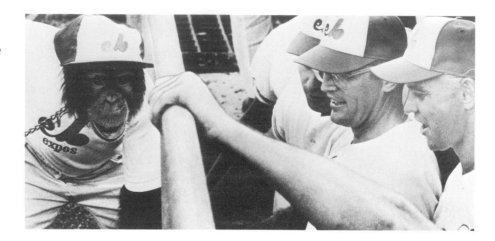

Gary Carter exécute un retrait au marbre.

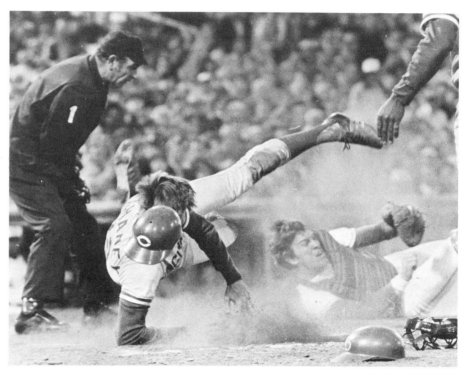

Costume strict et oeillet à la boutonnière. Étrange tenue pour un joueur...

Gary Carter après un circuit.

Jose « Coco » Laboy tente un catch par-dessus les abris.

défensives au champ. Ses jeunes admirateurs finiront par nommer les estrades populaires du champ gauche en son honneur. « Jonesville » est né.

Quelques jours plus tard, le lanceur Bill Stoneman réussit un exploit peu ordinaire en début de saison, un match sans point ni coup sûr. En dépit des faits d'armes et des héros que le public montréalais, avide de baseball, a un mal fou à dénicher, les Expos termineront leur première saison au dernier rang de leur section. En cours de route, ils seront débarrassés de plusieurs joueurs, dont Jim « Mudcat » Grant, Maury Wills... et Don Clendenon qui avait fini par réintégrer les rangs de l'équipe. Parmi les nouvelles acquisitions, Ron Fairly et Claude Raymond, un des rares Québécois à briller dans les ligues majeures, deviennent les figures les plus populaires. Rusty Staub demeure cependant la vedette indiscutable de l'équipe, ayant accumulé une moyenne de 302 et claqué 29 circuits. Le « grand orange », comme on l'a affectueusement surnommé, s'est surtout mis à l'étude du français. Il est la coqueluche et l'orgueil du public de baseball montréalais.

Premier lancer au parc Jarry par Dan McGinn. Le frappeur est Lou Brock, des Cardinaux de Saint-Louis.

Bien que savamment entretenu par les experts en relation publique des Expos, la faveur originale du public montréalais finira cependant par s'étioler. Deux transactions contribueront surtout à faire baisser la popularité de l'équipe: celle qui force Rusty Staub à quitter Montréal en retour des services de Tim Foli, Mike Jorgenson et Ken Singleton; et l'échange tristement fameux qui vaut aux Orioles de Baltimore Singleton et Mike Torrez en retour du voltigeur Rick Coggins, blessé, et du vétéran lanceur Dave McNally.

N'empêche que le coup de foudre original, l'histoire d'amour entre les Expos et le public montréalais, constitue un fait unique dans les annales du sport professionnel.

Mack Jones.

LE VRAI LIBÉRAL
...I EN DEMAIN.
...T FOI INÉBRAN...
...RA TOUS...

LA DIFFICILE
NAISSANCE
DU P.Q.

Ils étaient combien? 200? 300? Chose certaine, le rassemblement qui avait lieu, en ce soir du 11 octobre 1968 dans le petit Colisée de Québec, était le fruit de longues tractations qui avaient eu lieu en août entre le Mouvement Souveraineté-Association et le Rassemblement National. On y voyait, côte à côte, des gens qu'on aurait guère prédit de voir ensemble, il y a quelque temps. Car enfin, il était surprenant de trouver Doris Lussier, en congé du Père Gédéon, vieux « rouge » confirmé, voisinant avec un jeune René Matte, futur secrétaire de Réal Caouette, ou, sur l'estrade, cigarette au bec, un René Lévesque, sortant du parti libéral, et dénoncé comme « sochialiste » par la droite bien-pensante, à côté de Gilles Grégoire, de pure dynastie créditiste.

Pourtant ces gens-là étaient arrivés à un accord à la fin de la soirée, par l'union de leurs forces —dont la qualité compensait la quantité— à créer un nouveau parti.

Un nouveau parti? Encore un! Car en ce temps-là, les tiers-partis (on serait tenté de dire les particules) naissaient et mouraient à une cadence rapide. De la rupture entre la branche droite du RIN (Rassemblement pour l'Indépendance nationale), qui était le plus grand des petits partis, était né l'éphémère Parti Républicain du Québec de Marcel Chaput. Certains membres de gauche du même RIN avaient fondé le Mouvement socialiste pour l'indépendance, dont une des figures, Mario Bachand, ancien du FLQ, devait mourir dans des circonstances à la fois tragiques et mystérieuses. Enfin, depuis longtemps, subsistaient l'Alliance Laurentienne et l'Alliance Nationale, autour de quelques publications.

Mais le parti né ce soir-là devait connaître une marche fulgurante dont on sait l'aboutissement: c'était le Parti Québécois.

En fait, tout a commencé après les élections de 1966. Après la défaite du gouvernement Lesage, due en bonne partie au slogan de Daniel Johnson —« Égalité ou Indépendance »— çà branle dans le manche, question constitution, dans le parti libéral! M. Jean Lesage a eu beau se proclamer « autonomiste », il n'en reste pas moins que lui et « l'establishment » du parti commencent à paraître singulièrement partisans du statu quo alors que la remise en question commence à se faire. De plus, cela fait longtemps que les milieux indépendantistes, et en particulier le RIN, font des appels du pied à René Lévesque pour qu'il rejoigne leurs rangs: c'est le seul qui a une telle popularité au Québec, qu'il peut faire basculer l'opinion publique en leur faveur.

Dernière cigarette de l'amitié? Ou dernière cigarette du « condamné à mort »?...

Or René Lévesque n'a rien d'un révolutionnaire bruyant. Il se méfie des manifestations dans la rue qu'on ne peut pas contrôler. De plus, il n'est pas loin de penser, comme Isaac Asimov, que « l'emploi de la force est le dernier recours de l'incompétence ». Bref, c'est un politique et il craint le RIN comme la peste! Enfin, il n'est pas chaud pour la séparation. L'indépendance unilatérale ou non, n'a pas, pour lui beaucoup de charme. Son idée, c'est de renégocier, mais dans d'autres conditions, le pacte canadien. Donc il va essayer de faire passer sa thèse dans le parti libéral. Lequel, il faut le dire, le voit venir avec ses gros sabots, et se prépare à le

« Le nom choisi par les membres: Parti Québécois ». Sur la photo: Gilles Grégoire et René Lévesque au Colisée de Québec, le 14 octobre 68.

contrer. Or justement passe au Québec un certain général de Gaulle qui lance à un certain balcon, le cri de « Vive le Québec libre ». Ce qui crée un certain remue-ménage...

Alors qu'un de ses amis, le député François Aquin, dès le 3 août 1967, se proclame indépendantiste à l'Assemblée Nationale, René Lévesque lui, a plutôt un recul: il ne veut pas être traité de gaulliste! Il préfère tenter sa chance, lors du Congrès d'orientation du parti libéral qui aura lieu du 13 au 15 octobre 1967. Le 18 septembre, il dévoile au public un manifeste qui se résume à ceci: l'indépendance de l'État québécois et association nouvelle avec le Canada. Bref « un régime dans lequel deux nations, l'une dont la patrie serait le Québec, l'autre qui pourrait réarranger à son gré le reste du pays, s'associeraient dans une adaptation originale de la formule des marchés communs, formant un ensemble qui pourrait s'appeler, par exemple, l'Unité canadienne »...

Au parti libéral, on l'attend avec une brique et un fanal. La veille du Congrès, lors d'une émission de télévision, monsieur Jean Lesage, encore chef du parti, déclare que si la thèse de René Lévesque est refusée par le congrès, il devra se soumettre ou se démettre. Dans la même entrevue, il précise qu'il verra partir son ancien ministre avec regret, mais que ça ne va pas beaucoup troubler le parti libéral. C'est dire si l'issue du Congrès était déjà certaine!

Dès le début du congrès, on assure le torpillage en règle du « bateau Lévesque ». Le 14 octobre, les délégués ont à choisir entre deux thèses de discussions: une de Gérin-Lajoie qui est celle du Parti, l'autre de René Lévesque. On vote. Il y a 4 voix pour René Lévesque sur 1,500 délégués! Comprenant que les jeux sont faits

« Voici le président: René Lévesque! »

René Lévesque, dès la fin de l'après-midi, annonce qu'il quitte le parti libéral en compagnie de quelques amis.

Tout le monde est content: Lesage, parce que le parti, dit-il, va être plus fort que jamais, René Lévesque parce qu'il est sûr que son idée va triompher un jour, et qu'il ne vivra plus dans l'équivoque. Quelques jours plus tard, il fonde avec ses premiers fidèles, en prenant pour base son manifeste du 18 septembre, le Mouvement Souveraineté-Association, que l'opinion range parmi les partis indépendantistes.

Or tout seul, René Lévesque sait qu'il ne fait pas le poids: pas plus que les autres partis qui dispersent les voix aux élections. Il se tourne donc vers le Rassemblement pour l'indépendance Nationale, dirigé par Pierre Bourgault et le Rassemblement National (plus à droite et d'origine créditiste) de Gilles Grégoire qui ont obtenu, à eux deux, 10% des voix aux dernières élections.

Dès le départ, les amours semblent difficiles, pour ne pas dire impossibles, avec le RIN. Tout d'abord, celui-ci est pas mal divisé en tendances: entre celle d'André Feretti, plus à gauche, celle des amis de Chaput, plus à droite, et celle de Pierre Bourgault, ça tiraille fort! Enfin il y a une question de personnalité: s'ils s'estiment mutuellement, Pierre Bourgault et René Lévesque ne s'aiment guère. Peut-être parce qu'ils se ressemblent trop: ce sont tous les deux des vedettes, de formidables orateurs, et le succès se partage difficilement...

Sur les méthodes, ils diffèrent. Autant Pierre Bourgault croit aux grands rassemblements, aux manifestations de rue et assez peu aux campagnes électorales, sinon comme tribune, autant René

Le candidat Lévesque attend sa nomination dans Laurier en 1970.

L'équipe de base: René Lévesque et Gilles Grégoire à la nomination du parti.

Campagne de financement 1975, les trois têtes du parti: le chef, René Lévesque, le trésorier, Pierre Renaud, le conseiller, Pierre Harvey.

Lévesque, blanchi sous le harnois du classicisme croit que l'électoralisme doit être la seule voie de la victoire. Enfin, le RIN ne croit pas tellement à l'association.

Reste le R.N., moins gros mais plus rassis. Le seul point d'accrochage, c'est que ce mouvement est pour l'installation de l'unilinguisme français sans condition au Québec: plus de subventions aux écoles anglaises!

René Lévesque est contre: ce serait une injustice vis-à-vis de 20% de la population. Le français comme langue officielle, soit, mais des garanties pour la minorité anglophone. Bref, l'ancêtre de la loi 101! Tant bien que mal, on arrive à s'entendre, et le 4 août 1968, les deux partis annoncent, dans une déclaration d'intentions et de programmes conjoints, leur désir de fusionner.

Ce qui se fera ce fameux soir du 11 octobre...

Entretemps, et surtout après les résultats de la manifestation du 24 juin, le soir de la Saint-Jean-Baptiste, qui a abouti à faire réélire Trudeau triomphalement —leur ennemi juré!— les gens du RIN qui n'ont pas voulu participer aux pourparlers de la fusion sentent que les carottes sont cuites. Le 26 octobre 1968, lors d'un congrès spécial, sur une recommandation de leur président Pierre Bourgault, le RIN, par 227 contre 50, se fait hara-kiri: il proclame sa dissolution et invite ses membres à rejoindre le parti Québécois. Ce que René Lévesque accueillera avec plaisir, tout en prenant cependant ses précautions pour que le RIN ne dévore pas son parti par l'intérieur: aucun poste-clé ne sera entre les mains des gens du RIN. Désormais, les forces indépendantistes sont unies: l'assaut vers le pouvoir est commencé...

L'ÉMEUTE DE LA SAINT-JEAN

Un ciel lourd couvre Montréal en ce 24 juin 1968 et même si la pluie qui tombait depuis deux jours a cessé, on se demande encore, en début d'après-midi, si le traditionnel défilé de la Saint-Jean aura lieu. Heureusement, vers 18 heures le ciel se dégage et la population se précipite rapidement vers la rue Sherbrooke sachant, que comme à l'habitude, les bonnes places seront rares et qu'il faut arriver longtemps à l'avance si on veut ne rien manquer. Quelques centaines de milliers de personnes se retrouvent ainsi chaque année tout au long du trajet. Une foule en majorité composée d'enfants qui ont depuis plusieurs jours déjà arraché à leurs parents la promesse d'assister au spectacle.

— Coke, Seven Up, bonbons, chocolat, crient les marchands ambulants...
— Papa! J'ai soif, j'ai faim...

C'est aujourd'hui la fête des enfants: on ne leur refuse rien. C'est le début de l'été, c'est le début des vacances que symbolise ce défilé, bien plus que ce pauvre St-Jean-Baptiste perdu entre les chars publicitaires.

On a dressé comme à l'habitude une estrade d'honneur devant la Bibliothèque municipale, face au parc Lafontaine. On y verra tout à l'heure Mgr Grégoire, évêque du diocèse, Daniel Johnson, premier ministre du Québec, Jean Drapeau, maire de Montréal et probablement Pierre Elliot Trudeau dont le sort électoral se joue demain. Ses amis et ses conseillers politiques lui ont pourtant fermement déconseillé de se rendre à la fête: sa présence provoquerait inutilement tous ceux qui s'opposent à sa politique anti-indépendantiste. Mais il n'est pas dans les habitudes de Trudeau de céder à ce genre de pressions...

Les invités d'honneur ne savent pas encore que c'est la dernière fois qu'ils verront défiler leur saint-patron.

Le chef de police Gilbert sur la sellette au lendemain de l'émeute.

Vers 19h30, les premières pancartes hostiles font leur apparition. « Trudeau traître. Trudeau vendu. Trudeau valet de l'impérialisme. » Un fédéraliste, farouche partisan de Trudeau, s'en prend verbalement puis physiquement à ces porte-étendards. C'est un début de mêlée, et les policiers rétablissent le calme en procédant aussitôt à quelques arrestations.

Peu de gens s'inquiètent en regardant cette scène: Montréal a fini par s'habituer à rencontrer des manifestants séparatistes un peu partout depuis quelques années. Cela fait maintenant partie de la couleur locale.

Une demi-heure plus tard, un nouveau groupe fend la foule en affichant une large banderole sur laquelle on peut lire: « À bas les capitalistes, les travailleurs au pouvoir ». Et, pour animer un peu la fête, les manifestants décident de brûler un drapeau canadien. Ce qui n'a pas l'heur de plaire aux partisans du Premier Ministre. La bagarre reprend de plus belle et les policiers décident alors d'utiliser leur matraque, un lourd bâton long de deux pieds. Les coups pleuvent. Les arrestations commencent.

Pierre Bourgault, chef du Ralliement pour l'Indépendance nationale, ne pouvait choisir plus mauvais moment pour faire son apparition. On sait que quelques jours plus tôt, il a prôné l'utilisation de la violence à Saint-Léonard pour mettre fin au différend opposant italiens anglophones et francophones. Bourgault ne verra rien de cette Saint-Jean-Baptiste 1968. Sitôt arrivé, il se retrouve dans le « panier à salade » avec quelques fidèles partisans.

Les bouteilles d'eau gazeuse commencent à pleuvoir sur les officiels et les forces de l'ordre. Les policiers présents ne suffisent bientôt plus: on mande donc immédiatement la police à cheval, plus apte à affronter ce type de situation. L'atmosphère tourne de plus en plus à l'émeute mais on croit encore chez les policiers, qu'en procédant vite à un certain nombre d'arrestations, le calme sera revenu quand apparaîtra le défilé.

À 21h30, la foule aperçoit Pierre Trudeau qui se dirige vers l'estrade d'honneur. Des milliers de personnes le conspuent: « À bas Trudeau, Trudeau traître ». Le Premier Ministre n'a d'autre choix que d'affronter cette foule vociférante. Visiblement décontenancé mais toujours souriant comme à l'habitude, il prend place. On sait bien qu'il n'espérait pas des applaudissements frénétiques mais il ne s'attendait sans doute pas à un accueil si hostile. « Trudeau au poteau. Trudeau impérialiste ».

On brûle même les bancs publics.

Et c'est le désordre, le chaos! Des policiers s'affairent sous l'estrade d'honneur à rechercher une prétendue bombe. Imperturbable, Trudeau refuse de se retirer. « Je veux voir ce qui va se passer, dit-il à ses proches ». Mgr Grégoire et Daniel Johnson s'esquivent rapidement. Quant au maire Drapeau, hôte du premier ministre, il n'a d'autre choix que de rester sur place, bien en retrait il va sans dire. Trudeau reçoit un oeuf en pleine poitrine et un policier doit s'interposer pour empêcher qu'il ne soit frappé par une bouteille.

Sans bouger, le sourire aux lèvres, le Premier Ministre s'efforce d'admirer le défilé qui commence. Majorettes, corps de clairons, chars bariolés qui illustrent les hauts faits de l'histoire québécoise passent devant l'estrade. De jeunes cadets rompent les rangs en désordre: deux ou trois parmi eux viennent d'être blessés par des projectiles mal dirigés, qui n'ont pas réussi à atteindre les invités d'honneur. Et Trudeau ne bouge toujours pas. Il regarde cette fois de l'autre côté de la rue et tente de voir ce qui s'y passe. Il n'est pas aux premières loges comme Pierre Cloutier, journaliste au

Quelques minutes après le passage de ces porte-drapeaux, la valse des bouteilles va commencer.

Montréal-Matin, qui raconte ce qui se déroule devant ses yeux: « Je vois une vieille femme d'environ 70 ans étendue de tout son long sur la chaussée à quelques pas des sabots d'un cheval. Je vois non loin de moi une jeune fille se faire littéralement écraser entre un car de reportage de CKVL et un cheval de police de Montréal. Je vois un policier à cheval pesant environ 200 livres frapper avec sa matraque longue de deux pieds une mère de famille et ses enfants. Je vois des tas de policiers la chemise ensanglantée. Je vois un sergent de la police grièvement blessé qu'on transporte à l'hôpital. Je vois un journaliste de la Tribune de *La Presse* à Québec recevoir un coup de matraque. »

Dans le parc Lafontaine, les policiers à cheval chargent la foule et frappent sans distinction tout ce qui se trouve sur leur passage. Ceux qu'on arrête parmi les manifestants se voient traînés par les pieds, dans la boue, souvent blessés par les tessons de bouteilles et précipités dans les fourgons. Une fillette pleure pendant qu'on se saisit de son père le visage couvert de sang. Les bancs publics

Les manifestants ont dû se mettre à douze pour retourner cette voiture de police.

La police montée prête à intervenir avec ses longues matraques, piétine dans le sang et les tessons de bouteilles.

alimentent d'immenses brasiers que les émeutiers ont allumées sous les arbres. Des flammes d'une trentaine de pieds illuminent le parc.

« Le voilà. Le voilà. » Une dizaine de policiers se précipitent sur Reggie Chartrand, chef des Chevaliers de l'Indépendance et ancien boxeur qui est de toutes les manifestations et qui la plupart du temps les organise. Moins chanceux que Pierre Bourgault en début de soirée, il est roué de coups. On frappe aussi sa femme qui tente d'intervenir. Il se retrouve sur une civière dans un corridor de l'hôpital Saint-Luc. Les manifestants redoublent de violence: ils s'en prennent aux voitures de policiers, en renversent trois, en incendient une et lancent tous les objets qu'ils peuvent trouver sur les agents de l'escouade anti-émeute. Ils en blessent plusieurs et le chef Gilbert voyant que ses hommes paraissent de plus en plus débordés fait appel à toutes les forces dont il dispose.

Vers 20h30, les médecins de l'hôpital Royal-Victoria demandent qu'on retrouve rapidement un échantillon de ce liquide qui a blessé plusieurs policiers aux yeux pour décider du traitement à administrer. Ils sont soulagés d'apprendre qu'il ne s'agit que de térébenthine. À peu près à la même heure, les forces de l'ordre commencent à reprendre la situation en main. Le gros des émeutiers a été arrêté ou a disparu. Les cellules de tous les postes avoisinants regorgent de prisonniers et les hôpitaux de blessés. Le parc Lafontaine ressemble à un véritable champ de bataille et les pompiers éteignent les derniers feux. La police de son côté disperse les curieux.

Vers 23 heures, Pierre Elliot Trudeau se lève et quitte l'estrade d'honneur. La fête est terminée. Le défilé a bien eu lieu mais 83 spectateurs, 43 policiers, 14 chevaux ont été blessés, dont plusieurs grièvement, et on a procédé à 292 arrestations. Henri Bergeron et Gabriel Drouin ont décrit pour les téléspectateurs de *Radio-Canada* le défilé de la Saint-Jean-Baptiste mais un peu comme s'y rien d'inhabituel ne s'y produisait. Ce ne sera pas le cas pour Claude-Jean Devirieux.

À peu près au même moment où le Premier Ministre quitte la scène, il entre en ondes au bulletin de nouvelles: « J'ai vu les policiers perdre leur contrôle et frapper de façon sauvage —ce n'est pas un jugement de valeur que je porte— frapper de façon sauvage des jeunes gens, des jeunes filles qui souvent ne faisaient rien... un reporter de langue anglaise dont j'ai le nom, Bill Boyd du *Toronto Telegram*, a lui aussi été frappé, et moi-même j'ai été malmené par un policier qui porte le numéro matricule 770... le Québec avait eu le samedi de la matraque, nous avons eu le lundi de la matraque. »

Dès le lendemain, *Radio-Canada* suspend de ses fonctions Claude-Jean Devirieux prétextant qu'il a manqué d'objectivité et d'impartialité à l'occasion de son reportage de la veille. Tous les reporters de la chaîne se mettent en grève pour appuyer leur collègue et les québécois sont privés de l'habituel long reportage sur les résultats des élections fédérales.

Ce sera la dernière fois que Saint-Jean-Baptiste et son agneau fréquenteront la rue Sherbrooke. Le quartier, paraît-il, n'est pas sûr...

Un policier blessé est emmené vers une ambulance.

TRUDEAU SUPERSTAR

Dans l'histoire du Canada, les années 70 resteront la décennie Trudeau. Qu'on le veuille ou non, qu'on le déteste ou qu'on l'idôlatre, Pierre Elliot Trudeau gardera toujours son image d'homme providentiel. Tout un pays aura projeté en lui ses rêves et ses craintes, croyant que, par son biais, tout pouvait arriver. Tout personnage historique étant le résultat de deux nécessités qui se sont conjuguées par hasard, il est bon de faire le point sur les circonstances qui ont créé l'homme.

À la fin des années 60, surtout après le centenaire et l'Expo 67, le Canada se sentait en retard d'un Kennedy. En pleine prospérité, les craquements du FLQ au Québec et une routine en politique suscitaient chez les gens le désir de voir apparaître un homme qui puisse à la fois conjurer les craintes et faire rêver de nouvelles frontières. Un homme jeune, dynamique, possédant un leadership basé sur un charisme, en disponibilité d'agir. La jeunesse, qui est majoritaire, trouva son miroir en un homme de 49 ans: Pierre Elliot Trudeau. Mais qui était-il?

Son arrivée sur la scène politique était déjà auréolée du mythe des trois colombes. Encore que, ministre de la Justice, il démontra qu'il tenait plus de l'oiseau de proie. Québécois, et idole de ceux-ci, il s'affichait canadien. En fait, homme de paradoxes, sa fascination naturelle provoquait plus l'amour ou la tocade que le choix réfléchi.

Politiquement, c'est un être à la fois éclatant et déroutant. Libéré de tout souci financier, il a pu se lancer, à corps perdu, dans toutes les entreprises qui le tentent: il a la merveilleuse disponibilité de l'action.

Trudeau en classe de rhétorique au collège Jean-de-Brébeuf, à Montréal. La photo date de 1938.

Pierre Elliot en compagnie des célèbres pigeons de la place Saint-Marc, à Venise, en 1933.

Ce don, il l'a depuis sa naissance. Pierre Elliot Trudeau est le petit prince d'une famille qui a réussi. Son père, Charles-Émile Trudeau, est un avocat qui a bâti un petit empire. Sa mère, Grace Elliot, est une écossaise; d'elle (qui a eu une grande influence sur lui) peut-être, le sang des Highlands lui a retransmis l'obstination et aussi le côté fantastique qui se traduit chez lui souvent par le malin plaisir de la contradiction. Son bilinguisme? si papa cause français, maman est anglophone. Cette influence, il la traduira dans son comportement. Le fait d'avoir ajouté à son nom celui de sa mère est assez significatif.

L'enfance d'un chef est toujours belle et pleine de légendes, surtout avec le temps. Il semble bien que ce fut un sujet assez complexe, dès la petite école d'Outremont. Si d'un côté il a de bonnes notes, de l'autre, il semble bien qu'il ait, comme on dit élégamment aujourd'hui, « une forte personnalité ». On peut très bien, ce qui fut son cas, être premier de classe et légèrement chahuteur! Même chose au collège Jean de Brébeuf, le « nec plus ultra » de l'époque, où il va se trouver au coeur d'une joyeuse bande, dans laquelle sont aussi Jacques Hébert et Michel Chartrand!

En 1940, en même temps qu'à l'Université de Montréal, il s'inscrit dans les rangs des élèves-officiers. Ce qui est parfaitement dans la tradition des « bonnes familles ». Finalement en 1944, le voilà avocat. La toge ne le tente pas tellement, de plus, puisqu'il a la possibilité de se perfectionner, pourquoi ne pas le faire? Ici commence la période « étrangère » de Pierre-Elliot Trudeau. Il s'en va faire une maîtrise à Harvard en sciences politiques. Non pas qu'il ait de grands projets en ce sens, mais l'économie politique l'intéresse plus. La maîtrise atteinte —le voyage d'études dans les « Zuropes » était quasiment de rigueur dans les bonnes familles—le voilà à Paris où il s'inscrit à Sciences Po et à la faculté de droit. Le droit international le tente. Un an à Paris, et hop! cap sur Londres où il passe un an à la London School of Economics, en 1948. En principe, le voilà fin prêt pour retourner au pays. Mais justement, la vie étudiante terminée, il « drope ». Du jour au lendemain, le voilà sur les routes, faisant de temps à autre de l'auto stop: vadrouille en Allemagne, en Autriche, ce qui est encore classique. Mais quant à décrocher, faisons-le gaiement! Il ira en Hongrie, en Pologne et en Yougoslavie, ce qui plus tard aidera à lui bâtir une réputation de « communisse » et fera la joie des salons où on l'écoutera parler des pays du rideau de fer avec un frisson dans l'oreille. Tant qu'à faire, la Turquie est à côté et pourquoi ne pas aller faire un tour en Israel?

Puis, c'est le départ vers l'Orient, l'Iran, le Pakistan et les Indes.

Trudeau, en compagnie de Jacques Hébert, sur la Grande Muraille de Chine, en 1960. Ils publièrent à leur retour un livre intitulé « Deux innocents en Chine rouge ».

Trudeau (à g.) dans la ville de Hang-Tcheou, en Chine. À ses côtés, un interprète, une femme journaliste, Jacques Hébert et un « commissaire politique ».

Seul ou avec d'autres: il semble qu'entre deux mandats familiaux, il se livrera quelques fois à divers métiers, et à quelques farces! Si à cette époque, quelques jeunes gens européens pratiquaient cette sorte d'expédition, au Québec il était plutôt rare de vivre joyeusement « l'aventure pour l'aventure ».

Finalement, en 1949, il rentre au bercail: les voyages fatiguent, ou bien est-ce papa qui réclame le retour du fiston périgrinateur? Là, les biographies diffèrent, selon la partie qui les écrit. Question job, le barreau ne le tente pas: cet étudiant aguerri se verrait plutôt professeur; mais impossible, malgré ses titres! Alors, tout en gardant son titre d'avocat, on le case en tant que conseiller juridique et économique, au Conseil privé d'Ottawa où il restera pendant 3 ans. C'est là, sans doute, que le prûrit de la politique commence à le démanger...

De fait, ses amis se sont lancés dans l'Action catholique ou la J.O.C. et militent dans le monde ouvrier. Il y a là une action, qui tente, évidemment, un jeune homme qui a la bougeotte. Tout va se concrétiser lors de la grève d'Asbestos en 1949. Comme ses

Trudeau sportif, en 1937. En dehors de la natation, le jeune homme pratiquait le judo et s'intéressait de près au yoga.

Trudeau et son ami Roger Rolland à la Maison Canadienne de la Cité Universitaire, à Paris, en 1946.

copains, il va être en première ligne. L'année suivante, comprenant qu'il peut agir plus par la plume que par la pancarte, non seulement il fonde la Ligue des Droits de l'homme, mais il va être un des co-fondateurs de Cité libre.

Cité libre devient un carrefour contre le *duplessisme*. Au nom du nationalisme, c'est la lutte contre le progrès que mène Duplessis, surtout dans le domaine social. Pour Pierre-Elliot Trudeau, qui a vécu dans l'internationalisme familial, les deux notions resteront liées. Il devient, pour beaucoup, un des mentors de la lutte anti-Duplessis. Cette notion de guide spirituel lui va comme un gant. Les deux apogées de cet état se trouvent à la publication du livre « La grève de l'amiante » en 1956, et lors de sa lutte contre l'Union nationale. Aux élections de 1960, où il encourage les gens à voter libéral, c'est-à-dire Jean Lesage. Ce que toutes les biographies du parti libéral mentionnent avec orgueil. Ce qu'elles ne disent pas, c'est que la période « penseur » est terminée. De fait, Trudeau a l'impression que la révolution tranquille qu'il a suscitée se déroule sans lui: qu'elle se tient dans le pouvoir. Il fera bien une tentative, avec le parti social démocrate, où Michel Chartrand et d'autres se présentent —ainsi que Jacques Ferron, future grande corne du parti Rhinocéros— mais présenter des candidats « travaillistes » dans des comtés tels qu'Outremont, Mont-Royal ou Notre-Dame-de-Grâce tient plus de la plaisanterie de bon goût que de l'action politique.

Trudeau et Hébert en compagnie d'un moine bouddhiste. Huit ans plus tard, le Premier Ministre (encadré) retrouve les gestes d'autrefois.

L'éphémère parti, d'ailleurs, se dissoudra et ira grossir les rangs du Nouveau parti démocrate, tout aussi ouvrier dans sa composition: des professeurs, des docteurs ou des chefs syndicalistes! Bref, il flotte! À tel point qu'il va faire, avec l'ami Jacques Hébert, un voyage en Chine dont ils vont tirer un livre « Deux innocents en Chine ». Petit à petit, Cité Libre, mais surtout Pierre-Elliot Trudeau, se désintéressent du pouvoir à Québec.

Pas tout à fait cependant. Le RIN devient un pôle d'attraction, et il est indépendantiste. Pour Trudeau, c'est encore du nationalisme! Il faut lui tendre l'oreille. Entre temps, ayant enfin, après des incidents presque cocasses, obtenu sa place à l'Université de Montréal comme professeur de droit constitutionnel, ce sont les grandes causes comme le désarmement nucléraire, qui prennent tout son temps. Côté Ottawa, à part le NPD, il n'y a rien de bon! Même si les libéraux l'ont tâté en 1962, il n'hésitera pas à cogner sur eux —« tous des caves »— et à écrire, sur le sujet, un article percutant « Pearson ou la trahison de l'esprit ». Lequel Pearson

Trudeau et Lester B. Pearson.

était le premier ministre libéral du Canada. Entre temps, il mène la vie du célibataire de bonne famille: entre deux articles et un cours, il fait du ski, de la plongée sous-marine, du canoé... et la conquête de tout ce qui passe à sa portée. Doté d'un culot formidable, d'une sûreté de soi remarquable et aussi d'une belle voiture, c'est un beau parti. Il plaît aux hommes, pour sa manière de discuter et d'affirmer, et aux femmes pour son allure, son assurance et son maintien désinvolte.

L'époque des voyages est passée; celle du mentor politique tire à sa fin, pour cause d'idées différentes; la vie de playboy étant un peu limitée, la nouvelle tentation de l'action c'est la politique active. Ce sera le départ des trois colombes en 1965.

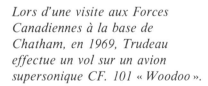
Lors d'une visite aux Forces Canadiennes à la base de Chatham, en 1969, Trudeau effectue un vol sur un avion supersonique CF. 101 « Woodoo ».

Mélange d'esthète et de réthoricien, Trudeau, ce disciple de Thoreau, est naturellement un fervent défenseur des droits de l'individu —n'a-t-il pas fondé la Ligue des Droits de l'Homme au Québec?— mais à ses yeux, la meilleure garantie de l'individu est encore l'État, un état qu'il conçoit comme un instrument, et non comme un symbole. De fait, s'il a été constamment le prédicateur de « l'Unité canadienne », avec quelquefois des accents pathétiques, Pierre-Elliot Trudeau n'est ni un patriote, ni un nationaliste. Bien au contraire...

Toute sa vie, et ce bien avant d'entrer en politique, Pierre-Elliot Trudeau a combattu le nationalisme, et pour commencer, celui du Québec. Pour lui, le nationalisme, voire le patriotisme, sont des phénomènes rétrogrades nuisibles qui tendent à créer des nouvelles religions, donc de nouvelles églises. Or, s'il est profondément chrétien, il est violemment anticlérical: il met donc dans le même sac « les rongeurs de balustre du nationalisme » (Cité Libre, Mars

Une invitée-surprise au bras du Premier Ministre, Barbra Streisand.

1961) et le parti »cléricaliste » (Cité Libre, Juin 1961). D'ailleurs, il ira même écrire, au nom du progrès, avec une haine quasi viscérale « Les séparatistes: des contre-révolutionnaires » (Cité Libre, Mars 1964), article qui deviendra en anglais « Québec Néo-Fascism » dans Canadian Forum (Juillet 1964).

Autre constante: le mythe d'une société juste, mais par conséquent unitaire. Car l'un ne va pas sans l'autre pour Pierre-Elliot Trudeau qui, s'il défend les droits linguistiques au nom des invidivus au niveau fédéral, va combattre, pendant tout son règne, contre le pouvoir des provinces, qu'il ne voit, au mieux, que comme de simples divisions administratives. Il aura la même opposition à la loi 22 de Robert Bourassa en 1974 qu'à la loi 101 du P.Q. en 1977. Tout doit revenir au pouvoir central, qui doit être fort: il veut en devenir l'architecte.

Dans son genre, c'est un missionnaire. Il aime le pouvoir parce que c'est un moyen de réaliser son rêve d'un certain Canada, appellation contrôlée d'une certaine société. Pour arriver à ses buts, il préfère plaire. Mais ce solitaire qui a besoin d'avoir des aides autour de lui, n'hésite pas à employer le mépris, voire l'épreuve de force vis-à-vis de ses contradicteurs. Le dialogue n'a qu'un sens: convaincre les autres, étant bien entendu qu'ayant choisi la voie juste, il n'a pas besoin d'être convaincu.

Sa force, c'est son intime conviction, c'est par elle qu'il finira par vaincre. Il a la mentalité d'un gagnant, et gagnera souvent parce qu'il arrive à convaincre les autres, au départ, que la partie est jouée en sa faveur. Hélas, avec le temps et avec l'âge, il finira par nier l'échec, aussi mince qu'il soit, autant dans sa vie publique que dans sa vie privée. Au long des années, il distancera petit à petit sa bande: Pelletier, Marchand, Jean-Pierre Goyer, Kierans, John Turner et bien d'autres. Le chef a toujours raison! Seul restera, parmi les derniers fidèles, Marc Lalonde, un des derniers témoins de la naissance de la décennie Trudeau.

La décennie commence lorsque le vieux chef libéral, Leaster B. Pearson, décide de quitter son poste de premier ministre et la tête du parti. Deux fois minoritaires, il sait bien que les prochaines élections pourront lui être fatales. Mais il sait qui va le remplacer; son jeune ministre de la justice, Pierre-Elliot Trudeau, est déjà bon partant. En trois ans il ne se passe pas un mois sans qu'on parle de lui, et pour des raisons contradictoires: ses escapades amoureuses avec Barbra Streisand certes, qui alimentent la petite chronique, mais aussi son Bill Omnibus, une refonte du droit pénal qui fait autant de bruit; il décriminalise l'homosexualité et légalise

Ski avec l'ex-président des États-Unis, Gérald Ford.

l'avortement. Ajoutez à cela son non-conformisme. Il se présente à la Chambre des communes en foulard (oui mais un Cardin!) et en chaussures de sports. Cela ne ferait pas sérieux si face aux caméras de télévision, il n'avait, au nom du fédéral, écrasé littéralement Daniel Johnson qui présente les demandes du Québec et qui est perçu comme un crypto-séparatiste par le reste du Canada. Non conformiste soit, mais orthodoxe! De plus, sa manière de tonner contre les « séparatiste du Québec » qu'il ridiculise chaque fois qu'un micro passe à sa portée, y compris dans leur fief, rassure: voilà un homme qui saura les mâter!

Aussi le congrès à la chefferie est un modèle du genre, qui servira à la campagne électorale suivante. Tandis que les dix autres candidats essayent de convaincre les délégués par des méthodes classiques, à grands renforts de majorettes, de macarons « I love Pierre », d'embrassades des déléguées, des hôtesses, et même des curieuses qui passent par là, Pierre-Elliot Trudeau électrise la foule. D'ailleurs, il proclame partout que les sondages sont en sa faveur (une tactique qu'il appliquera sans relâche, car il croit aux sondages!) et fait son discours comme s'il était déjà chef du parti. Un discours dont les thèmes vont se répéter pendant 10 ans: il va mener le Canada sur la voie d'une société juste, qui compensera les inégalités sociales, où les deux communautés linguistiques auront les mêmes droits, il empêchera sa division en combattant la poignée de séparatistes du Québec. Voter pour lui, c'est voter pour l'avenir!

En quatre jours, il passe comme une lettre à la poste, il devient chef du parti libéral, le 6 avril 1968. Le 20 avril, il est premier ministre et 3 jours plus tard, déclanche les élections. Ce qu'il a fait à l'intérieur du parti, il va le faire à l'échelle du Canada tout entier: c'est l'ère de la Trudeaumanie. Répétant le même discours partout où il passe, il court à travers la foule, se fait embrasser par des « groupies » déchaînées, s'amuse à faire des plongeons de haut-vol devant la télévision, en manquant un saut à « la Standfield » son adversaire conservateur, bref, tout en devenant l'idole des foules, il ridiculise l'ennemi.

Le 24 juin 1968, veille de l'élection, il joue un coup de poker magnifique. La situation est tendue au Québec. Invité aux fêtes de la Saint-Jean-Baptiste à Montréal, au grand défilé du soir, on lui demande de ne pas venir, à cause de ses déclarations contre les séparatistes. Bien au contraire, Pierre-Elliot Trudeau y va: la bagarre éclate dans le défilé, les bouteilles pleuvent en direction de l'estrade officielle qu'il ne quitte pas. Par courage, par défi, mais aussi et surtout parce que les caméras de Radio-Canada sont braquées sur lui et transmettent à travers tout le Canada en direct. Le lendemain, il est élu haut la main: 155 sièges sur 164...

Son premier mandat se déroulera dans le même style éblouissant. Les anglais hurlent contre les droits du français? Il préconise la loi sur les langues officielles dans les organismes fédéraux! Les séparatistes le traînent dans la boue? Peu importe! Il va même jusqu'à aller leur dire: « Vous allez vous faire faire mal! » Il jette de l'huile sur le feu! Enfin en 70, lors de l'affaire Cross-Laporte, bien avant que celle-ci se soit envenimée, il fait appliquer les mesures de guerre le 17 octobre 1970, un marteau-pilon pour écraser un moustique. Lorsque l'événement sera passé et qu'on s'apercevra, dans le reste du Canada, que « l'insurrection »... se résumait en tout et pour tout à 11 personnes (ce qui n'empêcha pas d'en arrêter 600!) l'opinion commence à trouver que ce jeune homme de 52 ans est un peu essouflant.

D'ailleurs l'actualité étant fixée sur le Québec, le playboy (selon son image) se marie en secret, pour que l'effet soit plus fort plus tard, avec Margaret Sinclair, la fille d'un ancien député libéral de

Vancouver, en 1971. Le hasard fait bien les choses: son fils Justin naît le jour de Noël 1971! Entre temps, il reconnaît la Chine Populaire où jadis il était allé faire un tour. Bref le public commence à trouver qu'il en fait trop.

C'est donc un homme tout aussi volontaire, mais parlant toujours de société juste et d'unité nationale, qui se présente aux élections du 30 octobre 1972. Hélas, s'il y a encore des embrassades, cette fois-ci il commence à faire campagne surtout sur sa personne. Des dissensions ont commencée autour de lui: Eric Kierans, son ancien ministre des Finances, qui a démissionné, demande même aux gens de voter NPD. De plus, il essaye de projeter l'image d'un homme sérieux. Bref, çà ne lui réussit pas. Il est réélu, mais à la tête d'un gouvernement minoritaire tout à fait incroyable: 108 libéraux, 107 conservateurs, 30 NPD et 12 créditistes. Finalement, grâce à l'aide du NPD, il reste au pouvoir.

Dès lors, il va entamer sa réélection avec les entreprises de charme: il reçoit la conférence du Commonwealth (ce qui rassure l'Ontario), fait ami-ami avec l'Ouest qui a voté contre lui, va faire un tour en Chine Populaire, ce qui maintient son image progressiste, et se débrouille même pour avoir un second fils encore à Noël! Sans oublier, pour ses admirateurs, quelques facéties pas toujours du meilleur goût. Du « Fuddle Duddle » de 1971, on passe au « mange de la ... » aux grévistes de Lapalme qui font le piquet devant sa porte. L'image se transforme avec la participation de sa femme qui chante ses louanges. Bref, tout est prêt pour l'élection

du 9 juillet 1974, après la motion de non-confiance du 7 mai.

Cette fois-ci le playboy est mort, vive le jeune marié! (qui a, ne l'oublions pas, 55 ans!) On le voit avec son enfant dans les bras, sa jeune femme à côté, mais le tout dans un rythme dynamique. Le symbole de toute la publicité est le *Trudeau Express*, un train avec lequel il se déplace dans les régions. De nouveau, les foules sont attirées. De plus à travers ses discours, il ridiculise les conservateurs. Il y a début d'inflation, soit! Mais ces gens-là n'ont-ils pas l'idée ridicule de vouloir instaurer le contrôle des prix et des salaires? «Mesure rétrograde» dit Trudeau. D'ailleurs après octobre 1970, les séparatistes ne sont plus qu'une poignée, et tous les sondages le donnent gagnant! C'est la seule chose qui s'avère exacte... Le 9 juillet il devient majoritaire: sont élus 140 libéraux, 95 conservateurs, 16 NPD et 12 créditistes.

À partir de cette date, l'homme du paradoxe devient celui de la contradiction: tel Sartre, il peut dire « Je m'affirme en me

La photo qui choqua l'Angleterre... À Buckingham Palace, le Premier Ministre effectue une pirouette dans le dos de la reine Elizabeth.

Victoire! Pierre-Elliot Trudeau vient d'être élu chef du Parti Libéral.

contredisant. » Dès le mois de novembre, pour combattre l'inflation, il prend « la méthode rétrograde » qu'il a dénoncée pendant toute la campagne électorale, celle du contrôle des salaires et des prix. Il perd un autre ministre des Finances, John Turner, qui est contre. Peu importe! De nouveau, il proclame la nécessité du bilinguisme: mais il laisse son ministre Otto Lang ne pas l'appliquer dans l'aviation! Ce qui aide Jean Marchand à partir. Enfin l'image dynamique du jeune marié modèle, si utile dans la campagne, en prend un coup lorsque sa femme après une courte maladie, le quitte et se met à défrayer les potins des commères. Un coup dur qu'il supporte avec beaucoup de dignité.

Petit à petit, on découvre l'homme inflexible, même s'il continue par exemple à faire des pirouettes à côté de la Reine Elizabeth II ou à s'asseoir sur les escaliers dans une conférence internationale.

Enfin, il fait un beau discours à l'université de Tokyo, fin octobre 1976, pour déclarer que « le séparatisme est mort au Québec, et qu'il n'en reste plus qu'une poignée ». Trois semaines plus tard, la poignée prend le pouvoir le 15 novembre. Face à cette situation, il

va continuer la manière forte vis-à-vis du Québec, même si la méthode ne semble pas avoir réussie. Chose certaine, le Canada, grâce à Pierre-Elliot Trudeau, ne sera pas ennuyé pendant dix ans. Mais quelque fois le sort que lui réserve le futur électoral, Pierre-Elliot Trudeau, à travers ses paradoxes et ses contradictions, sera resté d'une constance rare quant aux thèmes qui ont animé sa vie politique, et d'une ténacité peu commune quant aux moyens qu'il a préconisés pour sa carrière. Si bien qu'on ne peut s'empêcher de penser que ce produit des années 60 ne pourrait recevoir de meilleure illustration que les paroles d'une chanson de Bob Dylan, qui fut l'un des inspirateurs de la décennie 60 :

Margaret Trudeau et son mari laissent éclater leur joie en rentrant chez eux, au 24 Sussex Drive, à Ottawa. Après 18 mois de gouvernement minoritaire, le Premier Ministre dispose maintenant de 140 sièges sur 264 à la Chambre des communes.

« Moi j'ai pris la route solitaire
Pareille à celle du vent
J'ai pris la route solitaire
Qui s'en va loin devant
Tu me perdras demain
Je serai loin, très loin
N'y penses plus, tout est bien. »

JACQUES BREL À MONTRÉAL

Il arrivait toujours au coeur de l'hiver, à l'époque du ras le bol de la neige, à l'époque des « je me souviens » où l'on n'en finit plus de se rouler dans la nostalgie. Il arrivait et c'était la fête...

La passerelle de l'avion, à peine posée, il surgissait gesticulant, son étui à guitare à bout de bras, et d'aussi loin qu'il pouvait m'apercevoir, il me hurlait:
— Eh! la québécoise, t'es toujours là! on arrive...
« On », c'était Jojo, c'était Gérard, son pianiste, c'était le clan Brel.

Le trait juste, féroce, son éternelle cigarette fichée au coin des lèvres, il me racontait les derniers potins du métier, tout en surveillant mes réactions. Ce qu'il voulait, c'était me faire rire! Les histoires de ces « messieurs-dames » comme il disait ne l'intéressaient absolument pas. Ses filles, ses amies, les étoiles, son avion, ses tendresses, il les racontait quelquefois mais se taisait vite. D'année en année, toujours plus grand, et peu à peu unique, il était resté le même, mal embouché, pudique et fidèle.

Après huit ans de silence mutuel illustré de temps à autres par des cartes postales, lui de partout, moi du Mexique, je le retrouve soudain à Montréal, entouré de la grande machine qui encadrait les super-invités de l'émission « Appelez-moi Lise ».

Conférence de presse rigide, entrevues programmées, photographies contingentées, entourage nerveux. On se l'exhibait, Jacques Brel, mais on ne le prêtait pas. En dix minutes, nous nous sommes raconté des choses bêtes et oublié l'essentiel.

Alors ce soir-là, devant ma télévision j'ai branché mon

Les débuts à Paris, indifférence du public et mépris des « professionnels » du spectacle.

Avec son frère Pierre.

Jacques Brel face à Lise Payette en 1974. C'est le dernier séjour qu'il effectuera au Québec.

magnétophone et retrouvé mon ami, qui jouait un peu au chat, avec la souris qu'était devenue devant lui madame « Appelez-moi Lise » de féroce réputation, glané à travers ses réponses, voici ce qu'il pensait quelquefois des choses et des mots:

Des adultes...
« Je ne suis pas devenu un adulte. Je me suis arrêté de chanter avant. Un adulte, c'est un homme qui a marché un certain temps et qui un jour s'asseoit en pensant qu'il continue de marcher. C'est aussi la définition du bourgeois: quelqu'un qui marche à cause de son éducation, des chocs émotionnels qu'il a reçus, qu'il reçoit, et qu'il donne. Il est coincé, il s'installe quelque part, par amour, quelquefois par sécurité, et le voilà assis pour toujours. Les hommes assis, ce sont eux qui parlent toujours du service militaire. Lorsqu'il souhaitent des changements c'est à leur profit et jamais au profit de la communauté. »

Des bourgeois...
« Je suis un homme du Nord et la notion des bourgeois est un peu différente dans les pays germaniques. Les pays latins ont une bourgeoisie de culture, de morale, de philosophie. Chez nous, c'est une bourgeoisie besogneuse, il suffit d'être en transpiration pour avoir droit à son respect, alors que dans les pays uniquement philosophiques, donc cultivés, le fait de transpirer ne change rien. C'est le vocabulaire qui prime. »

Du travail...
« J'ai la faiblesse de penser que si l'on fait quelque chose, il faut le faire à fond. Sinon on triche envers soi-même et ça c'est important. Pour moi, mon métier, je l'ai fait avec énergie, c'était une question de survie. J'étais le Bombard de la chanson. Il fallait manger. Alors pendant un certain temps, je faisais 7 cabarets par nuit, des cabarets pourris entre deux numéros de dames nues. Et après, j'ai eu comme une espèce de rage de bien faire. En fait je n'ai jamais voulu devenir une vedette. Mais quand on fait quelque chose, il faut le faire très, très fort. »

Des femmes...
« Il faut que ça reste mystérieux une femme! elle se déguise, c'est quand même bien pour que l'on croit qu'elle est quelqu'un d'autre. C'est ça aimer les gens, respecter leurs déguisements! J'aime les femmes! C'est tout ce qu'un homme n'est pas! Ça arrive, ça fait « cui-cui », c'est un oiseau admirable, ça a des plumes, ça bouge, c'est formidable!!! et puis, on se met à l'aimer et tout à coup, elle dit:
— Oh! j'ai envie de pondre un oeuf.

— Eh bien! on va pondre un oeuf!
On est tous les deux contents. Et tout à coup, il risque de pleuvoir, alors on fait un toit, puis vient le vent, alors on bâtit un mur, un autre... et un jour on reste là comme un crétin. C'est ainsi que les femmes rendent les hommes fragiles et les immobilisent... »

De l'amitié et de la souffrance...
« Je suis fidèle aux gens que j'aime, du moins j'essaie de l'être. Mais que les autres ne me soient pas fidèles ça ne me regarde pas. Je deviens vieux! J'ai 45 ans. Oui j'ai eu des désespoirs, mais on ne promène pas des désespoirs toute sa vie. Un désespoir ce n'est pas triste, c'est seulement un manque d'espoir.
Je n'attends plus rien de personne, et je ne redoute plus que la souffrance physique. Pour moi, les autres souffrances sont un luxe et je n'ai plus le temps de me laisser influencer par le luxe.

Je n'aurai plus mal que d'un ulcère ou d'un cancer quelque part. Je n'aurai plus mal à autre chose. »

On dit qu'à cette époque Jacques savait déjà la lutte à finir qu'il commençait avec la vie. On dit qu'il voulait mener le combat dans la solitude mais que finalement la tendresse était venue l'aider à mourir debout. On dit, on dit... mais moi, je sais que Jacques Brel, le mien, le vôtre, n'est pas prêt de nous quitter, il chante encore, nous inquiète, nous scandalise, nous rassure, nous enchante, et nous crie du haut de sa passerelle, sa guitare à bout de bras:
— Alors les québécois! Vous êtes toujours là! J'arrive...

Il monte et joue « L'homme de la Mancha », à Paris. Il se dépense tellement qu'il va perdre douze kilos en quelques semaines, avant d'être contraint par les médecins à abandonner le rôle.

La famille Brel au grand complet, voici plus de vingt ans.

Jacques Brel est mort... Son corps quitte l'hôpital de Villejuif pour un dernier voyage vers les îles Marquises.

MAI 1925   MONTREAL, CANADA   6e ANNEE, No. 7

LA REVUE MODERNE

REVUE MENSUELLE   *Les oiseaux vont revenir...*   PRIX: 25 SOUS

L'EMPIRE PÉLADEAU

Si l'ascension fulgurante de Quebecor remonte à peine à une quinzaine d'années, il est plus difficile d'établir avec certitudes les débuts de la carrière de Pierre Péladeau, l'homme d'affaires; il y a de ces dons qu'on reçoit à la naissance, qu'on développe et maîtrise comme la marche ou la respiration et dont on ne se demande plus s'ils sont devenus une seconde nature. Pierre Péladeau a reçu celui des affaires.

Né à Montréal en 1925, cadet d'une famille de sept enfants et orphelin de père dès l'âge de dix ans, Péladeau suit le parcours classique des institutions académiques montréalaises pour enfants fortunés : Collège Jean-de-Brébeuf, Collège Sainte-Marie, Université de Montréal et Université McGill. Mais en raison de revers commerciaux subis par son père dès 1925, c'est par la petite porte qu'il entre dans ces établissements; il en gardera un souvenir amer. Afin de subvenir à ses besoins et de défrayer le coût des études supérieures, il s'improvise chauffeur de taxi, vendeur de sapins de Noël, impresario... la légende veut même qu'il ait effectué ses premières transactions en culottes courtes vendant le piano familial en l'absence de sa mère ou la bicyclette de son frère, sans le consentement de celui-ci! Après une licence en philosophie à l'Université de Montréal et un diplôme en droit à McGill, Pierre Péladeau effectue sa première *grosse* transaction en 1950 : il achète le *Journal de Rosemont* pour $1,500, somme dont il ne dispose pas et qu'il doit emprunter à sa mère. C'est un emprunt qu'il ne regrettera pas.

Après avoir tenté mille et une aventure financières diverses, c'est finalement dans la presse qu'il trouvera sa vraie passion, celle qui le mènera à la tête d'une compagnie aujourd'hui évaluée à $20

◄

L'année de la naissance de Pierre Péladeau, la Revue Moderne tenait le haut du pavé.

millions. Bien que le marché exista, le *Journal de Rosemont* ne représentait pas en 1950 une affaire bien florissante et Péladeau dût s'engager à fond dans sa nouvelle entreprise afin, d'une part, de la remettre à flot, puis d'en tirer des profits qui lui permettraient une éventuelle expansion. C'est ainsi qu'il s'immisça dans les moindres détails de production : de la rédaction à l'imprimerie, en passant évidemment par la publicité, ne laissant rien au hasard; c'est une habitude qu'il gardera tout au long de sa carrière, notamment en ce qui concerne le lancement d'un nouveau journal.

Le *Journal de Rosemont* avait alors passé un contrat avec l'imprimerie Verdun Printing et l'affaire semblait vouloir décoller; à tel point que le nouveau propriétaire avait, en quatre années, lancé autant de nouveaux journaux de quartier. Verdun Printing voyant le succès de son client décide alors d'emboîter le pas et publie un journal concurrent... il n'en faut pas plus à Péladeau pour qu'il se mette à la recherche d'une nouvelle imprimerie, d'autant plus que le service professionnel offert par Verdun Printing laisse à désirer au fur et à mesure que se multiplie le nombre de publications.

Profitant alors de la fermeture du journal *Le Canada* en 1954, il met sur pied une première imprimerie (Hebdo) et se porte acquéreur des presses du *Canada*. Du même coup, il ouvre un local, pour loger ses cinq rédactions, rue Plessis, dans l'est de Montréal, sur le site actuel de la maison de Radio-Canada. Ses associés sont alors Roland Bélanger, Réjean Arbic et Marcel Hébert. L'affaire grossit. La nouvelle imprimerie fonctionne bien mais demande à son propriétaire du temps et de l'énergie. Il ne peut plus se consacrer avec autant d'assiduité à la gérance des journaux. Péladeau décide donc de les vendre, faute de pouvoir en assurer un contrôle permanent. Mais, comme il faut bien faire tourner l'imprimerie, il lance quelques autres hebdomadaires dont *Nouvelles et Potins* et *Radio-Monde,* publications qui vont le propulser sur une orbite dont il ne sortira plus.

Faut-il rappeler ici l'impact que ces publications dites *spécialisées* eurent à Montréal puis sur l'ensemble du Québec? Empruntant une formule à potins déjà à la mode aux E.U. et le style tabloïd américain, Péladeau créée une presse qui, au milieu des années '50, fait scandale. Attaqué par l'épiscopat montréalais, les institutions en place, la presse en général et le public *bien pensant*, Péladeau réussit à vendre plus de 100 000 exemplaires par semaine, ce qui hier comme aujourd'hui, constitue tout simplement un phénomène.

Devant le succès de ses nouveaux hebdos, Péladeau redouble, d'énergie et investit tout son temps à la production; c'est ainsi qu'il passe plusieurs semaines sans mettre les pieds à l'extérieur de son entreprise, mangeant et dormant sur place. L'occasion lui semble trop belle il s'y donne à plein temps. Vient ensuite *Nouvelles Illustrées.* La formule se précise de semaine en semaine. La télévision, qui en est alors à ses balbutiements au Québec comme au Canada, va fournir la bouffée d'oxygène nécessaire à l'expansion de la jeune entreprise. Mais encore fallait-il le prévoir... Pendant que les quotidiens établis n'accordent qu'une importance très réduite au nouveau médium électronique, Péladeau saute sur l'occasion et en fait son premier cheval de bataille. Avec la percée irrésistible de la télévision et de ses nouvelles vedettes, les hebdos spécialisés se taillent la part du lion dans le nouveau marché. Quand on voit aujourd'hui le créneau qu'occupe la télévision dans notre civilisation, il est difficile d'imaginer qu'on ait tardé dans les années '50 à emboîter le pas.

Le petit écran fournit alors toute la matière première, employant des vedettes établies depuis longtemps et de nouveaux visages désireux de percer; les hebdos se chargent du reste. Fort d'un auditoire de 100 000 lecteurs, comment ne pas se sentir les mains libres? Il faut donc songer à agrandir l'imprimerie, mais l'annonce d'une éventuelle expropriation pour permettre la construction de la nouvelle maison de Radio-Canada force Péladeau à regarder ailleurs une nouvelle fois. C'est ainsi qu'au début des années '60, l'imprimerie des hebdos s'installe rue Port Royal; *Montréal Offset* est née. Aujourd'hui, les six hebdos tirent au total à plus d'un quart de million d'exemplaires et bien qu'ils aient changé maintes fois de toilettes, ils n'en continuent pas moins à se faire le certain reflet, semaine après semaine, du show business québécois.

La grève de La Presse
L'aventure ne fait toutefois que commencer et ce n'est qu'en 1964 qu'elle va prendre un essor définitif. *La Presse* cesse de publier, en raison d'une grève, à l'automne 1964; les rumeurs de lancement d'autres quotidiens fusent alors de toute part. Il est question que le propriétaire de *Dimanche-Matin,* Jacques Francoeur, mette un journal sur le marché; on sait également qu'un autre grand quotidien de l'après-midi, le *Métro-Express,* va naître bientôt. Ces projets se forment à la faveur du conflit qui paralyse *La Presse.*

Péladeau attend de savoir si oui ou non Francoeur va se décider. Lorsqu'il a la confirmation du *non,* il ne lui faut que six jours à mettre sur pied le premier numéro du *Journal de Montréal...* avec $75 000 pour capital. Lorsque *La Presse* revient dans les kiosques en février 1965, le *Journal* tire alors à 75 000 exemplaires. Il retombe rapidement à 12 000. Péladeau, aurait pu dès ce moment fermer

Pierre Péladeau, écoute parfois avec son coeur.

boutique et empocher les bénéfices comme on lui avait alors fortement conseillé. Il décide plutôt de continuer pendant quelques mois afin de voir s'il peut atteindre un premier seuil de rentabilité. Surprise! il ne faut que trois mois au *Journal de Montréal* pour remonter son tirage à 25 000 copies, faisant ainsi mentir les sombres prédictions de l'éditorialiste du *Devoir* Gérard Fillion qui avait écrit : « *Les pages du Journal de Montréal tomberont comme tombent les feuilles d'automne...* »

Dès lors c'est l'opération de consolidation autour de la nouvelle entreprise. Il faut assurer la meilleure distribution possible. Pour ce faire, Péladeau abandonne les distributions Éclair et fonde les Messageries Dynamiques. Puis, ne croyant plus aux journaux d'après-midi, il prend la décision d'entamer pour de bon le marché des quotidiens du matin. Il veut également mettre au point la formule bien spécifique du jeune quotidien, lui façonner une personnalité et, surtout, répondre à un besoin des lecteurs québécois et montréalais. La formule est déjà toute trouvée et Péladeau en connaît les grandes lignes depuis les premiers succès de ses hebdos. Il revient à ses premières amours: un format tabloïd pratique, l'emploi maximal de la photographie, des textes courts et, surtout, la couverture d'événements qui touchent de près le public. Sans pour autant négliger les autres secteurs traditionnels de l'information, Péladeau met au point une formule qu'on ne peut aujourd'hui dissocier de son nom. Donnant la préférence au fait divers local et à l'information sportive —à laquelle il accorde toujours la moitié ou presque de l'espace rédactionnel— il réussit en quelques années à s'attacher la fidélité de centaines de milliers de lecteurs.

Le *Journal de Montréal* doit devenir la bible de l'amateur de sports. Et pour ce faire, Péladeau fait appel au chroniqueur de sports le plus populaire du Québec, Jacques Beauchamp, alors directeur des pages sportives du *Montréal-Matin*, son concurrent immédiat.

C'est ainsi qu'à la fin des années '60, Beauchamp accepte de prendre la direction des pages sportives du *Journal de Montréal*, entraînant dans son sillon quelques journalistes chevronnés du *Montréal-Matin*. Toujours sur sa lancée, Péladeau, profitant de la popularité croissante du *Journal de Montréal*, fonde en 1967 le *Journal de Québec* selon les mêmes critères. Ses débuts sont toutefois moins fulgurants et il fait une douzaine d'années au *Journal de Québec* avant d'atteindre les 100 000 copies vendues.

En 1970, pendant la Crise d'Octobre, le *Journal de Montréal* publie sa première édition du dimanche et atteint, après six années d'existence, le chiffre magique des 100 000 copies. À la fin de l'été 1972, la société Quebecor, fondée en 1965 par Pierre Péladeau et regroupant les publications, imprimeries et maisons connexes apparaît sur le marché des valeurs mobilières à Wall Street. Pour la première fois, un homme d'affaires québécois voit son entreprise cotée à la bourse américaine. Le total des ventes atteint plus de $30 millions! Aujourd'hui, elles frisent les $160 000 000.

Décembre 1977, coup de théâtre! Pierre Péladeau lance le Philadelphia Journal, toujours selon la formule qui a fait son succès au Québec. Une fois de plus, la mise au monde de cette nouvelle publication démarre sur les chapeaux de roue, Péladeau désire prendre tout le monde par suprise à Philadelphie avec sa nouvelle formule où le sport occupe une place prépondérante. Après trois ans d'existence, le *Philadelphia Journal* dépasse lui aussi les 150 000 copies vendues. Manifestement, Pierre Péladeau n'a pas fini d'étonner. Il a pris de telles proportions qu'il est devenu difficile aujourd'hui de séparer le mythe de la réalité. Après des déboires personnels principalement reliés à l'alcool —une partie de sa vie qu'il ne cache pas— il s'est passionné pour la cause des *Alcooliques Anonymes* depuis 1974 et reste toujours un des plus farouches défenseurs de cette association. L'immense domaine qu'il habite dans les Laurentides est devenu, de son propre aveu, une véritable auberge pour les alcooliques. « *...homme d'affaires dur mais sentimental, employeur mesquin mais généreux* », le personnage continue à mystifier son entourage.

On le connaît comme un nationaliste québécois. Il déclare; « *J'ai acheté Etco Photo, parce que l'entreprise allait être vendue à des Américains...* » ne dit-il pas aussi? *J'ai voulu montrer aux anglophones qu'un Québécois pouvait y arriver...* » Mais on le retrouve néanmoins à la présidence des séances de la Commission Pépin-Robarts sur l'unité canadienne à Montréal. L'homme adore truffer ses conversations de citations de Balzac ou de Giono, mais il les épice volontairement des sacres les plus communs au pays. Paradoxe incarné, il prétend pouvoir juger un homme à partir d'un détail, mais ne prendra jamais une décision avant de l'avoir longuement murie... sauf évidemment s'il s'agit de lancer un journal!

Respectueux de certaines institutions, philanthrope discret mais généreux, il utilise volontiers toute la verdeur de son langage pour se payer la tête de certaines autres « *institutions* ». Voici d'ailleurs un extrait d'une entrevue qu'il accordait à *l'Actualité* il y a quelques années:

— *Paul Desmarais? C'est un gars brillant. Un de nos grands financiers, mais pas un grand éditeur! Il serait fourré pour bâtir une première page. Je lui ai déjà dit: «Tu ne connais rien là-dedans. Occupe-toi donc de tes autobus! Le jour où je voudrai te manger dans les journaux, je vais te manger. Mais j'irai pas dans les autobus...»*

— *Roger Lemelin? C'est un bon gars, mais y connaît pas ça... j'admire beaucoup Claude Ryan, mais Michel Roy n'a ni l'envergure ni profondeur, il n'aura jamais* Le Devoir... *Le Journal de Montréal battait déjà* La Presse *avant la grève (la dernière). Elle n'a pas de chance de succès, pas de personnalité. Qu'est-ce-qu'il y a là-dedans? C'est un journal du soir, il n'y a pas plus de nouvelles et la télé emplit le marché du soir. Je pourrais peut-être acheter le* Montréal-Matin. *Mais pas cher, parce que ça vaut un dollar et quelques considérations...* Lorsqu'on lui demande pourquoi il lance un quotidien à Philadelphie plutôt qu'au Canada anglais? Il répond:

— *Parce qu'il n'y a rien à faire au Canada anglais. Des petites villes de chauvins! Aux États-Unis, les villes sont grosses et on est bien reçus. Il y a 500 000 habitants à Edmonton, je ne suis pas intéressé à aller dans des «peanut shops».*

— *L'important* confiait-il, *c'est d'avoir du plaisir à travailler, de ne pas se prendre pour le nombril du monde et de rester en contact avec les gens, de les respecter.* Est-ce vraiment étonnant que le nom de Pierre Péladeau ne figure jamais au Panthéon de *l'establishment* local? Est-ce étonnant qu'il n'y soit nullement intéressé?

Il sait mieux que quiconque que sa réussite impose le respect; pour le reste... «*Je ne cherche qu'à bien faire ma job qui est de lancer des journaux*», déclare-t-il volontiers en oubliant de souligner que le plaisir s'en trouve décuplé lorsque le journal naît quasi spontanément, envers et contre toutes les précautions d'usage et souvent contre toute logique; narguer, foncer, étonner, autant de façons d'être et de vivre.

Afin de faire démarrer un journal à quelques jours d'avis et dans des conditions pour le moins pénibles, il faut une bonne dose de courage et d'abnégation et ce, vingt-quatre heures par jour. Ceux qui ne l'ont pas compris sont rapidement devenus d'*ex-cadres* de Quebecor. C'est sans doute ce trait de personnalité qui a uni les destinées de Pierre Péladeau et de Jacques Beauchamp, l'actuel vice-président de la compagnie. Comme son patron, Beauchamp n'a jamais compté ses heures de travail et il exige la même fidélité des journalistes à l'emploi des quotidiens. Tous les rédacteurs et photographes, et ils sont légion, qui ont travaillé, collaboré avec

Quand deux empereurs se rencontrent.

Beauchamp depuis une quinzaine d'années admettront sans fausse honte que le personnage est impossible à suivre, tant son rythme de travail est effarant.

Rédaction et publicité du *Journal de Montréal* sont maintenant installées confortablement à quelques pas de l'ancien entrepôt qui leur servait de bureaux; les locaux du *Journal de Québec* n'ont également rien à envier à ceux de la métropole, mais il subsiste malgré tout une ambiance de quasi-panique mêlée de folie et d'enthousiasme. La formule rêvée par Pierre Péladeau et peaufinée depuis quinze ans ne saurait fonctionner dans une atmosphère feutrée comme celle que l'on retrouve dans les autres grands quotidiens.

L'élan a été donné, le train s'est mis en branle et malgré une considérable amélioration des conditions de travail, il flotte encore à la rédaction l'odeur des jours sans lendemain. Pourtant le rythme de production du journal ne saurait souffrir aucun relâchement, Pierre Péladeau l'a bien compris, lui qui est devenu un personnage légendaire. Jamais dans l'histoire de la presse québécoise et canadienne, empire n'aura autant ressemblé à son créateur.

Péladeau avec MM. Pépin et Robarts à la Commission sur l'unité nationale.

Philadelphie — Montréal, l'accord est scellé avec Bill Green, maire de la ville.

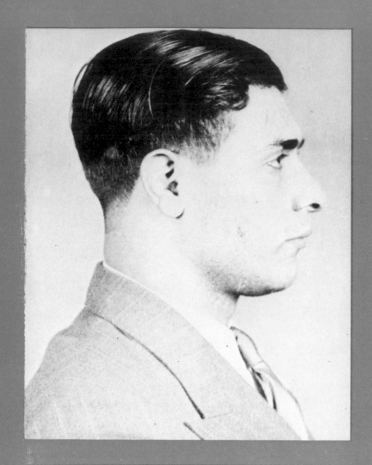

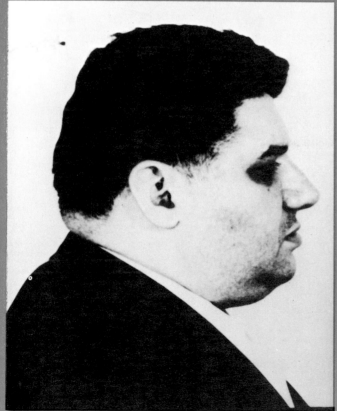

LA CECO S'ATTAQUE À LA MAFIA

Début septembre 1972. La révolution tranquille a battu son plein, Terre des Hommes a eu lieu —et avec elle l'entrée des drogues au Québec sur une grande échelle— la Crise d'Octobre vit ses derniers relents judiciaires et, par le biais de son ministre de la Justice, Me Jérôme Choquette, le gouvernement du Québec, dirigé par Robert Bourassa, s'apprête à assainir ce que l'opinion publique nomme d'un terme général « la pègre », avec la création de la Commission d'enquête sur le Crime organisé (CECO).

La Mafia a toujours réglé ses affaires et lavé son linge sale en « famille » et, à la guerre comme à la guerre, Jérôme Choquette décide, lui, de piper les dés et de se servir de moyens jugés jusque là peu orthodoxes, sinon illégaux, pour désorganiser les criminels et les traquer dans leur plus stricte intimité. Notamment grâce à l'écoute électronique.

Le combat s'engage officiellement, sur tous les fronts: drogue, chantage, corruption, prostitution, contrefaçon, usure, extorsion, etc... Dès octobre 1972, la CECO s'installe au sixième étage du 1701 Parthenais, dans l'immeuble abritant le quartier-général de la Sûreté du Québec. Cette « super-police » —comme on se plaît à la qualifier— part à zéro. Une centaine de policiers, quelques avocats, sociologues et criminologues la constituent.

En fait, les limiers qui y sont affectés proviennent de la Gendarmerie royale canadienne, de la Sûreté du Québec et de la police de la Communauté urbaine de Montréal.

Cette disparité crée des crises intestines qui vont entraver considérablement les opérations de cette unité spéciale d'élite.

Le juge Jean Dutil a présidé les trois sessions les plus spectaculaires de la CECO: la viande avariée, la mafia italienne et le clan Dubois. On l'a surnommé « l'homme d'acier ».

Le 1er février 1973, un premier banc de commissaires, constitué par le juge Rhéal Brunet de la cour des Sessions de la paix, le juge Marc Cordeau de la cour municipale de Longueuil et de M. Roméo Courtemanche, ex-directeur adjoint de la Sûreté du Québec et à la retraite, se penche sur le monde du jeu jusqu'au 10 décembre 1974.

Les procureurs se succèdent à un rythme effarant en la personne des avocats Charles Cliche, Robert Cooper, Louis Carrier, Michel Pothier, Pierre Verdon, Guy Dupré et Gilles Harris.

Mais la fin tragique de feu Pierre Laporte, assassiné par une cellule felquiste pendant la désormais historique crise d'octobre, préoccupe encore beaucoup de monde, même si les Rose, Simard et Lortie ont été condamnés relativement à cette affaire.

Des rumeurs qui s'affirment comme thèses bousculent l'opinion publique. Certaines s'appuient sur les relations ayant existé entre Pierre Laporte et certains membres du milieu, dont Nicolas Di Iorio et Frank Dasti et relatent certaines rencontres entre M. Laporte et les deux présumés mafiosi au Victoria Sporting Club, sur la rive sud. On y aurait parlé, dit-on, de la caisse électorale de certains candidats libéraux...

Il n'en faut pas plus pour orienter l'enquête, sans gaîté de coeur, et mandater la CECO, le 5 juillet 1973, afin qu'elle étudie les liens entre l'ex-ministre du Travail dans le cabinet Bourassa, MM. Dasti et Di Iorio, comme avec l'organisateur et chef de cabinet René Gagnon et le tavernier Jean-Jacques Côté.

Paul-Émile Lécuyer, avocat. Responsable de l'USECO, il devait préparer la venue de la CECO. Mais il resta peu de temps à ce poste. Il avoua aux journalistes avoir baptisé son chat « Patof Cotroni ». Le lendemain, il retrouva l'animal assassiné...

Certes, la CECO a enquêté mais, pour des raisons obscures, la désormais « affaire Laporte » apparaît pour la dernière fois au feuilleton des rapports annuels de la Commission de Police du Québec en 1974 et les rumeurs attribuant à la mafia l'assassinat de Pierre Laporte se désagrègent d'elles-mêmes, d'autres soutenant, vu la teneur de certains communiqués felquistes passés au peigne fin, que l'armée aurait eu son mot à dire dans la décision de rayer Pierre Laporte de la liste des vivants. Une époque où tout le monde suspectait tout le monde, alors que la CECO se bornait à soulever l'intérêt public en travaillant sur du nébuleux, du mystérieux.

Mais le public québécois ne devait pas demeurer longtemps sur son appétit car la CECO s'apprêtait, si l'on peut dire, à entamer un plat de résistance qui ne devait laisser personne indifférent, la viande avariée, moins connu sous le nom de projet Albert.

Un nouveau banc est constitué, présidé par le juge Jean Dutil, un homme à la poigne d'acier, le juge Denys Dionne et le juge Marc Cordeau, eux aussi réputés pour leur fermeté. C'est dans cette même veine que deux procureurs vedettes agressifs, Me Réjean Paul et Me Pierre Paradis, viennent compléter l'équipe avec le sergent-d'état-major Marcel Maynard de la GRC en guise de coordonnateur.

Le 20 mai 1975, début des audiences publiques, la CECO ouvre toute grande la voie d'accès à l'information à tous les média. Première en Amérique du Nord —si l'on exclut la transmission des assises du Watergate— les abonnés aux cableviseurs suivent sur leur petit écran avec une heure de décalage seulement, les séances de la CECO, comme s'ils y assistaient au sixième étage du 1701 Parthenais.

Cette transmission quasi directe du dépeçage public de ceux qu'on affuble rapidement du nom de *charognards* stimule les media.

La qualité de l'information comme sa quantité s'améliore. Des avocats prestigieux comme Frank Shoofey, Marc Poupart, Léo-René Maranda, Raymond Daoust, Sydney Leithman, Joël Guberman, Rolland Blais, Nikita Tomesco, Robert LaHaye, etc. sont venus tour à tour s'interroger devant les commissaires, au nom de leurs clients, quant à la constitutionalité de la CECO.

Le juge Rhéal Brunet fut le premier à présider la CECO lors de l'enquête sur le jeu, le pari illégal et l'affaire Laporte.

153

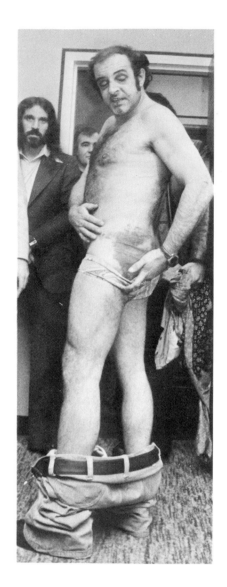

Un des frères Dubois, Roland, convoque la presse pour dénoncer de soi-disant brutalités policières à son égard. On le voit en compagnie de son avocat, Me Sydney Leithman. Son frère Adrien est à l'arrière-plan.

La CECO réussissait néanmoins à atteindre facilement ses objectifs principaux. En premier lieu justifier sa raison d'être et ses démarches dans le but de siéger de façon permanente, renseigner le public sur l'omniprésence du crime organisé dans la société et dans ce cas bien précis, comme l'a résumé l'éditorialiste Jean-Claude Leclerc, du *Devoir*, en arriver à la constante suivante: « C'est le secret qui fait la force des charognards, ceux de la viande, et les autres. »

Plusieurs des accusés furent reconnus coupables de fraude, de conspiration pour fraude et de contravention à la loi des aliments et drogues, écopant, suivant le cas, de sentences allant de trois mois à deux ans d'emprisonnement et d'amendes variant entre $300 à $4000.

Rappelons qu'il a été prouvé hors de tout doute que le site de l'Exposition universelle de Montréal, Terre des Hommes, avait littéralement été approvisionné (lire infesté) de viande avariée, ce qui ne se produisit pas à l'occasion des Jeux de 1976.

Après la tenue des Jeux, le ministère québécois de l'Agriculture donne suite aux recommandations de la CECO d'assurer la survie des petits abattoirs en mettant sur pied une équipe de vingt-quatre inspecteurs —soit deux par région agricole— qui veillent à l'observation des normes d'hygiène lors de l'abattage et de la préparation des viandes.

Le triumvirat Dutil-Dionne-Cordeau avait désormais le vent dans les voiles et la CECO décidait immédiatement de passer au côté italien de la « familia ». Et comme tout allait pour le mieux dans le meilleur des mondes interlopes, Mes Réjean Paul et Pierre Paradis demeuraient procureurs en titre de la commission, pendant qu'un nouveau venu, le sergent-détective Normand Ostiguy de la police de la CUM, surnommé le *Colombo* québécois par le juge Dutil lui-même, apparaissait au petit écran comme coopérateur.

Suivant un ordre alphabétique, la CECO entreprenait alors le projet Benoit, projet dont les audiences publiques ont accaparé le banc du 17 novembre au 5 décembre 1975.

Forts des résultats inespérés de l'écoute électronique, les commissaires, dès le début de cette étape du cheminement de la CECO, ont visé principalement deux individus, Vincent « Vic » Cotroni et Paolo Violi.

Et dès ce haut point de départ hiérarchiquement parlant, la CECO

Contrôles dans les entrepôts où furent découvertes des tonnes de viande avariée.

a facilement déterminé que quatre catégories de membres formaient le groupe Cotroni-Violi, soit les membres réguliers intronisés, les membres réguliers non intronisés, les aspirants ou novices et les associés non membres, catégories qui se scindent finalement en deux, les membres de la « famille » et les partenaires de la « famille ».

Bien sûr, la Commission n'a pas cherché à faire le récit de toutes les activités criminelles imputables à l'organisation Cotroni-Violi mais plutôt à constater que ce groupe était engagé dans une série considérable d'activités licites et illicites, visant l'accumulation de profits.

Exemples à l'appui, les constatations de la CECO ont porté sur la protection, l'extorsion, les vols de tous genres, le prêt usuraire, le trafic des drogues, le jeu, le pari illégal et la fraude.

Paolo Violi, considéré comme le « remplaçant » de Vic Cotroni quand celui-ci fut emprisonné pour outrage à la Commission.

Pour les commissaires, il est évident que le groupe Cotroni-Violi diffère d'une association ordinaire de malfaiteurs, car sa survie repose sur une structure hiérarchique sévère, un membership particulier et très sélectif, des normes et des règles portant sur l'engagement et la promotion dans le groupe, une répartition subtile du pouvoir et une discipline absolue.

Le 22 juillet 1973, Richard Desormiers, l'un des beaux-frères de Frank Cotroni dont le comportement déplacé affectait l'honneur de la « famille » était abattu dans un cabaret de Montréal. Profondément irrité par ce meurtre, l'un de ses amis, Pierre Lacerte, décide de le venger. Il déclare à qui veut l'entendre qu'il s'occupera personnellement de Paolo Violi à qui il attribue cette exécution. Le 15 août 1973, Violi était informé des intentions de Lacerte. Le soir même, on attente à la vie de Lacerte alors qu'il sommeille à son domicile. Dès le lendemain, Paolo Violi se vante auprès de Vincent Cotroni d'avoir vengé son honneur en se disant l'auteur de cet attentat.

Cette brève époque de la CECO est truffée d'exemples qui démontrent la puissance de Cotroni et de Paolo Violi, le deuxième comme parrain nommé par la mafia de New York quand Cotroni est appelé à purger une année de prison pour outrage à la Commission.

À ce stade de son enquête, la Commission a dressé un organigramme de la mafia italienne à Montréal en nommant ses principaux représentants.

En 1976, Vincent Cotroni avait purgé sept mois d'une peine d'un an pour outrage à la Commission. Libéré sous caution en attendant que la cour d'appel statue sur cette sentence, il doit aussi être jugé à Toronto dans une affaire de fraude de $250 000, en matière de valeurs immobilières.

Son grand ami Armand Courville est considéré comme inactif, surtout depuis la fermeture par les autorités municipales de Montréal de la compagnie Reggio Food Inc. Il en était l'administrateur et le co-actionnaire avec Vincent Cotroni et Paolo Violi. Cet endroit était le lieu de rencontres fréquentes des dirigeants de la mafia et il a été fermé à la suite des révélations faites lors de l'enquête sur l'introduction frauduleuse de la viande impropre sur le marché de la consommation humaine.

Violi, toujours en 1976, purge une peine d'un an pour les mêmes raisons que Cotroni et il attend également l'instruction de son procès à Toronto conjointement avec Cotroni.

Nicolas Di Iorio purge pour sa part une peine d'un an. Angelo Lanzo est trouvé mort dans un appartement où il se cachait sous un faux nom .

William Obront est également condamné à un an pour outrage et il est extradé de Costa Rica, sous mandat du commissaire Cyrille Delage relativement à l'explosion d'une bombe chez le président de Steinberg.

Luigi Greco est mort lors de l'explosion qui détruisit son commerce en 1972, Roméo Bucci a été porté disparu, Frank Dasti et Frank Cotroni purgent une peine d'emprisonnement aux États-Unis pour trafic international d'héroïne et de cocaïne. Quant à Irving Goldstein, il vit à Miami, qu'il n'a pas quitté depuis que la CECO s'est intéressé à lui.

Pietro Sciarra qui a témoigné devant la CECO a été exécuté devant sa femme, dans un stationnement public, un soir qu'il sortait du cinéma, où il avait assisté à une représentation de la version italienne du film américain « Le Parrain ». Il attendait l'issue d'un appel qu'il avait logé lors d'une ordonnance de déportation.

Trois étapes de l'enquête sur le crime organisé ont été télévisées en direct.

Louis Greco. Mort lors d'une explosion qui détruisit son commerce en 1972.

Le 14 février 1975, le Québec a droit à son «massacre de la Saint-Valentin». Quatre hommes qui livraient une guerre sans merci aux frères Dubois sont assassinés à l'hôtel Lapinière. Sur la photo, Roger «Moineau» Létourneau, à la morgue, avec un de ses associés, également assassiné.

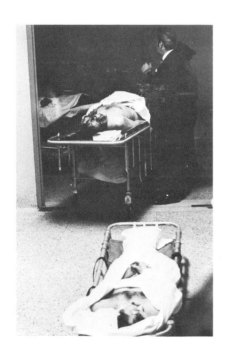

« Ça prend peu de gars pour tenir tout un quartier, dix à douze gars déterminés dont certains qui «jouent du gun» et d'autres des bras. »

Avec un témoignage comme celui-là —parmi tant d'autres— la CECO abandonnait les Italiens et s'en prenait carrément aux activités de la célèbre famille Dubois de Saint-Henri, dans les cadres du projet Fred dont les séances publiques se sont déroulées du 8 au 20 décembre 1975.

À cette époque les neuf frères étaient âgés de 30 à 45 ans: Raymond, 45 ans; Jean-Guy, 43 ans; Normand, 41 ans; Claude, 39 ans; René, 38 ans; Roland, 36 ans; Jean-Paul, 33 ans; Maurice et Adrien, tous deux âgés de 30 ans.

Leur réputation n'est plus à faire et chacun possède son propre groupe de relations. Les plus influents de la famille —les Dalton d'ici— sont Adrien et Claude. Et sauf Raymond, aucun des frères ne travaille, mais tous vivent néanmoins dans l'opulence.

Selon les policiers entendus par la Commission, plus de deux cents personnes travaillaient pour les Dubois. Ils étaient soit livreurs ou vendeurs de drogue, encaisseurs, fiers-à-bras et tueurs à gage.

Certains cas présentés devant la CECO ont à eux seuls suffi pour que la police intensifie la campagne de harcèlement qu'elle avait entreprise contre le clan, notamment celui du Robert Bar Salon, de la Taverne Montréal, du bar-salon Old Chum, de l'Hôtel Iroquois, de l'Agence de Théâtre Calcé, comme d'autres relevant de la protection, de la prostitution, des drogues et du prêt usuraire.

En 1976, six des frères Dubois sont aux prises avec la Justice. Jean-Guy pour meurtre, Claude et Adrien pour parjure, Jean-Paul pour recel et en instance d'appel sur une condamnation d'outrage à la Commission, Rolland pour la même raison et voies de faits, Normand pour voies de faits et méfaits.

Parmi leurs principaux hommes de main, Réal Lévesque, Roger « Fon Fon » Fontaine, Gilles Leblanc et Michel Bernard sont décédés de mort violente.

Même si, en 1976, le monde du crime n'est pas totalement démantelé, on peut dire que la CECO l'a identifié et que la population n'a pas eu peur de dénoncer et de se plaindre.

Fin 1976, la CECO a commencé à s'intéresser au cas de William Obront et l'on songe à passer au peigne fin les motards, les tenants de la publicité sympathique et les activités de la pègre à Sorel.

Malgré tous ses opposants, la Commission a toujours survécu aux procédures logées pour stopper sa lutte contre le crime et elle continue...

Peu avant la création de la CECO, l'ancien chef de la Police de Montréal, Pacifique Plante, vint présenter un livre: « Montréal sous le règne de la pègre ». Mais, pour des raisons mystérieuses, Plante dut regagner précipitamment le Mexique où il s'était exilé, pour sa sécurité, depuis 1957. Il y mourut quelques années plus tard.

POLICE
EN GRÈVE,
VILLE EN FOLIE

7 octobre 1969. Une pluie fine tombe sur Montréal. Il fait froid. Ce n'est pas encore l'hiver, mais on le sent proche. Les travailleurs se hâtent dans les rues et sans doute n'ont-ils d'autre désir que de voir finir cette triste journée d'automne. Personne ne sait pour l'instant qu'un vent d'anarchie soufflera aujourd'hui sur la ville.

Dès huit heures, les policiers de Montréal qui se rendent sur leur lieu de travail respectif se voient invités par des confrères à se diriger sans tarder vers le Centre Paul-Sauvé où doit se tenir une réunion extraordinaire. À dix heures, il n'y a plus aucun gardien de la paix en service à Montréal. Dans la foulée, les pompiers décident de faire de même et abandonnent aussi leur poste.

Au Centre, la discussion est houleuse: tous savent que cet arrêt de travail est illégal et que la grande majorité de la population désapprouve cette grève qui lui fait peur. Pourtant de petits groupes de policiers continuent de sillonner la ville pour inciter le personnel des agences privées à respecter leur grève. Ils visitent aussi chaque poste pour obliger des agents de la Sûreté du Québec qui commencent à prêter main-forte aux rares cadres encore au travail à se retirer.

Quelques modèles qui n'ont pas plu à l'aimable clientèle.

Bientôt, la radio informe la population de Montréal qu'elle ne peut plus compter sur la protection de ses corps de police et de pompier. « Je peux donc tourner à gauche même si c'est interdit, dit un chauffeur de taxi à un client. » Sitôt dit, sitôt fait. Les gens rient. Ils trouvent d'abord la situation un peu bizarre mais doivent vite comprendre, s'ils sont piétons, qu'il vaut mieux regarder deux fois plutôt qu'une avant de traverser la rue, même si le feu est vert. Les

Dix heures du matin, le 7 octobre 1969. Pas un policier dans les rues de Montréal. Ils sont tous au centre Paul Sauvé, décidés à voter une grève sauvage.

automobilistes s'amusent à multiplier les infractions et jouent à « quand le chat n'est pas là, les souris dansent »...

Le maire de Montréal, Jean Drapeau, se trouve alors en Louisiane et c'est Lucien Saulnier, le président du Comité exécutif, qui, après avoir vainement tenté de prendre la parole devant les policiers, se voit obligé de faire appel au gouvernement. Il demande au Premier Ministre du Québec, Jean-Jacques Bertrand, de prendre des mesures d'urgence. Selon lui, la situation ne peut que s'aggraver et les montréalais, dont il a la charge, sont en grand danger. Les événements ne vont hélas pas tarder à lui donner raison...

À 10h50, un groupe de cagoulards armés se précipite à l'intérieur de la succursale de la Banque de la Nouvelle-Écosse à l'angle des rues Guy et Sherbrooke. Il ne leur faut que six minutes pour tout rafler. Ils traversent ensuite la rue et s'attaquent à la Banque de

*C'est en vain que Lucien Saulnier
tente de les faire changer d'avis.
La grève est votée.*

*Les policiers motorisés en
formation réduite gardent l'oeil sur
leurs engins.*

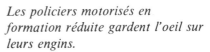

Voilà ce qui reste d'une vitrine quand des citoyens ordinaires n'ont plus peur du gendarme.

Montréal... On compte une trentaine de hold-up dans la journée en dépit des précautions prises par les banques qui ont rapidement verrouillé leurs portes et ne laissent entrer, un par un, que les clients connus.

Vers 17 heures, à la sortie des bureaux, c'est la confusion totale. La circulation est quasiment bloquée. Les injures pleuvent. Certains abandonnent leurs voitures sur place. D'autres s'entêtent et mettront cinq heures pour parcourir l'habituel trajet d'une vingtaine de minutes.

Pendant ce temps, à Québec, l'Assemblée nationale a suspendu ses travaux et se prépare à voter à l'unanimité une loi spéciale. Cette loi force les grévistes à retourner au travail dans la nuit du 8, faute de quoi, ils se verront imposer de très lourdes amendes et même des peines de prison. René Lévesque, chef du Parti québécois, vote dans ce sens et invite le gouvernement « à agir brutalement s'il le faut contre le syndicat des policiers. »

18 heures. Les policiers de la Sûreté du Québec ne répondent presque plus aux appels. Les pressions exercées sur eux par leurs collègues de Montréal, de plus en plus fortes, les obligent à se retirer pour éviter une éventuelle bagarre entre les deux corps de police. Six de leurs voitures et les hommes qui les occupaient ont été enlevés au cours de la journée et conduits au Centre Paul-Sauvé. Ironie de la situation: des commandos de la police de Montréal ont parcouru la ville non pas à la recherche de contrevenants mais à celle des agents du gouvernement pour les prier de cesser toute activité. Et certains en sont parfois venus aux mains. La Sûreté du Québec se résoud donc à rappeler ses membres. Les montréalais sont maintenant livrés à eux-mêmes...

À 18 heures, une soixantaine de voitures se mettent en branle. Le Mouvement de Libération du Taxi a prévu pour aujourd'hui une manifestation devant le garage de la compagnie Murray Hill pour protester contre le monopole que détient cette dernière de transporter les passagers de l'aéroport de Dorval jusqu'à Montréal. Avant le départ, les dirigeants ont clairement expliqué qu'il s'agissait d'une manifestation pacifique. Le convoi se dirige d'abord vers l'Hôtel de Ville. Tout se déroule dans le calme. Puis il repart en direction du second objectif mais le hasard veut que se trouve sur sa route, rue Dorchester, une limousine de Murray Hill qui transporte quatre clients. Il faudra toute l'autorité d'une poignée de manifestants pour empêcher la majorité de ceux-ci de démolir la voiture, alors que les passagers sont encore à l'intérieur. On les prie donc de prendre leurs bagages et de déguerpir! Et c'en est fait de la limousine. On la renverse après l'avoir complètement saccagée. Enfin chacun remonte dans sa voiture et c'est de nouveau le départ pour se rendre au garage de la Murray Hill qui se trouve non loin.

Les manifestants s'engagent dans la rue Barré. Personne en vue. C'est le désert. En dépit des protestations de certains chauffeurs de taxi — en réalité, il y en a bien peu sur place — les émeutiers saccagent systématiquement quatre autobus de la compagnie, stationnés à l'extérieur. Voyant la tournure des événements, les dirigeants du Mouvement de Libération du Taxi suggèrent à leurs membres encore présents de se retirer, ce que la plupart font aussitôt.

Directement de la vitrine au consommateur.

Un chauffeur de Murray Hill vient d'être atteint d'un projectile.

Mais voici que du garage, un tireur embusqué commence à faire feu sur la foule. Celle-ci, loin de se disperser, réplique en lançant des cocktails molotov et se prépare à incendier les véhicules et le garage. Un manifestant, qui s'est procuré un fusil, tire sur le bâtiment. Il détruit les projecteurs réduisant ainsi la visibilité de son adversaire. Coups de feu et explosions se multiplient et les blessés se comptent par dizaines. Quelques pompiers (des gradés qui refusent la grève) arrivent sur les lieux, mais on ne leur permet d'éteindre que les feux qui menacent la population avoisinante. Tous les enfants du quartier assistent au spectacle: par miracle, aucun ne sera blessé.

Huit policiers de la Sûreté du Québec se présentent et tentent d'intervenir. On les prie de se retirer. Deux d'entre eux s'y refusent mais on les bouscule suffisamment pour leur faire comprendre de ne pas insister. Et c'est peu à peu le silence; on n'entend plus de coups de feu. Visiblement les occupants du garage se sont esquivés par une autre issue. Enfin, arrive une cinquantaine d'agents de l'escouade anti-émeute et en quelques secondes la rue se vide. Par terre — dans la confusion, personne ne l'avait encore remarqué — gît le caporal Dumas. Une balle l'a tué!

Vers 22 heures, des milliers de personnes envahissent la rue Sainte-Catherine avec l'évidente intention de n'avoir pas à payer les marchandises qui s'offrent aux vitrines des magasins. Le gouvernement du Québec a fait appel à l'armée en début de soirée mais les soldats n'arriveront que vers minuit de Valcartier. Et encore, ne s'agit-il que d'un premier détachement qui aura les mains liées, car la loi des mesures de guerre n'a pas été promulguée. Ils ne pourront donc procéder à aucune arrestation sans la présence et l'approbation d'un juge de la Cour des sessions. Douze de ces derniers ont déjà spontanément offert leurs services.

23 heures. Environ deux cents personnes commencent à piller les magasins de la rue Sainte-Catherine. Une trentaine de policiers postés sur la rue Peel décident de ne pas bouger et d'attendre de nouvelles directives en même temps que des renforts. La procession se dirige vers l'est. Francophones et anglophones fraternisent. On démolit tout. On vole radios, télés, magnétophones, vêtements.

Le convoi de taxis est passé par là...

Deux autobus qui n'auront plus besoin de chauffeur.

Le garage de Murray Hill n'est pas épargné.

Deux agents s'interposent rue Metcalfe: on les roue de coups. Le premier se retrouve avec un oeil arraché, et le second avec une jambe brisée.

Un jeune homme s'empare d'un magnifique manteau de fourrure et le tend à sa compagne qui l'endosse. Un photographe imprudent tente de croquer la scène. Mal lui en prend, le voleur le frappe à coups redoublés, l'assomme et démolit son appareil.

Tintamarre infernal: les sonnettes d'alarme retentissent partout dans la rue, en vain évidemment. Une toute jeune fille indique à son compagnon un objet qu'elle désire: il fracasse immédiatement la vitrine et le lui offre. La foule grossit. Derrière les leaders — ceux qui démolissent — se retrouvent des milliers de personnes qui voient là une belle occasion de rapine sans grand danger. Sur la rue Peel, on s'attaque aux hôtels et on saccage — pour ne rien oublier — le Vaisseau d'Or, restaurant qui appartient à Jean Drapeau, le maire de Montréal.

Des scènes identiques se produisent un peu partout ailleurs: rue Saint-Laurent, rue Saint-Hubert, rue Mont-Royal, rue Saint-Denis... Et la même pluie fine du matin tombe toujours sur Montréal.

Les incendies se multiplient sans que les pompiers répondent aux appels. Dans l'est, un simple petit feu tourne vite au drame et les pompiers gradés sont trop rares pour circonscrire les flammes: ils ne peuvent que passer de domicile en domicile et inviter les gens à quitter les lieux en emportant leurs biens les plus précieux.

Minuit. Invoquant amendes et emprisonnements, les chefs syndicaux ont convaincu difficilement leurs membres de reprendre le travail. Ils s'engagent à poursuivre la lutte légalement. Et les policiers quittent peu à peu le Centre Paul-Sauvé. Pour bien marquer leur désapprobation, ils réveillent assez brutalement la population qui habite aux alentours en appuyant sans arrêt sur leur klaxon et en faisant retentir les sirènes.

Les agents de la ville de Montréal, assistés de ceux de la Sûreté du Québec et de soldats de l'armée canadienne, commencent enfin à procéder aux premières arrestations et à disperser les curieux.

Montréal se souviendra longtemps de ce 7 octobre 1969...

La première vague d'assaut passée, on se prépare en prévision d'une autre attaque.

Le sac des magasins commence...

169

LE MYSTÈRE BOURASSA

En ce 29 avril 1970, avec 72 sièges sur 108, arrive au pouvoir un des gouvernements les plus étranges et les plus agités de l'histoire du Québec, ce qui n'est pas peu dire. C'est l'ère Bourassa.

Robert Bourassa, qui était presque un parfait inconnu pour le grand public, un an avant, fait une entrée fulgurante dans la grande politique, au moyen d'un battage publicitaire mené selon les techniques de pointe. Six ans plus tard, il sort du pouvoir, à la même vitesse, après avoir battu certains records pourtant honorables. Son nom devient presque chose maudite que personne, même parmi ses anciens collaborateurs, ne veut prononcer. On ne parle plus que de « l'administration précédente » à tel point que sagement, il opte pour un voyage d'études en Europe, pendant un an, pour se faire oublier. Jamais sujet proposé à l'adulation des foules ne fut finalement autant détesté. Fut-il victime d'un quiproquo? Ceux qui l'avaient fait élire, en pensant, sous le couvert d'une image stéréotypée, mettre un pantin malléable, se seraient-ils trompés, puisqu'on l'accusa de n'en faire qu'à sa tête? Finalement, autre paradoxe, il semble bien que ses meilleurs amis en politique aient été des adversaires.

Les cheveux soigneusement coiffés, un lourd regard de myope derrière ses lunettes, le nez pointu pas tellement gros mais remarqué —pour la plus grande joie des caricaturistes qui le voient sous forme de Pinocchio—, la voix posée, un peu monotone, qui détache bien les mots, le costume classique qui lui donne un air empesé, il a l'air de ce qu'il est: un professeur déguisé en comptable ou en gérant de banque. Le fort en thème de la classe.

C'est ce qu'il a été: venu d'une famille moyenne, c'est l'étudiant bûcheur qui a complété ses études en économie à Londres et ses études politiques à Harvard. Tout comme Pierre Elliot Trudeau, son aîné d'ailleurs, à 11 ans de distance, ne sont-ils pas issus du même collège, Jean-de-Brébeuf? Ce produit de la publicité qui a été lancé en politique avec les mêmes méthodes de mise en marché que pour une marque de savon, n'aime pas les foules; Dieu sait s'il lui en faut supporter pendant ses diverses campagnes électorales. Il préfère, et de loin! les conversations en tête à tête ou en petit comité. Là, il s'anime, devient brillant et même légèrement prêcheur, lorsqu'il s'agit d'une idée qui lui tient à coeur. Son air de naïf cache un calculateur et un politique: c'est un admirateur de Machiavel qui aime bien l'éclat et le secret. Chez lui, le coeur et la raison ne travaillent pas souvent en commun. Ainsi il combattra des gens qu'il admire et soutiendra des gens qu'il ne peut pas sentir.

Très jeune, le prurît de la politique le démange. Son mariage avec une des « petites Simard » lui donne un sérieux coup de main. Les Simard sont une dynastie locale qui règne sur Sorel, où tout (ou presque) dépend d'eux, grands bailleurs de fond de la caisse électorale libérale, ils ont leurs grandes et petites entrées au Gouvernement. Comme dit le « pater familia » de la gent Simard: « on a enfin quelqu'un qui connaît « la fiscalité dans la famille ». C'est d'ailleurs grâce à cet aspect que Bourassa deviendra un des conseillers en matière d'impôt et d'économie de Jean Lesage. Question chiffres, il est imbattable! Si c'est Lesage qui le patronne pour la députation dans le comté de Mercier en 1966, il est, en fait, un grand admirateur de René Lévesque. Lors de la rupture de celui-ci avec le parti libéral en 1967, il s'en est fallu d'un poil pour qu'il passe à ses côtés. Non seulement, il avait écrit des articles économiques sympathiques aux thèses de René Lévesque, mais c'est lui qui fournit à ce dernier, les données économiques pour son livre « Option Québec » qui fut la Bible du souverainiste. C'est paraît-il Paul Gérin-Lajoie qui l'empêcha de faire le pas en lui disant « Fais pas le fou... Songe à ton avenir! » De fait, à l'Assemblée Nationale, critique financier de l'opposition, il y gagne la réputation d'un expert et prononce son discours sur le même ton que ses cours à l'Université.

La dure épreuve des micros et des caméras...

À la suite du départ de Jean Lesage, et avant même qu'il ait eu lieu, « l'establishment » du parti se mit à la recherche d'un candidat qui pourrait fournir une image à la Trudeau, mais en moins folâtre. Avec d'autant plus de fébrilité, qu'il y a deux aspirants sérieux à la succession, bien décidés à ne pas se faire de cadeaux —Pierre Laporte et Claude Wagner. D'où l'idée de susciter un troisième larron, un peu moins puissant, qui jouerait les arbitres, tout en restant malléable. Après « un concours de beauté », sur les

La famille Bourassa au complet, en 1969. Entourant le Premier Ministre, son épouse, Andrée, leur fille Michèle et François, le fils aîné.

postulants possibles, le choix des organisateurs du parti s'arrête sur Robert Bourassa. On le contacte pour lui dire qu'on va en faire un bon chef de parti, susceptible de gagner les élections qui viennent. D'autant plus que la performance de Jean-Jacques Bertrand est loin d'être brillante. Il accepte avec enthousiasme!

Sous la houlette de Paul Desrochers, « the King's maker », une équipe se met au travail pour modeler l'image: on le raffine dans le vêtement, dans la coiffure, pour présenter avec force banderoles et entrevues bien « brieffées » —au cours desquelles l'impétrant se débrouille pour tout ramener à l'économie— un jeune homme sérieux et brillant, sage, qui doit rapporter sa paye à la maison et fait rêver les ménagères et les gérants de banque.

Un modèle d'organisation! Aussi, au congrès du parti libéral, il passe en tête, en deux coups de cuillère à pot. À la grande fureur de Pierre Laporte qui hurle dans les couloirs que Desrochers lui avait promis son appui, mais qui se console avec l'assurance d'un ministère. Au grand dépit de Claude Wagner qui ne cache pas sa hargne et sa grogne (il n'est pas bon perdant!) et, qui, ulcéré, part tenter sa chance ailleurs. La machine étant rodée, elle marche à plein régime pendant la campagne électorale: on voit un jeune homme sérieux, sûr de lui, bon orateur qui promet la création de « 100 000 jobs » (et il y croyait!), de rendre financièrement possible ce qui est économiquement souhaitable (ce qui en bouche un coin aux créditistes!) grâce au « fédéralisme rentable ». Il gagne.

Il s'aperçoit très vite qu'il n'est pas le chef du parti, comme il envisageait de l'être. Ayant voulu faire réintégrer dans le parti son ami Yves Michaud, il échoue. Le caucus des députés, soutenu par « l'establishement », dit non. C'est alors qu'il commence à prendre ses distances, et à faire un peu plus confiance à ses conseillers. Ne l'avait-il pas été lui-même, dans l'ombre, pendant des années?

Le coup de grâce est donné lors de la crise d'octobre. On sait que la surprise fut totale côté gouvernemental, et que la plupart des ministres oscillaient entre la peur et la panique, à l'exception de 3 ou 4 d'entre eux. Robert Bourassa fut-il paniqué? Peut-être, si on en croit une certaine conversation avec Claude Joron, un ami, député du parti Québécois! « Tout est foutu, lui aurait-il dit ». Mais d'un autre côté, Robert Bourassa est un homme hésitant et calculateur. Il a déjà demandé, par téléphone, l'aide de l'armée à Pierre-Elliot Trudeau. Chose certaine, lorsqu'il reprend ses esprits, l'affaire lui a échappé. Elle est entre les mains des autorités fédérales. À sa grande surprise, il s'aperçoit que son ministre de la Justice n'a eu connaissance de la liste de suspects arrêtés que le lendemain des arrestations! Le manque de renseignements lui cause un certain dépit. Il semble bien qu'il en ait gardé un certain mépris pour ses ministres.

C'est à partir de ce moment-là qu'il va prendre l'habitude de s'isoler. Pendant les 4 jours de la crise, il reste enfermé dans une suite à l'Hôtel Reine Elisabeth, ne communiquant avec l'extérieur que par des visiteurs, des policiers et le téléphone. Désormais, les événements passés, entouré de gardes du corps, il va rester de plus en plus dans le « bunker », un appartement avec un bureau dans l'édifice G à Québec, auquel on accède au moyen d'un ascenseur dont il faut posséder la clé, sous l'oeil vigilant d'un cerbère. Un autre vous attend à l'étage. Pour aller au parlement, il passe par le souterrain. Quelquefois, dans la soirée, il fait une marche de santé, entouré de ses ombres fidèles. Enfin, quand il se baigne à la piscine du palais Montcalm, c'est en dehors des heures d'ouverture, et soigneusement gardé. Même dans ses bains de foule obligatoires ou ses entrevues de télévision, les gorilles ne sont jamais loin. Enfin, il crée, dépendant directement de son bureau, son service de renseignements, le C.A.D. (centre d'archives et de documentation). Paradoxalement, il devient plus que jamais un passionné des communications, hyper-sensibles à tout ce qui se dit ou s'écrit dans les média.

Il fait enregistrer les émissions politiques qu'il ne peut voir en direct, pour les regarder la nuit. Il invite soudain un journaliste parlementaire à manger entre 6 têtes (lui, le journaliste et les gardes

Visite-éclair aux ouvriers de la Baie-James, le 17 juillet 1973.

du corps!) même s'il lui est hostile. Il fera « sacrer » bien des journalistes parce qu'il lui arrive souvent d'appeler les gens de la presse en pleine nuit pour donner son avis. Un exemple: la conférence de Victoria sur la constitution en 1971. À part les allocations familiales, on arrive presque à un accord. Trudeau qui joue les protecteurs de Bourassa depuis octobre, lui arrache presque son consentement. De retour à Québec, Robert Bourassa s'aperçoit par la presse, que les gens sont contre. Tout d'un coup, il dit non, torpillant le grand projet Trudeau.

Du coup, le champion du « fédéralisme rentable » est plutôt mal en cours à Ottawa. Il faut dire que, de plus en plus, il y a en fait deux gouvernements à Québec. Les questions jugées importantes par le premier ministre sont débattues avec les conseillers particuliers: des gens comme Julien Chouinard, Jean-Claude Rivest, Paul Desrochers ou Charles Denis, pour ne citer que les plus connus —avec quelquefois, comme pour la loi 22, l'avis du ministre intéressé. Mais pas toujours! Le conseil des Ministres se trouve dans une position bizarre; certaines décisions lui sont communiquées, une fois prises. Pour les autres, que le ministre concerné fasse ce qu'il veut! Il a carte blanche... jusqu'à ce que soudainement le premier ministre intervienne!

Grève du Front Commun de la fonction publique: le 11 avril 1972. Bourassa ne dit rien, ou presque. Cela concerne, dit-il, Jean-Paul l'Allier, alors ministre de la Fonction publique. Celui-ci, pendant une semaine, croit avoir carte blanche et manoeuvre. Il est sans doute un des premiers surpris, lorsque Robert Bourassa entre en Chambre, dix jours après et déclare véhément « Assez, c'est assez! » et dépose une loi qui va fourrer les chefs syndicaux en prison! Le même avatar, ou presque, arrive au même Jean-Paul l'Allier, devenu ministre des Communications: à propos du câble, une bagarre, avec des aspects presque comiques, se déclenche entre lui et Gérard Pelletier à Ottawa. On soulève l'idée de « souveraineté culturelle ». Bourassa laisse la bride sur le cou à son ministre. Soudain, lorsque les choses vont mal, en guise de mesure d'apaisement, il enlève l'Allier des Communications pour le conserver aux Affaires culturelles. Façon de désamorcer le conflit, sans perdre la face, pense l'entourage style Machiavel. Hélas! aussi subtil que cela paraisse, il y eut des effets contraires: la manoeuvre lui mit un peu plus Ottawa sur le dos, (qui lui reprocha de noyer le poisson) une partie de ses députés, et naturellement l'opposition, qui fit presque de l'Allier un martyr!

C'est alors que pour contrer la conjoncture, Robert Bourassa et ses conseillers ont une idée de génie: ils déclanchent des élections pour le 29 octobre 1973, alors qu'ils ont encore un an devant eux. Un chef d'oeuvre qui laisse pantois d'admiration! Tout d'abord on lance avec les meilleures méthodes de mise en marché, le projet de la Baie James, le projet du siècle, qui rappelle aux québécois, celui de la Manicouagan dont ils ont été si fiers. Ensuite, selon le processus classique, on demande un mandat fort... face à Ottawa. Le temps est favorable: Pierre Elliot Trudeau, l'idole en chef du Québec, est minoritaire. Donc, si jamais un malheur arrive, on aura un sauveur de rechange. Enfin pour contrer le P.Q. et faire la campagne sur le dos d'Ottawa, on lance le terme de « souveraineté culturelle », ce qui attise la hargne des fédéraux qui le traitent de séparatiste. « Enfin quoi! », s'écrie Gérard Pelletier, « si j'en crois le dictionnaire on est souverain, point! ou on l'est pas! On ne peut pas être un tout petit peu souverain, pas plus d'une femme ne peut être un tout petit peu enceinte! »

Résultat du scrutin! 102 députés sur 110. Jamais, même au faîte de sa splendeur, feu Duplessis ne connut une victoire pareille! La roche Tarpéenne étant proche du Capitole, c'est à partir de ce jour de gloire que la dégringolade abrupte commence. Plus que jamais, la distance s'accroît entre le « bunker », les ministres, les députés et l'opinion publique. Chacun tire à hue et à dia. À part ce qui semble urgent au « bunker », pour le reste, on laisse aller... Jusqu'au moment où on décide d'intervenir d'une manière abrupte! Beau temps pour la presse qui a presque son petit scandale hebdomadaire sous la dent pour faire monter les tirages. Les scandales... ils sont tellement nombreux que l'historien finit par en perdre le compte. C'est l'affaire Paragon Business, où l'on s'aperçoit qu'une compagnie qui appartient à la belle-famille Simard, est devenue le fournisseur exclusif du gouvernement, ou presque, en papeterie. C'est l'affaire Boutin où ce député de Johnson est accusé de calomnie et met son siège en jeu: il en résulte le retour triomphal de Maurice Bellemare et la renaissance de l'Union Nationale que l'on croyait morte et enterrée. C'est l'affaire de la Régie des Alcools où l'on prétend que certaines personnes auraient été « pistonnées » par les membres du « bunker »! C'est la comédie des Jeux olympiques: pour le Village des athlètes, le ministre Victor Goldbloom propose une solution différente et moins chère. Résultat, les plumes volent entre lui et Jean Drapeau. Ce que le ministre ne sait pas, c'est que Drapeau est en contact direct avec Robert Bourassa... qui lui donne raison! Ne citons que pour mémoire l'affaire de la C.E.C.O. (Commission d'enquête sur le crime organisé) qui met en cause certains députés, dont feu Laporte, et qui tournera en eau de boudin. Ou bien la commission Cliche qui met le ministre Jean Cournoyer dans l'eau bouillante. Bourassa le couvre in extremis. C'est... Mais la liste est trop longue. Il semble bien que la plupart du temps, le premier ministre n'était pas au courant. Ce qui est impardonnable dans son cas!

Dans quelques instants, Robert Bourassa affrontera les caméras et les journalistes de la télévision.

De plus, les « 100 000 jobs » se font attendre, et pour cause! On est en pleine crise mondiale. Bourassa n'y peut rien, mais il en portera le chapeau. Enfin, il y a Pierre Elliot Trudeau. Il reprend du poil de la bête, lors des élections fédérales de 1974; mais il en a lourd sur la patate à propos de ce petit ingrat de Bourassa qui lui doit tout! Comment, lui qu'il a aidé à prendre le pouvoir en 70, qu'il a tenu à bout de bras lors de la crise d'octobre! ne s'avise-t-il pas maintenant de se faire du capital politique sur son dos? Un «politicard» (aurait-il dit dans le privé) qui torpille, après Victoria, sa conférence constitutionnelle, qui sort le coup de la souveraineté-culturelle. Il l'attend au tournant! Celui-ci arrive début 1976. On sait maintenant que les Jeux olympiques, qu'imprudemment Bourassa s'est engagé à couvrir financièrement, vont causer un joyeux déficit autour du milliard de dollars. Or depuis longtemps, le fédéral sentant ce qui allait advenir, a pris ses précautions pour ne pas cracher un sou directement de sa poche; on ne peut pas favoriser Montréal au détriment des autres provinces du Canada. «Bourassa engage des trésors de diplomatie et de subtilité pour obtenir quelque argent. Il profite du fait que la question constitutionnelle est sur le tapis pour essayer de marchander.» Trudeau le ridiculise!

En mars, lors de sa tournée interprovinciale, on aménage une rencontre en tête à tête entre les deux chefs, un dîner intime pour calmer les choses. Juste avant d'entrer, Trudeau déclare aux journalistes: «J'ai fait venir mon lunch d'ailleurs, puisqu'il paraît qu'il ne mange que des «hot-dog» ce gars-là.» Et toc! L'enfant se présentait mal! À la sortie, en apparence pour se rattraper, mais pour enfoncer le clou davantage, Trudeau répond aux journalistes qui lui demandent le résultat de la rencontre: «Eh bien nous avons dégusté un Château-Sauvignon qui est un des meilleurs vins du monde!» Quelques jours plus tard, il déclare devant une assemblée de libéraux en répétant sa position: pas un sou! «Le premier ministre Bourassa, je ne sais pas s'il va comprendre en 24 heures... mais enfin, je lui donne 2 ou 3 jours.»

Le dernier sourire du Premier Ministre Bourassa: dans quelques instants, les résultats qui s'afficheront sur l'écran annonceront la victoire-surprise de René Lévesque et du P.Q. Sic transit gloria...

Il a les fédéralistes sur le dos, la hargne des syndicats, le public est écoeuré par les scandales, ses propres ministres sont désabusés mais Robert Bourassa ne voit pas poindre la débandade. Pourtant il y a un signal d'alarme: Paul Desrochers, le « king's maker » se retire de la politique, et se plonge dans les affaires.

Autre erreur, face à la popularité montante du Parti Québécois, Robert Bourassa décide de refaire le coup de 1973, avec les élections-surprise. Ses malheurs avec Ottawa, pense-t-il, vont encore lui servir. Les élections se suivent, mais ne se ressemblent pas: l'ancien triomphe devient presque un coup de matraque. Non seulement son parti perd la majorité, mais lui-même —ce qui est rarissime en tant que premier ministre — perd son siège dans Mercier, aux mains de Gérald Godin, un de ceux qui ont été emprisonnés en octobre 1970.

C'est quasi sur la pointe des pieds qu'il abandonne, quelques jours plus tard, la direction du parti, et sous la pression des dirigeants, qu'il part faire un séjour d'études en Europe pour étudier le Marché Commun. Ainsi se termine la carrière politique de Robert Bourassa. Robert Bourassa restera un des cas les plus étranges de la politique québécoise, tant les avis sont contradictoires à son sujet. C'était un paresseux, disent certains intimes: il laissait les dossiers, sans s'y intéresser, à ses conseillers et ses ministres, n'intervenant que lorsque cela allait mal, donc trop tard. Pas du tout, disent d'autres: c'était un travailleur acharné, du moins sur les dossiers dont il s'occupait personnellement! Un homme faible, timoré et influençable, clament des gens. Erreur, répondent d'autres qui l'ont connu: il pouvait être têtu, obstiné, voire même brutal au nom de la raison d'État. Pour beaucoup, il fut d'abord une image préfabriquée, manipulée par ses conseillers, y compris par son coiffeur. Pour d'autres, c'était au contraire quelqu'un qui croyait que tout pouvait se résoudre par l'économie, source de tous les maux, mais qui n'a pu lutter contre des événements qui le dépassaient et qui n'étaient pas de sa juridiction. Fédéraliste par calcul, ou sincère? Car enfin, presque tous ses anciens amis étaient péquistes! Une seule chose est sûre: il aimait le pouvoir. Mais fut-il incompétent ou victime des circonstances? Il restera, pendant longtemps, un mystère Bourassa. L'histoire a parfois des retours ironiques: avant de devenir premier ministre, en tant que professeur, il avait pour élève, le fils de René Lévesque, son adversaire électoral. Lorsqu'un an plus tard, il redevint professeur à Laval, il succéda à Claude Morin, (le tacticien de la souveraineté-association) et eut sa fille pour élève! Tant il est vrai que dans bien des cas, la théorie est plus supportable que la pratique!

Andrée Bourassa et son mari lors de la campagne pour l'élection à la chefferie du Parti Libéral, en janvier 1969.

PETIT LEXIQUE
DU TEMPS
QUI PASSE

LE PRIX DE MARIE-CLAIRE BLAIS

Le Prix Médicis de 1966 a été octroyé à Marie-Claire Blais pour son livre *Une saison dans la vie d'Emmanuel* publié en 1965 à Montréal. Ce prix littéraire français est principalement axé sur un renouveau de l'écriture romanesque. Elle a aussi reçu en 1966, pour le même livre, le Prix France-Québec, décerné par l'association des écrivains d'expression française.

UN PLANÉTARIUM POUR MONTRÉAL

Avril 1966: Date importante du développement scientifique et culturel de Montréal et même du Canada tout entier. Cette date marque en effet l'inauguration du premier grand planétarium canadien, celui de la ville de Montréal. Ce planétarium est un don commémoratif de la Brasserie Dow à la Ville de Montréal. En effet, le Planétarium Dow sera le seul au monde à donner un nombre égal de représentations en deux langues. Il est situé au coeur du quartier des affaires, des grands hôtels et des terminus de chemins de fer et d'autobus, à proximité d'un grand nombre de personnes qui disposent de quelques minutes à l'heure du lunch et pourront ainsi couper le rythme de travail par une visite aux étoiles.

UNE SITUATION RENVERSANTE...

À l'angle de Guy et de Sherbrooke, un accident spectaculaire qui aurait pu être mortel. Une lourde remorque a écrasé une voiture en se renversant. Cinq minutes après, les pompiers sauvaient le conducteur emprisonné dans son véhicule.

ÇA ROULE SUR DÉCARIE
L'inauguration officielle de l'autoroute.

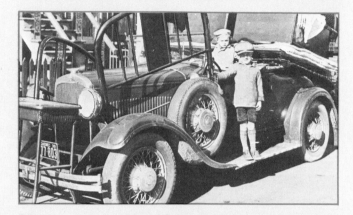

L'EXODE DU PREMIER MAI

Premier mai 1966. Soixante-cinq mille familles déménagent à Montréal... les téléphones aussi. Les nomades urbains partent en quête de plus beaux horizons et même s'ils sont déçus, ils ne s'en feront pas: on déménagera encore l'an prochain!

Pendant ce temps, c'est la grande corrida des déménageurs et des préposés aux services publics tels le gaz, l'électricité et le téléphone. Pourquoi 65 000 familles en même temps? C'est évidemment parce que tous les baux expirent en même temps. Il serait peut-être intéressant quand même de savoir pourquoi le premier mai et non pas le premier février ou le premier août, car, il semble que dans les autres provinces du Canada, la situation ne soit pas la même qu'ici.

Le Code civil de la Province de Québec reproduit, grosso modo, le code Napoléon. À l'article 1608, il stipule qu'un bail de la durée d'une année expire le premier mai pour ce qui est des habitations urbaines et le premier octobre lorsqu'il s'agit de la location de fermes. Il est évident que lorsque le Code Napoléon a été rédigé au 18ème siècle, le premier mai était la date idéale pour les déménagements parce que c'était juste avant le début des semences. On s'installait dans une nouvelle maison avant de commencer à ensemencer son champ. De plus, le Code Napoléon défendait aux propriétaires de mettre un locataire à la porte pendant l'hiver.

BANDE DE CAVES

« Vous êtes pas écoeurés de mourir, bande de caves!
C'est assez! »

Inscrit dans les 12 000 pieds carrés de béton qui forment les trois murales de Jordi Bonet, cet avertissement du poète Jean-Claude Péloquin soulève la révolte des uns et scandalise les autres. Pour sa part, l'écrivain-éditorialiste Roger Lemelin publie une série d'articles plus que violents en signe de protestation. Le Grand Théâtre de Québec ne peut, à vrai dire, espérer plus efficace campagne de publicité gratuite à la veille même de l'inauguration de la grande Salle Louis Fréchette (1800 sièges) qui a lieu le 16 janvier 1971. Le projet de construire deux théâtres (salles Louis Fréchette et Octave Crémazie) et un Conservatoire dans la haute-ville de Québec est né à la suite d'une décision des gouvernements d'Ottawa et de Québec, désireux d'élever dans la vieille Capitale un monument commémoratif du centenaire de la Confédération. Confiés à l'architecte polonais Victor Prus, les travaux de construction débutent en 1967 pour s'achever trois ans après. Depuis, Québec, tout comme sa devancière Montréal, s'enorgueillit à juste titre de posséder une Salle de Concert, véritable centre des arts, digne de son importance, de sa renommée, comme de ses artisans et de ses artistes.

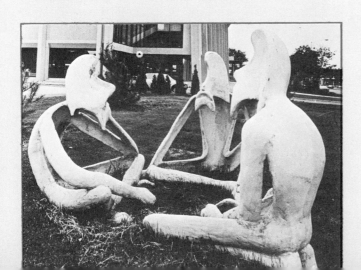

UN TUNNEL SOUS LE SAINT-LAURENT

Dimanche le 12 avril 1967, sous les applaudissements des invités du « Publicité-Club de Montréal », les lauréats du troisième concours annuel de la publicité de langue française reçoivent leur oscar: un coq d'Argent rutilant.

Il faut dire que leur argument publicitaire pour la compagnie des ciments du Saint-Laurent est de poids: c'est l'ouvrage de béton pré-contraint le plus considérable au monde, le pont-tunnel Louis-Hippolyte Lafontaine, dont l'inauguration a lieu au même moment. Le premier ministre Daniel Johnson déclare devant huit cents invités triés sur le volet que le réseau d'autoroute qui s'ouvre ce jour-là sera un lien « de communication, mais aussi un lien moral et spirituel avec nos voisins. Ce réseau démontre que si le Québec tient à être fidèle à sa culture et à son destin propre, ce n'est pas pour se replier dans un isolement orgueilleux et stérile, mais au contraire pour apporter une contribution originale et précieuse à l'édification d'un Canada plus harmonieux et d'un monde plus fraternel. »

Jean Lesage est là lui aussi. Daniel Johnson, ne voulant pas s'approprier tout le mérite d'une réalisation qui a été entreprise bien avant les dernières élections provinciales de juin 1966, a insisté pour qu'il vienne. Dans son discours, il rend d'ailleurs hommage à tous ceux qui y ont apporté leur contribution: « Cet ouvrage est la preuve que nos ingénieurs, nos entrepreneurs, nos techniciens, nos industriels et nos ouvriers du Québec ne se contentent plus d'être à la bonne école, mais qu'ils font désormais école. L'ouvrage que nous inaugurons aujourd'hui est bel et bien le produit de la science québécoise et de la technologie québécoise. »

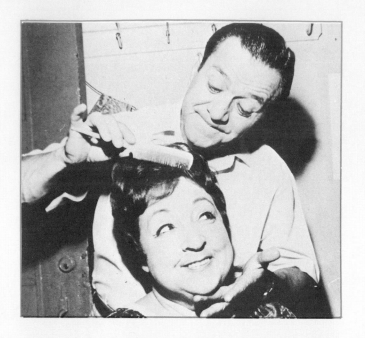

LA RENAISSANCE DU VAUDEVILLE

1967. Une année pas comme les autres qui annonce la renaissance du vaudeville à Montréal. Qui est assez téméraire pour parler de vaudeville à cette époque? Mais, Gilles Latulippe! Gilles Latulippe qui voue depuis toujours une admiration sans borne aux grands comiques! Fernandel, Bourvil, les deux merveilleux Guimond, La Poune, Manda... ce sont eux qui ont façonné les rêves de Gilles. À l'époque de sa toute première jeunesse, seulement quelques salles de vaudeville existent encore, mais ce sont leurs derniers sursauts...

Pourtant, le vaudeville né au Québec vers 1919 y a connu pendant quarante ans son âge d'or. Empruntée au burlesque américain, cette forme de music-hall connaît un immense succès suivi d'un déclin brutal à l'avènement de la télévision. Puis, dix ans de silence... Le vaudeville se meurt. Le vaudeville est mort.

Des rumeurs, des chuchotements, des suppositions... et brusquement, la nouvelle éclate. Gilles Latulippe vient d'acheter un vieux cinéma sur la rue Papineau, *Le Dominion*, au coeur même d'un quartier friand en vaudeville, et compte renouer là avec les vieilles traditions. Tout le monde se montre fort sceptique. Le vaudeville est passé de mode, dit-on. Pourtant, envers et contre tout, Gilles Latulippe ouvre son *Théâtre des Variétés* le 22 septembre 1967.

C'est Juliette Béliveau, un des fleurons du vaudeville des années folles qui, symboliquement, frappe les trois coups traditionnels. Le rideau vient de se lever sur une réussite. Ce jour-là est un jour de fête pour beaucoup de vieux comédiens, qui, sur scène, dans les coulisses ou dans la salle, voient renaître les beaux jours. Mieux encore, la jeune génération de chanteurs et de comédiens découvre une forme de music-hall qu'elle tenait pour mineure et qui se révèle une école enrichissante.

Contrairement aux mauvais augures, non seulement le *Théâtre des Variétés* subsiste, mais prospère. Gilles Latulippe a gagné son pari et le vaudeville revit dans un de ses anciens fiefs retrouvé.

UN SAUT DE GÉANT

À cet endroit, le fleuve Saint-Laurent est large de près de trois kilomètres. L'imagination populaire n'a pas osé se créer des géants assez grands pour l'enjamber. La technique moderne, elle, va oser: le mercredi 20 décembre 1967, le pont de Trois-Rivières est ouvert à la circulation. Des centaines d'automobilistes attendent midi pour étrenner, derrière le cortège officiel, cet ouvrage audacieux qui reliera désormais la Côte Nord aux Cantons de l'est.

À la même seconde, les traversiers cessent de fonctionner. Et nul doute que dans la joie de la réussite et le bruit des klaxons qui la salue, certains ont eu une pensée pour les onze travailleurs auxquels cette réalisation a coûté la vie le 7 novembre 1966.

LES MAUVAIS COUPS
Rude soirée pour Jean-Claude Leclair, à Montréal, qui est durement touché par son adversaire Danny McAloon. Mais Leclair l'emportera malgré tout...

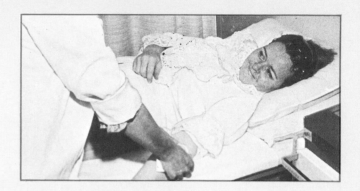

GREFFE DU COEUR À MONTRÉAL

Le docteur Pierre Grondin de l'Institut de Cardiologie de Montréal a procédé le 30 mai 1968 à la première transplantation cardiaque sur la personne d'un épicier, monsieur Albert Murphy. Comme la plupart des patients qui ont subi cette intervention délicate à travers le monde, Albert Murphy est décédé. Le 1er juin 1968, soit deux jours après l'opération.

L'opération. Le docteur Grondin (à g.) et le docteur Lepage.

La fille d'Albert Murphy offre du sang pour son père.

Le docteur Grondin.

L'opéré: Albert Murphy.

LE PREMIER MARIAGE CIVIL

Mardi 21 avril 1969. Il est 16h30. Host Gamper, un autrichien qui vit à Québec, et Gisèle Lemay, originaire de Baie-Comeau, tous deux âgés de 26 ans, se marient.

Depuis des années, certains souhaitaient que les autorités religieuses ne soient plus seules habilitées à tenir et à conserver les registres d'état civil.

Le texte qui est présenté aux députés n'invalide pas le mariage religieux. Il offre aux non-croyants une institution civile parallèle. On remarquera que, désormais, le veto du père ne pourra plus interdire le mariage d'un enfant mineur, si la mère le permet, le consentement d'un seul des parents étant suffisant. L'âge minimum pour convoler en justes noces est fixé à 14 ans révolus pour l'homme et 12 ans révolus pour la femme... Il n'est jamais trop tôt pour bien faire. Cette loi est votée le 14 novembre 1968.

Pour la première fois un téléroman québécois est vu par des téléspectateurs européens. Jeannette Bertrand raconte simplement la vie de tous les jours d'une famille montréalaise. Quelques-uns des comédiens: Le paisible Macaire, Martin Lajeunesse, Isabelle Lajeunesse, Robert Toupin, Ghislaine Paradis et Johanne Verne.

ON N'A PLUS LES FAMILLES QU'ON AVAIT

Signe des temps, les familles ont bien changé sur l'écran de *Radio-Canada*. De la pauvreté sordide du foyer de Séraphin des « Belles Histoires » en 1967, nous voici de plain-pied dans la vie confortable d'une famille moyenne québécoise en 1972, et, « Quelle famille! »

Andrée Champagne dans le rôle de Donalda, épouse soumise, humble et pieuse. Denise Pelletier, dans une extraordinaire composition: la tante Azilda, et Séraphin, l'avare, que Jean-Pierre Masson a rendu inoubliable.

VIVE LE RADIO-ROMAN!

Dans la tradition des années cinquante, que continue fidèlement CKVL, deux radio-romans qui, épisode par épisode, tiennent en haleine des milliers d'auditeurs. C'est d'abord *Grande Allée* de Marcel Cabay, de 1964 à 1968. Voici l'auteur entouré de ses comédiens: Ronald France, Cabay, Bernadette Morin, un jeune acteur oublié, Joël Denis, Marthe Nadeau, Patricia

Nolin et Clovis Dumont, l'annonceur maison. La relève de *Grande Allée* est prise en 1968 par *Côte Vertu* du même auteur, qui s'achèvera en 1970. Sur la photographie, de gauche à droite: Roland Chenail, Jean Yale, Sylviane Cahay, Ronald France, l'auteur et Suzanne Delongchamps, la soeur de notre Aglaé nationale.

LOTO-QUÉBEC EST NÉE!

Tout le monde est d'accord: le spectacle manque quelque peu de vigueur. Et pourtant, des milliers de téléspectateurs restent assis devant leur petit écran, sans même songer à regarder un autre programme que celui de Télé-Métropole, qui retransmet le premier tirage de la « Loto-Québec ». À la fin de l'émission, en ce samedi 14 mars 1970, le Québec compte 160 nouveaux riches plus ou moins heureux. Plus ou moins... puisque les prix vont de $100 à $250 000. Le gros lot, c'est Antoine Scaff qui le partagera avec Dimitriadis Efstracios, avec qui il a acheté le billet gagnant. Et pourtant, le premier gagnant ne reste-t-il pas le gouvernement provincial qui compte recueillir dix-huit millions de dollars additionnels par année, grâce à la nouvelle loterie?

SACRÉ-COEUR À VENDRE

Qui veut acheter une statue? La plus grande jamais construite au Canada! 22 pieds de hauteur, 5 tonnes, faite en 1957!

Reproduction du Sacré-Cocur, cllc a été érigée sur la tour centrale de la maison provinciale des Pères du Sacré-Coeur à Rosemère. Il faut la redescendre et la vendre car elle cause des dommages à la maison provinciale. Les pluies, surtout, ont infiltré la base de la statue et ont fini par endommager la tour centrale sur laquelle elle repose.

Pendant deux ans, la statue demeure démontée en deux parties et toujours « Á vendre »!

1 fois! 2 fois! 3 fois! Adjugée, vendue! En septembre 1971, aux Apôtres de l'Amour Infini de Saint-Jovite, à un peu moins de sa valeur originale.

DUPLESSIS RÉAPPARAÎT

... Il ne s'agit pas d'un revenant, mais tout simplement de la statue de bronze de Maurice Duplessis, réalisée en France par le fameux sculpteur canadien Émile Brunet, et qui s'était mystérieusement «envolée» voici une dizaine d'années!

Hervé Gauvin, le sous-ministre des Travaux Publics, raconte ainsi cet enlèvement devant la presse: « Un jour, je n'ai pas pris note de la date, M. Charles-Édouard Cantin, alors assistant procureur général, me téléphone pour me demander d'envoyer un camion au Musée provincial à trois heures de l'après-midi, pour déplacer la statue de Duplessis. J'apprenais enfin où elle se trouvait! M. Cantin ne m'a pas dit où il allait la faire transporter. Il n'est pas impossible que la Sûreté provinciale ait remisé la statue dans un des entrepôts que notre ministère met à sa disposition pour la garde d'objets de valeur. La Sûreté ne nous fournit pas d'inventaire. Je vais me faire le porte-parole des journalistes auprès du Conseil des Ministres et je vais demander qu'on la place devant le Parlement. »

Malgré cette déclaration, il faudra attendre encore sept ans avant que les langues ne se délient. Un soir d'avril 1973, à l'émission télévisée « Appelez-moi Lise », l'ancien sous-ministre de la Justice, le même Charles-Édouard Cantin, révèle que la statue de Duplessis se trouve dans un hangar du ministère de la Justice, enfouie sous un tas de billards électriques saisis par la police.

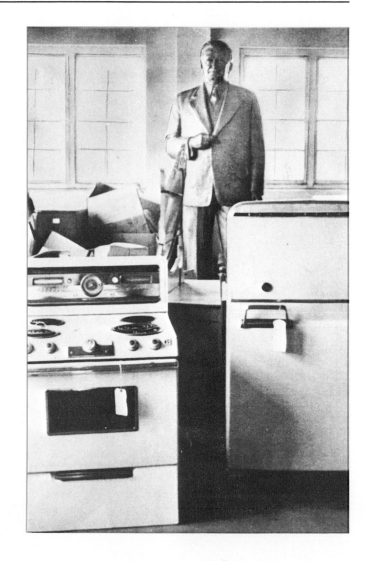

JUDITH JASMIN, JOURNALISTE DE CHOC

Olivar Asselin, né à Saint-Hilarion en 1874, journaliste et polémiste réputé, a donné son nom à cette grande distinction qu'est le prix « Olivar Asselin », destiné à récompenser le travail exceptionnel d'un journaliste.

En 1971, ce prix est décerné à une journaliste que tout le monde admire et respecte: Judith Jasmin. Judith Jasmin est non seulement un grand reporter, mais elle est la première femme qui couvre les grands événements politiques à la télévision. Elle le fait d'une façon directe, vivante, nouvelle, ouvrant ainsi la porte à ses consoeurs, cantonnées jusque-là aux émissions féminines ou de variétés.

C'est de New York, où elle est correspondante de *Radio-Canada*, que nous parvient son dernier reportage et, un peu plus tard, la nouvelle consternante de sa mort.

LISE PAYETTE DANS LE FAUTEUIL DE DRAPEAU!

Le mardi 15 janvier 1974, la première « mairesse » de Montréal fait son entrée à l'Hôtel de Ville. Sans perdre de temps, elle préside un projet grandiose: faire de la grande métropole canadienne un jardin perpétuel, toujours vert, toujours fleuri, grâce à une immense coupole géodésique, un gigantesque dôme chauffant qui envelopperait complètement la ville. Utopie? Mégalomanie? Vision d'un génie en avance sur son temps? L'idée est séduisante: finis le déneigement, la circulation ralentie, les retards au travail... Mais peut-on imaginer Montréal sans ses bancs de neige, ses patinoires en plein air et ces moments de calme que l'hiver impose à l'activité fébrile de la grande ville? Peut-on imaginer les écoliers montréalais privés du devoir rituel: « La neige a étendu son blanc manteau... »?

Rien à craindre: à la clôture de cette séance du comité exécutif, Lise Payette, l'animatrice de la très populaire émission de télévision « Appelez-moi Lise » rend son siège au premier magistrat en titre, Jean Drapeau. Mi-souriant, mi-soucieux, celui-ci demande: « Et ça vous plairait d'être maire de façon permanente? » « Je vous avoue bien sincèrement que non! » s'exclame Madame Payette, qui se rêvait peut-être ministre! « Ça me rassure », soupire le maire, soulagé. Lise n'aura été maire que deux heures et demie... assez, cependant pour que tous les journaux en parlent!

Après Drapeau, remplacera-t-elle Ken Dryden?

REMOUS POUR LES BELLES-SOEURS

Les Belles Soeurs voient le jour sur la scène du Théâtre du Rideau-Vert de Montréal, le 28 août 1968. Cette pièce soulève un enthousiasme délirant, les critiques les plus violentes, et révèle le jeune auteur dramatique Michel Tremblay avec qui désormais doit compter la dramaturgie québécoise. Le lendemain même de la création de sa pièce, il devient le personnage le plus controversé de la nouvelle génération, le plus joué aussi.

Comment sont nées *Les Belles Soeurs*? Michel Tremblay s'explique: « Lorsque j'ai commencé à écrire *Les Belles Soeurs*, en 1965, les concours de millions de timbres-primes n'existaient pas encore. Je voulais décrire les femmes du milieu ouvrier de Montréal et je cherchais en vain un sujet « drôle et absurbe » qui me permettrait de faire réagir mes personnages d'une façon réaliste. Mais un jour l'idée de ce tirage de timbres m'est venue après avoir vu dans un autobus une annonce de concours de vaches... Je trouvais ce concours drôle et absurde. À cette époque, les timbres-primes étaient à l'apogée de la gloire et commençaient presque à faire concurrence à l'argent dans la tête des montréalaises. J'ai donc décidé de faire gagner un million de timbres-primes à Germaine Lauzon, ménagère type de Montréal, et de lui faire organiser un party de collage de timbres où tout le voisinage serait invité. Sujet en or pour décrire quinze Canadiennes-françaises enfermées dans une cuisine.

Je venais à peine de terminer le premier acte de ma pièce lorsqu'un dimanche matin de septembre, en ouvrant un journal, je tombe sur une page où on annonce un grand concours dont le premier prix serait un million de timbres-primes. J'étais abasourdi! Mon concours que je considérais comme le summum de l'absurdité devenait réalité.

Mais qui est donc Michel Tremblay? Né à l'angle des rues Fabre et Gilford, dans l'est, en plein coeur du Plateau Mont-Royal, la toile de fond du climat social de ses pièces, Michel Tremblay est tour à tour livreur au Ti-Coq Bar-B-Q, étudiant aux Arts Graphiques, typographe à l'imprimerie judiciaire et employé au magasin des costumes de Radio-Canada.

Premier prix en 1964 au concours des Jeunes auteurs organisé par Radio-Canada avec sa pièce *Le Train*, il publie, en juin 1966, aux Éditions du Jour, *Contes pour buveurs attardés*. Mais le succès ne vient qu'avec la création de ses *Belles Soeurs*. Depuis Michel Tremblay n'a jamais cessé de produire pour le théâtre, la télévision, le cinéma et la littérature.

LA TERRE S'OUVRE À SAINT-JEAN-VIANNEY

« La Shipsaw veut reprendre son lit », affirme en hochant la tête un vieillard. Selon lui, c'était fatal: on ne détourne pas impunément des rivières pour construire un barrage, comme l'a fait la *Price Brothers* il y a quelques années. La nature se venge des hommes qui croient la dominer. Un père de famille éploré, Roger Landry, n'arrête pas de répéter: « C'est indescriptible, c'est effroyable! » Quand il a senti la secousse, il s'est précipité dehors et là, il appela sa femme et ses cinq enfants à « se déchirer les poumons », mais en vain... Un chauffeur d'autobus, Jules Girard, a sauvé de justesse son véhicule et ses vingt passagers. Impuisssants, ils ont vu la route s'effondrer devant eux et des maisons disparaître.

C'est un spectacle de désolation qui dépasse l'imagination. Soudain la terre a cédé et une quarantaine de maisons ont glissé dans un lac de boue, qui les a englouties dans un bouillonnement d'enfer. Les cris horrifiés des premières victimes ont réveillé les habitants des maisons voisines, qui ont tout juste eu le temps de sortir de chez eux pour voir leurs demeures s'engouffrer dans cette fange tourbillonnante. Envoyé sur les lieux, un hélicoptère parvient à sauver une femme, réfugiée sur la pointe du toit de sa maison qui émerge encore. Un homme réussit à sortir de sa voiture et à remonter tout seul, le visage et les mains ensanglantés, du trou de 50 m de profondeur où il était tombé. Un autre n'en revient pas d'avoir échappé à la catastrophe avec toute sa famille. Leur maison a sombré, mais ils étaient allés regarder la télévision chez des amis. Il affirme que le nombre des victimes serait beaucoup plus considérable s'il n'y avait pas eu cette partie de hockey: « Les gens se seraient couchés plus tôt et ils auraient été surpris en plein sommeil. »

Il était 23h10 quand le glissement de terrain s'est produit. Aussitôt, l'électricité a été coupée. En raison de l'obscurité qui a régné jusqu'à l'arrivée des premiers groupes électrogènes et du risque d'éboulement aux abords du cratère béant qui venait de s'ouvrir, les premiers témoins n'ont rien pu faire pour venir en aide aux victimes, prisonnières de ces murs qui seront à tout jamais leur dernière demeure. Le lendemain, le 6 mai 1971, on fait le bilan de ce désastre: 31 morts, dont quatre ont été repêchés à l'endroit où la *Rivière des Vases*, ou le *Petit Bras du Nord* de la Shipsaw, se jette dans le Saguenay. Des automobiles, un autobus, 42 maisons et un pont ont été engloutis; au total, deux millions et demi de dégâts matériels. C'est le pire cataclysme naturel qu'ait connu le Québec depuis le 26 avril 1908, jour où le village de Notre-Dame de la Sallette avait été détruit par un affaissement de terrain analogue, qui avait fait 34 victimes.

Maintenant, on s'interroge sur les causes de cette tragédie. Les spécialistes rejettent l'explication des habitants du coin. Non, la rivière ne veut pas reprendre son lit. Non, elle ne s'est pas creusée un passage sous le barrage, minant le sous-sol du village. Selon eux, la catastrophe résulte plutôt des pluies abondantes qui, alliées à la fonte des neiges, risquent toujours d'être désastreuses pour ces terrains très argileux. En 1957, un géologue, Jacques Béland, déclarait que la région était très dangereuse en raison même de la nature de son sol, mais que les glissements de terrain étaient généralement précédés d'indices permettant de les prévoir: « Les glissements de terrain se produisent généralement lorsqu'il pleut abondamment, mais ils sont précédés d'affaissements de moindre importance. » Aurait-on pu prévoir ce qui se préparait à Saint-Jean-Vianney? Sans doute: le 24 avril, le fermier Blackburn avait signalé un affaissement inquiétant sur ses terres, situées à 800 m du village de Saint-Jean-Vianney. Un ingénieur de la municipalité, Oscar Lamarre, avait alors été dépêché chez lui, afin d'étudier la situation. Mais, démentant certaines rumeurs selon lesquelles le ministère des Richesses Naturelles aurait été informé du danger, le maire, Lauréat Lavoie, déclare: « Jamais les autorités municipales de Saint-Jean-Vianney, ni le propriétaire de la ferme, n'ont fait de demande officielle ou officieuse au gouvernement pour une expertise. Jusqu'à ce moment, dans une région où les

éboulements font partie du paysage, on n'a pas cru que la situation représentait un danger imminent. »

On peut se perdre en conjectures sur ce qui aurait dû ou pu être fait pour éviter la catastrophe, mais il aurait fallu avoir une imagination démoniaque pour concevoir ce qui allait se produire. Personne à Saint-Jean-Vianney n'a eu une telle prémonition.

Diane Dufresne. Romantique...

... ou violente.

Yvon Deschamps. Le premier monologuiste québécois.

RATÉ!

Fractures multiples, dont celles de la mâchoire, plaies, bosses... et déception! Le 14 septembre 74, Bob Henry, cascadeur de Montréal, n'a pas réussi à « survoler » treize voitures sur la piste d'accélération de Napierville, devant 5 000 spectateurs.

« LA SAGOUINE » TRIOMPHE

La civilisation, la culture, le folklore, le patrimoine littéraire, poétique et artistique d'un pays, s'illustrent généralement par des personnages légendaires ou réels, fictifs ou tout simplement typiques dans l'essentiel de leur rayonnement.

Louis Hémon a été l'ambassadeur du Lac Saint-Jean à travers le personnage de sa Maria Chapdelaine; Gilles Vigneault a été l'ambassadeur de sa Côte-Nord à travers le personnage de Jack Monoloy ; Doris Lussier, celui de la Beauce à travers le personnage du Père Gédéon; comme Gratien Gélinas, celui du petit montréalais de l'est des années 40. Antonine Maillet, elle, c'est à travers son admirable *Sagouine* qu'elle apporte toute l'Acadie. Grand Prix Littéraire de la Ville de Montréal de 1974, cet écrivain acadien oeuvrait un peu dans l'ombre avant la création, au théâtre du *Rideau-Vert,* de sa *Sagouine*. Ce personnage lui apporte la gloire et la fortune ainsi qu'une consécration qui déborde bientôt la province et le pays pour arriver à Paris où son typique personnage prend alors des proportions d'un classiscisme bien mérité.

La Sagouine, c'est aussi l'inoubliable Viola Léger dont la magnifique interprétation colle une seconde peau sur le personnage: la sienne...

$2 MILLIONS EN FUMÉE

Alors qu'il effectuait des essais, le Turbo-train Amtrak a été complètement détruit par le feu, à Lachine, après une collision avec un convoi venant en sens inverse.

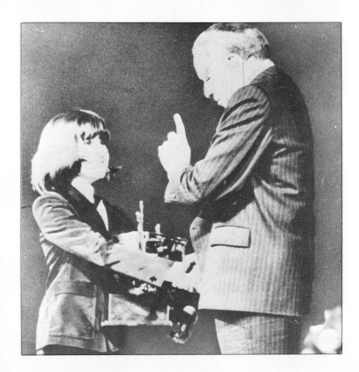

UN P'TIT QUÉBÉCOIS À TOKYO

Né à Chicoutimi, le 28 février 1961, d'une famille modeste et nombreuse, René Simard se révèle au départ un enfant comme les autres. Déluré, d'une intelligence vive, il est doué d'une voix que l'on dit « une voix du bon Dieu ». Cette voix —on n'empêchera jamais un rossignol de chanter— il la fera tout d'abord connaître à l'église et ensuite à la télévision de la ville de Québec dans les décors d'une série dite d'amateurs que dirige alors le chanteur-vedette Jen Roger.

Le petit René Simard décroche le premier prix et l'attention d'un imprésario du nom du Guy Cloutier. Ce dernier lui permet d'enregistrer son premier disque *L'Oiseau* qui, dès sa parution, fait la conquête du public en battant tous les records de vente. Dès lors, c'est l'idole, la vedette, le héros, la star... des jeunes comme des moins jeunes.

Cet enfant, ce petit bonhomme minuscule et gentil, plaît, amuse et attendrit. Il remet en cause l'éphémère et périlleuse légende des enfants-phénomènes du passé: les Shirley Temple, Joselito, Gérard Barbeau, Judy Garland.

Et c'est la Place des Arts... et des paquets de disques et de spectacles et un film de Denis Héroux. Et ce sera soudain, ouverture presque prévue, la consécration outre-frontières.

Le petit Simard du Québec sera invité, en 1974, à représenter le Canada au Festival international de musique de Tokyo où il remporte le Grand Prix du concours de la chanson ainsi que le Frank Sinatra Award. Dès lors, il entreprend son petit tour du monde en chantant à l'Olympia de Paris, à Los Angeles, à Las Vegas... comme vedette de la tournée de Liberace et comme invité aussi, des importantes émissions et séries de variétés de la télévision américaine.

Encouragé par Frank Sinatra.

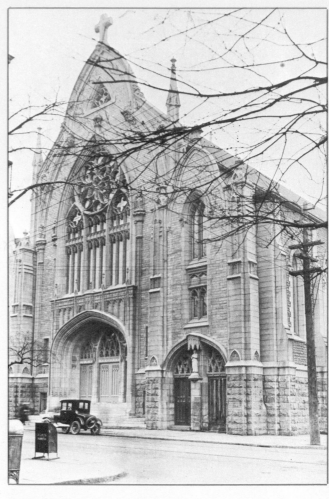

MORT D'UNE ÉGLISE

À notre époque où se réveille un certain goût du patrimoine et des choses d'hier, où le moindre buffet de cuisine se vend au prix de l'or, pourvu qu'il soit « early canadian », il est rare de voir démolir une église et que son curé se déclare le plus heureux des hommes. Pourtant Benjamin Tremblay, appelé familièrement « Ben » par ses paroissiens, a vu démolir sa vieille église sans pincement au coeur.

« C'est pour une excellente cause, dit-il, celle de la survie de mon quartier. L'église était trop grande, et ne servait que sept heures par semaine, le presbytère bien trop vaste! La maison de Dieu ne recevait qu'environ 10% des 8 000 paroissiens qui auraient dû la fréquenter. Il fallait utiliser ce grand vide pour servir les plus défavorisés et qu'ils s'y sentent chez eux. »

Qui sont pour le curé Tremblay les plus défavorisés? Les vieillards seuls ou en couple. Ce sont eux, leur misère, leur solitude, qui ont jour après jour fait germer cette grande idée: démolir une église vide et faire surgir à sa place un foyer pour les déshérités. Il est vrai que les églises à Montréal ne manquent pas! Il y a quelques décennies, elles sortaient de terre comme des champignons. Celle du Curé Tremblay, l'Église Sainte-Catherine, de style gothique, a commencé par un soubassement en 1912 et a été achevée en 1925.

Cinquante années pèsent lourdement sur la vieille église, les réparations s'avèrent coûteuses et longues, si on persiste à en faire un musée religieux. Le curé de la paroisse a d'autres projets. Infatigable, il se perd dans les dédales administratifs, frappe aux portes, se fait traiter souvent de vandale, mais ne se décourage pas. Après d'interminables discussions, des séances de conseil municipal orageuses, souvent contradictoires, sa pieuse obstination triomphe. Le 12 décembre 1972, l'expropriation est votée. C'est en brisant une bouteille de champagne sur la première pierre que le curé Tremblay lance sa nouvelle nef, le Centre local de Services communautaires du Centre-Sud. Une nef qui vogue toujours, pavillon haut.

Larry Maxwell Stanford, 21 ans, auteur du détournement.

UN PIRATE SUR QUÉBECAIR

Jeudi 14 décembre 1972. Il est 13h05 à Wabush, Labrador. Les cinquante-deux passagers à destination de Montréal sont déjà installés à bord du BAC 111 de Québécair. Josette Côté, l'une des deux hôtesses, leur demande de bien vouloir attacher leur ceinture et cesser de fumer.

À la même seconde, un jeune homme pointe une carabine de calibre 22 sur le gérant du petit aéroport et le force à monter à bord de l'appareil. Là, il s'empare également de Josette Côté. Fort de ses deux otages, il ordonne au pilote de décoller. Que veut-il? Aller à Vancouver! Le commandant garde le contrôle de la situation. Bien que les réserves de l'avion lui permettent d'entreprendre un tel trajet, il affirme qu'ils n'auront pas assez de carburant. Qu'à cela ne tienne, ils feront escale à Montréal pour faire le plein! Avant d'arriver, l'hôtesse prisonnière réussit à convaincre le pirate amateur qu'il ferait mieux de libérer les passagers avant de se lancer dans l'aventure. Docile, il se plie à sa requête. La deuxième hôtesse et

Le commandant de bord explique les exigences du « pirate ».

les cinquante-deux passagers descendent de l'avion. Ils auront eu plus de peur que de mal, et ils sont même à l'heure!

Alors commence pour le pilote, le co-pilote et les deux otages du détraqué, une insupportable attente qui se terminera tard dans la nuit. Il ne veut plus aller à Vancouver, mais à Winnipeg, avec une escale à Ottawa, pour y prendre son père (qui se trouve en fait à Wabush). Mais, arrivé à Ottawa, il décide de revenir à Montréal. C'est là, finalement, qu'il accepte de se rendre à condition qu'on lui amène son père et un psychiatre...

L'histoire se termine sans la moindre violence. Le 15 décembre 1971, Stanford, 21 ans, comparaît devant le juge Bilodeau. Il sera le premier à tomber sous le coup des amendements relatifs aux détournements d'avion qui viennent d'être apportés au Code Pénal.

Après le drame, les hôtesses racontent.

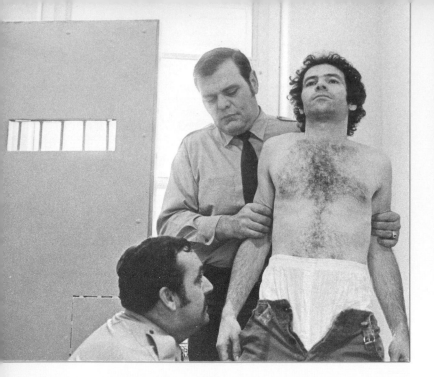

« LES ORDRES »

« Les Ordres », un regard sans complaisance de Michel Brault sur les événements d'octobre 1970 au Québec, est projeté en première mondiale à Montréal, le 26 septembre 1974. Pour son troisième long-métrage, le cinéaste québécois a fait appel à des « grands » de la scène qui n'ont plus à faire leurs preuves: Jean Lapointe, Hélène Loiselle, Guy Provost, Claude Gauthier, Louise Forestier, etc.

Les jeunes mariés.

GRATIEN GÉLINAS CONVOLE EN DEUXIÈMES NOCES

Le célèbre dramaturge québécois, Gratien Gélinas, a épousé la comédienne Huguette Oligny le 26 janvier 1975, en toute discrétion, grâce à la complicité du Palais de Justice de Montréal, dont les murs savent être discrets...

Les mêmes... 25 ans plus tôt, quand Huguette Oligny tenait le rôle de Marie-Anne, la tendre amie de Tit-Coq.

CHARLEBOIS, CHEF D'ORCHESTRE
Le quatre juillet 1972, Robert Charlebois impressionne son public alors qu'il dirige l'orchestre symphonique de Montréal, en plein air, à la Place Ville-Marie. Une autre corde à son arc et ses succès connaissent une autre dimension.

Le maître et l'élève.

LE PÈRE DU SKI DE FOND A CENT ANS
Herman Smith Johanssen. Il lança le ski de fond.

IMMORTELS...

Il est bien difficile de parler au passé de ces grands artistes qui ont fait partie depuis si longtemps de notre univers quotidien.

Miville Couture

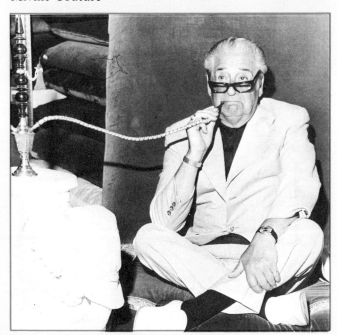

Paul Desmarteaux

Denise Pelletier

Ovila Légaré

Paul Dupuis

UN CÉLIBATAIRE NOMMÉ
JACQUES BLANCHET

Le ciel se marie avec la mer, vous souvenez-vous?
Jacques Blanchet ne s'est pas marié, lui, mais le
célibat lui va bien.

RENDEZ-VOUS AVEC MICHELLE

Michelle Tisseyre à deux époques qui sont restées
marquées du signe de la qualité à *Radio-Canada*.
Rendez-vous avec Michelle et *Aujourd'hui* avec Wilfrid
Lemoyne en 1966.

CHARBONNEAU ET LE CHEF
En février 1975, la compagnie théâtrale Jean Duceppe joue une représentation spéciale de la pièce à succès *Charbonneau et le Chef* à l'intention des grévistes de la *United Aircraft*. Sur la photo, Jean-Marie Lemieux, dans le rôle de Monseigneur Charbonneau, et Jean Duceppe dans celui de Maurice Duplessis.

LES BEAUX DIMANCHES DE BERGERON
Henri Bergeron fête ses noces d'argent avec *Radio-Canada* où il est entré en 1952 comme annonceur. Vingt-cinq ans plus tard, il est devenu l'homme des *Beaux Dimanches* et de toutes les émissions de prestige.

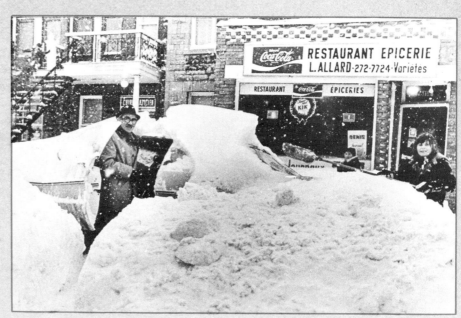

MON PAYS C'EST L'HIVER

FACE À L'ARROGANCE DU
GV FÉDÉRAL ET DE SON VALET
BOURASSA, FÀCE À LEURS MAUVAISE
FOI EVIDENTE, LE FLQ A DONC
DÉCIDÉ DE PASSER AUX ACTES.

PIERRE LAPORTE, MINISTRE DU
CHÔMAGE ET DE L'ASSIMILATION A ÉTÉ
EXECUTÉ À 6.18 CE SOIR. PAR LA
CELLULE DIEPPE (ROYAL 22ᵉᵐᵉ)

VOUS TROUVEREZ LE CORPS
DANS LE COFFRE DU CHEVROLET VERT (9) 242
À LA BASE DE ST-HUBERT.

NOUS VAINCRONS
FLQ

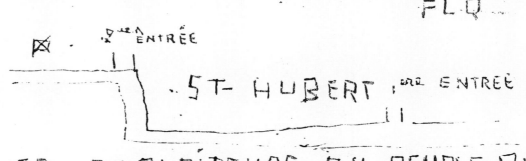

PS LES EXPLOITEURS DU PEUPLE QUÉ-
BECOIS N'ONT QU'A BIEN SE TENIR.

ON A TUÉ LAPORTE

Lundi, 5 octobre 1970. Pour tous les Québécois, c'est un début de semaine comme les autres. Lorsque, au cours de l'avant-midi, on annonce à la radio qu'un diplomate anglais a été enlevé par le Front de Libération du Québec, l'information coule d'abord sans inquiéter personne.

Pour la grande majorité de la population qui a été touchée par la nouvelle, il s'agit avant tout d'une vaste blague. L'enlèvement d'un diplomate au Québec paraît tellement invraisemblable qu'on ne peut le prendre au sérieux. Et les demandes des ravisseurs — rançon en lingots d'or, libération de prisonniers, lecture d'un manifeste, réengagement de travailleurs ayant perdu leur emploi — semblent relever du canular.

C'est à la résidence même du délégué commercial britannique James Richard Cross, rue Redpath Crescent à Westmount, que se sont présentés les quatre ravisseurs de la cellule Libération du FLQ. Prétextant apporter un cadeau de fête à Cross, dont c'était l'anniversaire quelques jours plus tôt, les membres de la *cellule Libération* forcèrent la porte qui leur avait été ouverte par la bonne et, sous la menace de leurs armes, contraignirent Cross à s'habiller et à les suivre sous les yeux horrifiés de sa femme. Et c'est dans un taxi que les ravisseurs prirent la fuite avec leur otage.

Ainsi débuta ce qu'on appela la crise d'octobre 1970: crise qui allait bouleverser toute la société québécoise. Quelques heures après l'enlèvement, les ravisseurs préviennent un journaliste de la radio qu'un message a été déposé dans un des pavillons de l'Université du Québec à Montréal. Les ravisseurs font connaître leurs exigences pour libérer leur otage:

À la télévision, Gaëtan Montreuil donne lecture du manifeste FLQ.

— la publication dans les media du Québec du manifeste du FLQ
— Libération de prisonniers politiques.
— Le réengagement des ex-employés de *Lapalme* (société qui s'occupait de la distribution du courrier; le gouvernement fédéral mit fin à son contrat et refusa de réengager l'équipe mise à pied avec tous les avantages syndicaux qu'elle avait acquis).
— Une « taxe volontaire » de $500 000 en lingots d'or placée à bord d'un avion qui devait emporter les ravisseurs soit vers Cuba, soit vers l'Algérie.
— La dénonciation du délateur de la dernière cellule du FLQ.

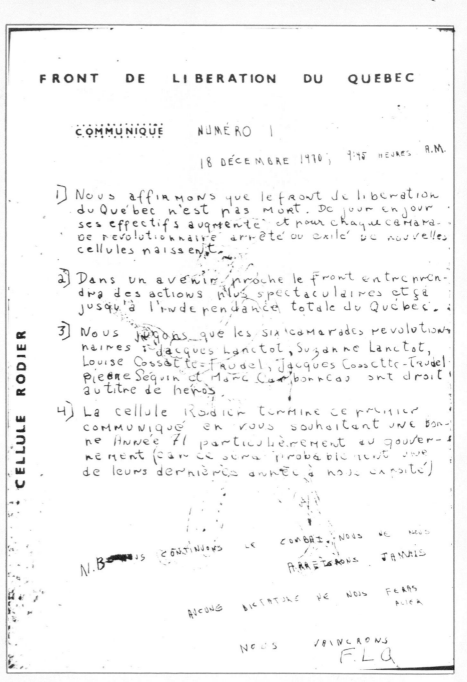

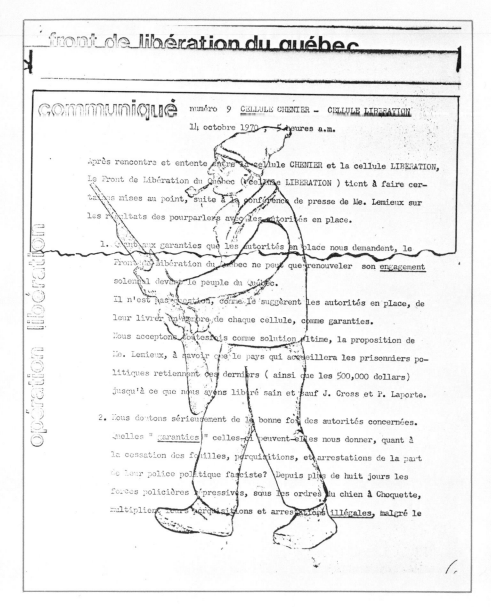

Pierre Pascau montre l'enveloppe où il trouva le communiqué du FLQ.

Le communiqué donne au gouvernement 48 heures pour accéder à ces demandes. Personne ne s'attend à ce que le gouvernement les accepte. Et en fait, celui-ci refuse: « Ce sont évidemment là des exigences tout à fait déraisonnables; leurs auteurs ne peuvent s'attendre à ce qu'elles soient acceptées. »

Le lendemain, le FLQ émet un deuxième communiqué qu'il fait porter directement à une station de radio dans lequel il rappelle que si, à l'expiration du délai, les exigences n'ont pas été acceptées, il n'hésitera aucunement à supprimer la vie de monsieur Cross.

Le gouvernement ne répond pas à cette mise en demeure, mais affirme en même temps qu'il est prêt à chercher un terrain d'entente avec les ravisseurs pour permettre la libération du diplomate. Le

Le 16 octobre 1970, les mesures de guerre sont proclamées et, dans les heures qui suivent, l'armée prend position partout au Québec et vient en renfort de tous les policiers déjà mobilisés par l'affaire.

FLQ fait alors parvenir un troisième communiqué à une autre station de radio. Il demande, comme preuve de la bonne foi du gouvernement de vouloir négocier la libération du diplomate, de diffuser intégralement sur les ondes de la télévision nationale le texte du manifeste qu'il a inclus dans le premier communiqué.

Par cette exploitation habile des media d'information, le FLQ réussit à mobiliser toute l'attention du Québec. En trois jours, l'événement a gagné toutes les couches de la population. Et s'il n'est pas encore pris au tragique, tout au moins suscite-t-il beaucoup d'intérêt et quelque nervosité. A-t-on volé des carabines à bord d'un paquebot à Trois-Rivières...

On pense immédiatement au FLQ et l'incident apparaît en première page de certains journaux! La galerie des visiteurs de la bourse de Montréal est-elle fermée par mesure de précaution... Les diplomates demandent une protection supplémentaire et certains hommes politiques se disent personnellement menacés!

Cette insécurité créée par l'enlèvement provoque vite une certaine agressivité. L'indignation monte dans certains milieux et l'on voit de braves gens habituellement pondérés préconiser de féroces représailles. La police est sur les dents et multiplie les interventions. Les media bombardent sans arrêt d'informations diverses, mêlant le vraisemblable avec le faux et faisant état des hypothèses, spéculations et rumeurs de toutes sortes.

C'est ainsi qu'on apprend la mort du diplomate quatre jours après son enlèvement. L'information est vite démentie, mais il n'en faut pas moins pour se rendre compte que derrière ce fait divers se dessine un fait politique grave.

Pour gagner du temps, le gouvernement accepte que soit lu le manifeste du FLQ à la télévision d'Etat. Et le jeudi soir suivant, soit quatre jours après l'enlèvement, le manifeste du FLQ devient un fait public. Le manifeste décrit en termes simples, certains diront grossiers, accessibles à toute la population, les injustices sociales que dénonce le FLQ.

La lecture du manifeste est suivie par une grande partie des québécois. Elle rend soudainement solidaire toute une population autour de ces gens qui se présentent comme des « travailleurs québécois décidés à tout mettre en oeuvre pour que le peuple québécois prenne définitivement en mains son destin. » Le manifeste déclenche un mouvement de sympathie, une véritable vague de soutien aux objectifs du FLQ.

Jérôme Choquette, ministre de la Justice du Québec, lit le message qui annonce son refus de céder aux exigences des ravisseurs.

Parmi les « planques » possibles, les égouts...

Des armes saisies au cours d'une perquisition.

On fouille même les boîtes à lettres...

Désormais, plus personne ne peut échapper à l'omniprésence de l'événement. On suit pas à pas les faits et gestes des principaux acteurs. Les propos des media sont rediscutés dans les salons et dans les bars. Chacun suit et commente les péripéties de cette affaire. Puis les faits reviennent amplifiés dans les lignes ouvertes de la radio, où chacun peut donner son opinion sur l'affaire Cross.

En expliquant que la situation sociale au Québec était à ses yeux pourrie, qu'il existait une réelle exploitation des travailleurs et des citoyens démunis, le FLQ se ralliait une partie de la population. Du fait du manifeste, il était plus difficile de réduire ces gens au rang de simples criminels comme on avait tenté de le faire. Le vendredi soir, un rebondissement inattendu survient. Le FLQ, frustré de n'avoir pas vu diffuser son dernier communiqué dans lequel il suspendait la menace de mort de Cross à la suite de la lecture du manifeste, donne un dernier ultimatum de 24 heures au gouvernement pour la libération des prisonniers politiques et la fin des recherches policières.

Samedi, 18h00. C'est l'impasse. Le gouvernement, devant les caméras de télévision refuse de céder au chantage du FLQ et offre aux ravisseurs un sauf-conduit en échange de la libération de l'otage.

Quelques minutes après l'annonce du refus du gouvernement de négocier, le ministre du Travail et de l'Immigration du Québec, Pierre Laporte, qui jouait paisiblement au ballon avec son jeune neveu, est enlevé à son tour, par une deuxième cellule du FLQ, la *cellule de financement Chénier.* Alors qu'on pensait avoir affaire à un petit groupe de révolutionnaires peu sérieux, on a maintenant devant soi une organisation puissante, bien structurée et prête à tout.

Ce coup de théâtre va frapper de stupeur tous les Québécois jusque-là sceptiques sur l'organisation des terroristes. Et cette fois-ci les Québécois se sentent plus directement impliqués dans ces événements dramatiques car ce n'est plus un étranger qui est mis en cause, mais l'un des leurs.

D'un coup, toute la société québécoise est jetée dans l'émoi. Toutes les activités normales sont interrompues. On assiste d'abord à la paralysie quasi complète de toute l'activité parlementaire et même de l'administration publique québécoise. Le Premier ministre du Québec a déménagé le siège social du gouvernement dans un grand hôtel de Montréal.

Communiqués du FLQ et réponses du gouvernement se succèdent. On nomme des médiateurs dans les deux camps pour négocier la libération des deux hommes. La police poursuit intensément par ailleurs ses recherches. Perquisitions et arrestations s'additionnent. Pour libérer les policiers qui doivent en même temps pourchasser les ravisseurs et assurer la protection des édifices publics et des personnalités, le gouvernement fait appel à l'armée.

Un véritable climat de peur s'est instauré au Québec. Les dirigeants de grandes entreprises ont envoyé à l'étranger leurs familles. Des groupes anti-révolutionnaires menacent d'abattre les membres connus du FLQ.

En même temps, des mouvements de soutien aux objectifs du FLQ surgissent. Une dizaine de curés de la Gaspésie endossent les objectifs du manifeste. Plusieurs milliers d'étudiants commencent un débrayage pour appuyer les objectifs du FLQ. Des personnalités du monde syndical et politique pressent ouvertement les gouvernements d'accepter les conditions posées par les ravisseurs pour la libération des otages.

Une dizaine de personnalités dont René Lévesque et Claude Ryan incitent le gouvernement à négocier de bonne foi avec le FLQ et à céder à ses exigences. Pour eux la vie de deux hommes est plus importante que la raison d'État. Ce mouvement de soutien provoque par ailleurs une grande inquiétude dans une partie de la population. Les hommes politiques sont très inquiets. Certains corps sociaux sentent véritablement que la société québécoise est en désintégration. Des appels à la ligne dure se font également entendre partout. Les gouvernements par leur attitude ambiguë ajoutent à la confusion. Le gouvernement fédéral maintient son attitude ferme et affirme qu'il s'en tient toujours à la ligne dure.

Le gouvernement du Québec tergiverse et semble davantage enclin à vouloir gagner du temps. D'ailleurs, depuis le début, le gouvernement central d'Ottawa semble mener le jeu et dicter au gouvernement du Québec sa ligne de conduite: ce qui sera reproché tout au long de la crise au gouvernement de M. Bourassa.

D'heure en heure, l'angoissant drame des enlèvements se transforme. Tantôt c'est l'espoir, tantôt la résignation. Tantôt la souplesse des parties en présence, tantôt le durcissement des positions. La toile de fond demeure la même: anxiété, suspense, peur. C'est dans ce climat trouble que le gouvernement du Québec lance un ultimatum aux ravisseurs.

La police arrête systématiquement tous les sympathisants du FLQ ou ceux qui sont soupçonnés de l'être. Plus de 5 000 lettres de dénonciation —la plupart sans objet— arrivèrent au quartier général de la police.

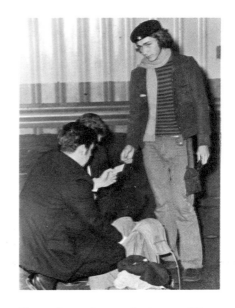

En quelques jours, plusieurs milliers de personnes durent, comme ce jeune homme qui arbore un badge de Che Guevarra, se plier à des vérifications d'identité, des fouilles ou des interrogatoires.

C'est jeudi le 15 octobre, soit dix jours après l'enlèvement de Cross. Il est 21h00. Le gouvernement oppose un non catégorique au FLQ et pose ses dernières conditions pour la libération des deux otages. Il donne six heures aux ravisseurs pour répondre.

À 4h du matin, la loi des mesures de guerre entre en vigueur. La police a le droit de faire des perquisitions et des arrestations sans mandat et de détenir pendant 21 jours les personnes sans porter aucune accusation contre elles. Pendant toute la nuit, c'est la grande razzia de tous ceux qui sont soupçonnés d'appartenir au Front de Libération du Québec. La proclamation des mesures, suivie de nombreuses arrestations, jette un climat de panique dans les milieux de la gauche au Québec. Désormais plus personne n'est à l'abri des arrestations arbitraires. Les gens se cachent et se terrent. Certains pensent que ce pays est en guerre, que la guerre civile a éclaté. Des centaines d'arrestations sont effectuées et les détenus sont gardés incommunicado pendant plusieurs jours sans même connaître les raisons de leur détention.

Samedi soir, dès les premières heures de la soirée, il semble de nouveau que le dénouement du drame est proche tellement l'atmosphère est lourde. Les premiers froids ont d'ailleurs incité les Montréalais à rester chez eux à l'écoute des informations. Pour un samedi, les rues sont très tranquilles. Seuls des soldats casqués, armés de mitraillettes, veillent autour des édifices publics, des centrales de téléphone et de télécommunications, des installations portuaires, des ambassades et des postes de police.

Et le drame éclate! Le ministre Pierre Laporte est retrouvé assassiné, sauvagement assassiné, dira-t-on, dans le coffre de la voiture qui a servi à son enlèvement. Son corps est criblé de blessures. « Il a été chloroformé puis saigné à blanc. Il a été torturé, lacéré de coups de couteau; on lui a coupé les parties génitales puis on l'a étranglé. » L'imagination populaire est débordante. On apprendra par la suite qu'il a été étranglé avec la chaîne qu'il portait au cou.

Cet assassinat cruel frappe avec une froideur qui soulève la répulsion et l'horreur. Partout ce sont des réactions d'horreur devant le crime, de dégoût devant le geste du FLQ, de terreur devant cette escalade de la violence et de consternation devant la mort. Les Québécois se sont mis à avoir peur. On déserte les restaurants, les cinémas. Les chauffeurs de taxi se plaignent. La pègre a cessé ses activités. Il y a trop de policiers et de militaires tout autour.

Le Front de Libération du Québec devient alors un groupe maudit.

Tout le quartier de la rue des Récollets où était retenu James Cross avait été bouclé par les forces de l'ordre pendant que se déroulaient les pourparlers avec les ravisseurs.

James Cross vient d'être libéré.

Par cette mort, l'escalade de la violence atteignait son point culminant. Le pire était arrivé. C'était le premier meurtre de sang froid que le FLQ commettait depuis le début de ses opérations en 1963. Ce n'était pourtant pas la seule mortalité occasionnée par les actions du FLQ. Déjà depuis 1963 les bombes et les attentats du FLQ avaient causé la mort de six personnes et blessé quelques dizaines d'autres. Mais en aucun de ces cas le FLQ n'avait voulu ces accidents. Il s'agissait toujours d'erreur de parcours. Dont la mort d'un jeune membre de 16 ans qui fut déchiqueté par la bombe qu'il transportait...

Les premiers attentats du FLQ avaient d'abord revêtu une valeur symbolique. On posait des graffiti sur les édifices publics du gouvernement « colonisateur » d'Ottawa. Puis on déposa des bombes dans les boîtes à lettres du quartier anglophone de

Montréal, puis dans les édifices du gouvernement central, dont les manèges militaires. Puis l'action porta sur les symboles du capitalisme moderne: usines en grève, place de la Bourse. Vols de dynamite, hold-up dans les banques et vols d'armes et d'équipement furent les principaux crimes dont fut accusé le Front de Libération du Québec pendant ses sept premières années d'existence.

Derrière ces gestes se profilait une idéologie qui, de nationaliste au départ, devint vite une prise de conscience de l'exploitation des Québécois. « Les nègres blancs d'Amérique », écrit en 1966 par Pierre Vallières, constitue le véritable cri de lucidité d'une nation exploitée dans son travail, dans ses valeurs et même dans sa langue.

Le FLQ se radicalisa ensuite de plus en plus pour devenir un groupement révolutionnaire au service de la classe ouvrière. C'est du moins ainsi qu'il se présentait dans ses journaux et revues. Et en

La maison où Cross fut détenu pendant quarante jours, rue des Récollets, dans le nord de Montréal.

1970, il terminait ainsi son manifeste: « Nous sommes des travailleurs québécois et nous irons jusqu'au bout. Nous voulons remplacer avec toute la population cette société d'esclaves par une société libre... Notre lutte ne peut être que victorieuse. On ne tient pas longtemps dans la misère et le mépris un peuple en réveil. »

La mort de Pierre Laporte suscite donc partout les plus vives réprobations. De tous les coins du monde, on est choqué et inquiet de ce geste, de ce qu'on a qualifié partout d'acte démentiel, de meurtre ignoble d'un homme innocent. Car le Québec est la première nation industrielle à vivre de façon tragique ces prises d'otages politiques.

Les funérailles de Pierre Laporte ont revêtu le caractère officiel des grandes cérémonies d'État. Par son geste, le FLQ venait de perdre

Une course effrénée à travers la ville amènera la voiture des ravisseurs de Cross à Terre des Hommes, qui avait été déclaré « territoire neutre » pour permettre la libération du diplomate enlevé.

Une semaine avant sa mort, Pierre Laporte avait été autorisé par ses ravisseurs à envoyer une lettre à sa famille.

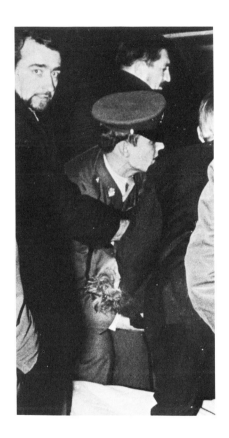

Le cadavre est déposé sur une civière.

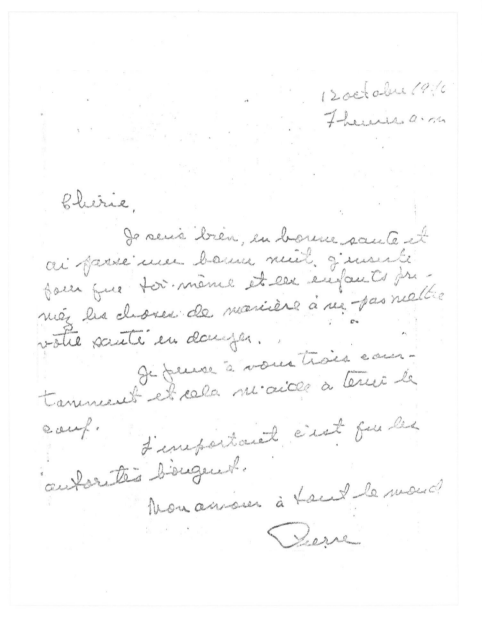

le soutien qui lui avait été manifesté tout au long des deux dernières semaines. Il se retrouvait seul avec son crime. À partir de ce moment, la crise avait atteint son paroxysme. L'horreur du crime balaya toutes les sympathies qui s'étaient formées autour des objectifs du manifeste. La crise politique commença à s'estomper. Même si Cross était toujours vivant, il devenait évident que le gouvernement n'allait pas céder maintenant.

À partir de ce moment, la chasse aux ravisseurs commence. Dès le lendemain de la mort de Laporte, un mandat d'arrestation est lancé contre deux individus: il s'agit de Marc Carbonneau et de Paul Rose. Et le surlendemain, on retrouve la maison où avait été détenu Pierre Laporte.

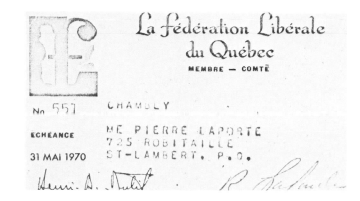

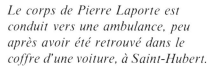

Le 19 octobre 1970, le corps de Pierre Laporte est retrouvé, comme la lettre des ravisseurs l'indiquait, dans le coffre d'une voiture, à Saint-Hubert.

Le corps de Pierre Laporte est conduit vers une ambulance, peu après avoir été retrouvé dans le coffre d'une voiture, à Saint-Hubert.

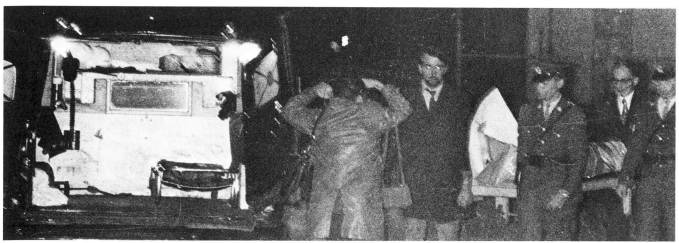

Le juge Jacques Trahan a tenu à visiter lui-même la cachette des ravisseurs.

On identifie les ravisseurs du ministre québécois. Une semaine plus tard, les journaux de Montréal, Londres et Paris publient en première page la photo de Miss Jennifer Miles, l'espionne sud-africaine qui aurait travaillé pour les communistes de Cuba et aurait été transfuge au CIA. Elle aurait avoué avoir servi d'intermédiaire entre le FLQ et Cuba. On croit savoir qu'elle pourrait apporter des renseignements utiles sur Paul Rose. Par un geste de bravade, Paul Rose envoie son passeport dans un communiqué dénonçant l'interprétation des résultats des élections municipales de Montréal qui viennent de se dérouler, et signe de son empreinte digitale.

Au début du mois de novembre, les policiers font irruption dans un appartement de Montréal et capturent un des ravisseurs de Pierre

C'est par ce tunnel construit derrière la chaudière de la cave que les ravisseurs de Laporte purent échapper aux premières fouilles de la police, avant d'être finalement arrêtés quelques jours plus tard.

De très sévères mesures de sécurité furent prises à l'occasion des funérailles de Pierre Laporte où devaient se rendre la plupart des hautes personnalités politiques.

Pierre Elliot Trudeau, suivi de Robert Bourassa, quitte l'église Notre-Dame après le service religieux qui eut lieu à la mémoire de Pierre Laporte.

En juillet 1973, Jacques Rose, fort d'un autre acquittement relatif à la mort de Pierre Laporte, obtient un cautionnement en attendant l'instruction de causes pendantes. On l'aperçoit dans la maison familiale, à Longueuil, attablé avec son avocat, Me Robert Lemieux, et en compagnie de proches.

Maître Robert Lemieux, l'avocat des ravisseurs.

Paul Rose, cinq ans après le drame...

Laporte, Bernard Lortie. Celui-ci se met à table et avoue sa participation à l'enlèvement de Laporte. Une semaine plus tard, on apprend que les autres ravisseurs de Laporte étaient dans le même appartement au moment où les policiers sont venus arrêter Lortie, cachés dans un placard à double fond. Au début de décembre, les policiers trouvent le repaire où fut gardé pendant quarante jours James Cross. Ses ravisseurs obtiennent un sauf-conduit pour Cuba en échange de la libération sain et sauf du diplomate anglais.

Et c'est dans la nuit du 27 au 28 décembre que la police retrouve enfin les ravisseurs de Pierre Laporte. Ils s'étaient construit un abri souterrain relié à une ferme par un tunnel d'une vingtaine de pieds à quelques kilomètres de l'extérieur de Montréal. Ainsi se terminait la plus longue chasse à l'homme de l'histoire du Québec et le dernier fait d'armes du FLQ.

Le procès des accusés dura des semaines et fut marqué par la remise en cause de tout le système judiciaire. Le principal accusé, Paul Rose, fut chassé à quelques reprises de son procès et fut condamné à la prison à vie. Comme plusieurs procès intentés au FLQ au cours de ses sept années d'existence, les procès pour l'enlèvement et le meurtre de Pierre Laporte furent ponctués d'incidents divers et donnèrent lieu à la remise en question de certaines procédures judiciaires. Tous les ravisseurs et leurs complices furent condamnés à diverses peines de prison, allant de quelques mois à la prison à perpétuité. Et la majorité d'entre eux sont maintenant sortis de prison. Quant aux ravisseurs de Cross, ils choisirent Cuba et la France pour leur exil.

RECOMPENSE   REWARD
(jusqu'à)
(up to) **$ 150,000**.

LES GOUVERNEMENTS DU CANADA ET DU QUEBEC OFFRENT CONJOINTEMENT DES RECOMPENSES JUSQU'A CONCURRENCE DE $ 75,000. POUR DES RENSEIGNEMENTS QUI CONDUIRAIENT A L'ARRESTATION DES RAVISSEURS OU DES MEURTRIERS DE M. PIERRE LAPORTE.

DES RECOMPENSES SEMBLABLES, AUX MEMES CONDITIONS, SONT AUSSI OFFERTES POUR DES RENSEIGNEMENTS QUI CONDUIRAIENT A L'ARRESTATION DES RAVISSEURS DE M. CROSS. L'OFFRE DE SAUF-CONDUIT POUR SES RAVISSEURS, EN ECHANGE DE LA LIBERATION DE M. CROSS, DEMEURE NEANMOINS EN VIGUEUR.

DE MEME, DES RECOMPENSES SERONT DONNEES POUR DES RENSEIGNEMENTS QUI CONDUIRAIENT A L'ARRESTATION DES QUATRE PERSONNES RECHERCHEES EN RAPPORT AVEC CES ENLEVEMENTS:

THE GOVERNMENTS OF CANADA AND QUEBEC JOINTLY OFFER REWARDS OF UP TO $ 75,000 FOR INFORMATION LEADING TO THE ARREST OF THE KIDNAPPERS OR MURDERERS OF MR. PIERRE LAPORTE.

REWARDS IN THE SAME TERMS, ARE ALSO OFFERED FOR INFORMATION LEADING TO THE ARREST OF THE KIDNAPPERS OF MR. J. R. CROSS. ALSO, THE OFFER OF SAFE CONDUCT FOR THE KIDNAPPERS OF MR. CROSS IN EXCHANGE FOR MR. CROSS SAFE RELEASE CONTINUES TO STAND.

SIMILARLY, REWARDS WILL BE PAID FOR INFORMATION LEADING TO THE ARREST OF THE FOUR PERSONS SOUGHT IN CONNECTION WITH THESE KIDNAPPINGS, NAMELY:

SIMARD, Francis

	Français	English
Age:	23 ans	23 years old
Sexe:	masculin	male
Taille:	5'7"	Height: 5'7"
Poids:	140	Weight: 140
Teint:	clair	Complexion: light
Cheveux:	chatains	Hair: light brown
Yeux:	bleus	Eyes: blue
Nationalité:	canadienne	Nationality: canadian
Langue:	française	Language: french
Occupation:	journalier	Occupation: labourer

CARBONNEAU, Marc

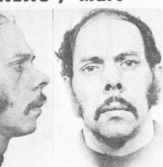

	Français	English
Age:	27 ans	27 years old
Sexe:	masculin	male
Taille:	5'5"	Height: 5'5"
Poids:	145	Weight: 145
Teint:	medium	Complexion: medium
Cheveux:	bruns	Hair: brown
Yeux:	bruns	Eyes: brown
Nationalité:	canadienne	Nationality: canadian
Langue:	française	Language: french
Occupation:	chauffeur de taxi	Occupation: taxi driver

ROSE, Jacques

	Français	English
Age	: 23 ans	: 23 years old
Sexe	: masculin	: male
Taille	: 5'9"	Height : 5'9"
Poids	: 180	Weight : 180
Teint	: clair	Complexion : light
Cheveux	: bruns	Hair : brown
Yeux	: bruns	Eyes : brown
Nationalité	: canadienne	Nationality : canadian
Langue	: française	Language : french
Occupation	: journalier	Occupation : labourer

ROSE, Paul

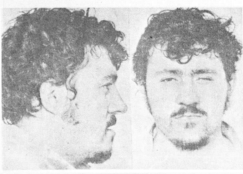

	Français	English
Age:	27 ans	27 years old
Sexe:	masculin	male
Taille:	6'	Height: 6'
Poids:	210	Weight: 210
Teint:	pale	Complexion: light
Cheveux:	noirs	Hair: black
Yeux:	bruns	Eyes: brown
Nationalité:	canadienne	Nationality: canadian
Langue:	française	Language: french
Occupation:	professeur	Occupation: teacher
Caractéristique:	cataracte oeil gauche	Characteristic: cataract left eye

LES AUTORITES DES TROIS FORCES POLICIERES, APRES S'ETRE CONSULTEES, FIXERONT LE MONTANT APPROPRIE DE LA RECOMPENSE DANS CHAQUE CAS PRECIS. L'IDENTITE DE TOUTE PERSONNE QUI FERA PART DE TELS RENSEIGNEMENTS SERA PLEINEMENT PROTEGEE ET DEMEURERA CONFIDENTIELLE.

TOUT RENSEIGNEMENT DEVRA ETRE TRANSMIS A UN DES SERVICES POLICIERS SUIVANTS:

THE AUTHORITIES OF THE THREE POLICE FORCES, IN CONSULTATION, WILL DETERMINE THE SUITABLE AMOUNT OF REWARD. IN INDIVIDUAL CASES. THE IDENTITY OF ANY PERSON PROVIDING INFORMATION WILL BE FULLY PROTECTED AND WILL REMAIN CONFIDENTIAL.

ALL INFORMATION SHOULD BE DIRECTED TO ANY OF THE FOLLOWING POLICE FORCES:

G.R.C. — Ottawa	TEL : 992-2878
G.R.C. — Montreal	TEL : 879-6000
Sureté du Quebec	TEL : 395-4120
Police de Montreal	TEL : 872-5720

R.C.M.P. — Ottawa	TEL : 992-2878
R.C.M.P. — Montreal	TEL : 879-6000
Quebec Police Force	TEL : 395-4120
Montreal Police	TEL : 872-5720

Maurice St-Pierre
Directeur General
Surete du Quebec

Circ. no. : 81-70

LE QUÉBEC ACCUEILLE SES PREMIERS JEUX

En ce week-end de décembre 1968, les salles de congrès de l'hôtel Bonaventure à Montréal accueillent une espèce rare: des sportifs! Ils viennent de tous les coins de la province assister au premier congrès du sport québécois. Ils représentent toutes les facettes de la vie sportive et récréative du Québec, les sports scolaires, les loisirs municipaux, 76 fédérations sportives, l'entreprise privée, le secteur de l'Éducation physique, voire même les gouvernements. Pas moins de 696 délégués ont droit de vote. 132 journalistes couvrent l'événement.

Les participants de ce premier congrès du sport se sont fixé comme objectifs d'unifier le sport amateur québécois et de créer une structure viable et efficace. Le besoin est d'autant plus pressant que Montréal a posé sa candidature pour l'obtention des Jeux Olympiques de 1976. Louis Chantigny, ex-journaliste et commissaire au Sport et Haut-Commissariat à la Jeunesse, aux Loisirs et aux Sports se voit comme un prophète.

« Ce congrès a lieu 8 ans avant les Jeux olympiques », commente-t-il. « Une quantité de personnes doutent que Montréal ait le bonheur d'être l'hôte des Jeux olympiques de 1976, mais pas moi. Je suis convaincu que nous les obtiendrons. Le présent congrès est une prise de conscience en regard de ces Jeux. » Après de longs pourparlers, les congressistes accouchent de deux résolutions: créer une Confédération des Sports du Québec (CSQ), c'est-à-dire un organisme de regroupements qui permettra aux fédérations unies des sports de profiter de services communs, de se développer harmonieusement et de lancer des jeux de masse, des Jeux du Québec.

Les efforts des co-présidents du Congrès, deux figures

La montréalaise Debbie Atkins.
Médaille d'or au lancer du disque.

En plongeon acrobatique, Lucie Roberge, de Québec, s'est mérité une médaille d'argent.

Soccer (football européen). Magnifique coup de pied du demi-centre de Sherbrooke, Michel Thibodeau, dont l'équipe va l'emporter par 3 à 1 contre Saint-Bruno, grâce à une passe inattendue de Pierre Cardinal.

avantageusement connues sur la scène du sport amateur, Jean-Guy Bédard et le maître d'arme Carl Schwende, ne tardent pas à être couronnés de succès. La Confédération des Sports du Québec a bientôt pignon sur rue au-dessus du restaurant « Butch Bouchard », un rendez-vous des sportifs. Quant aux Jeux du Québec, ils font immédiatement l'objet de longues séances de travail. On arrête un plan directeur. Une mission spéciale dirigée par Louis Chantigny et Jean-Guy Bédard parcourt toutes les régions du Québec afin de recueillir les premières réactions: l'accueil est triomphal! Il ne restera plus qu'à créer la Société des Jeux du Québec.

En quelques mois, le Québec du sport est passé de l'enfance à la maturité. Les congressistes de l'hôtel Bonaventure n'ont rien oublié des paroles du conférencier, le Colonel Marceau Crespin, directeur des Sports au ministère de la Jeunesse et des Sports de France. Ils ont également adopté le document de travail principal du Congrès, dont un passage se lisait comme suit: « le Gouvernement du Québec, pour sa part, exerce une influence directe sur la vie sportive au Québec et elle doit se faire sentir dans les domaines suivants: aider à la participation québécoise aux compétitions nationales et internationales (...), financer une centrale administrative et un Institut des Sports et assurer le financement des sports scolaires. » On déplorait également, aux termes du document, que les locaux scolaires ne soient pas mis de façon générale à la disposition du public en dehors des heures de cours.

*Cyclisme — Jean-Noël Bouffard ne
lâche pas André Simard d'une roue.*

Les Jeux du Québec

Pendant 10 jours, du 13 au 22 août 1971, 3 007 jeunes venant de
partout au Québec, de la Gaspésie à l'Abitibi, de la Côte Nord à
l'Outaouais, et ne représentant pas moins de 17 disciplines,
envahissent la petite ville de Rivière-du-Loup à l'occasion des
premières finales des Jeux du Québec. Au cours des semaines
précédentes, des dizaines de milliers d'athlètes en herbe ont
participé aux éliminatoires régionales aux quatre coins de la
province. Ces Jeux veulent sensibiliser la population aux sports,
favoriser la participation de masse et l'implantation d'équipement
sportif en région défavorisée.

Pierre Charbonneau, président de la Confédération des Sports du
Québec, note avec enthousiasme que pour la première fois le sport
professionnel est déplacé en faveur du sport amateur dans tous les
média d'information. Rivière-du-Loup, une ville de 13 000
habitants, accueillera quelque 50 000 spectateurs! C'est la fête!
L'accueil de Rivière-du-Loup s'avère sympathique, généreux. Les

À qui le ballon? Au numéro 9 de Sherbrooke, Christian Beauchemin, ou aux joueurs de Châteauguay, Terry Ogden et Colin McHenry?

Le jeune Serge Tremblay du Lac Saint-Jean repousse une attaque de l'équipe du Nord-Ouest québécois, menée par Louis Ledoux, que l'on voit ici à gauche.

automobilistes stationnés dans des endroits interdits trouvent dans leur pare-brise un billet de police sur lequel est écrit: « Vous êtes mal stationné. Cependant, parce que la cité de Rivière-du-Loup est présentement remplie de l'esprit des Jeux du Québec 1971, ceci n'est pas un billet de contravention mais un simple avertissement. Bienvenue à Rivière-du-Loup et ne manquez pas d'aller aux Jeux du Québec 1971 —La Sûreté municipale »

Les Jeux du Québec, les jeux de la participation, franchissent même les murs d'une communauté de soeurs Clarisses, une congrégation cloîtrée! Les bonnes soeurs organisent en effet leurs propres Jeux du Québec, des compétitions de courses, de pétanque... et de crochet!

Mobilisée par un comité organisateur dynamique, la moitié de la population de Rivière-du-Loup met la main à la pâte et oeuvre au sein d'un des innombrables comités. La ville s'enrichit d'équipement sportif permanent et les marchands doublent leur chiffre d'affaires. On s'arrache le macaron de Piloup, la mascotte des Jeux. Les Jeux remportent un tel succès que le maire Godbout songe un temps à réclamer la représentation des Jeux du Canada de 1977. Dans ce contexte de fête et de participation réservé à la masse, les victoires de la région de Québec passent presque inaperçues. Rouyn-Noranda, Saint-Georges de Beauce, Valleyfield, Rimouski, Trois-Rivières, Jonquière, succéderont à Rivière-du-Loup au fil des ans. Chaque fois, le miracle des Jeux du Québec se répètera.

Au moment où les athlètes du monde entier prennent part aux Cérémonies des Jeux olympiques, 264 541 jeunes québécois auront connu les finales régionales des Jeux du Québec et 26 105 d'entre eux auront atteint les finales provinciales. Déjà, plusieurs athlètes d'élite, tel le cycliste Robert Van den Eynde, la plongeuse Emiko Kiefer, la nageuse Robin Corsiglia et la lanceuse Lucette Moreau, sont issus des Jeux du Québec.

Parite de « crosse » (jeu traditionnel indien). Après un arrêt un peu raide du défenseur de Granby, le joueur de Shawinigan, Denis Savard, fait un beau vol plané.

Numéro un au pays

Un premier résultat concret vient confirmer le réveil du sport québécois. À Lethbridge, aux Jeux d'hiver du Canada de 1975, « l'événement du siècle pour un petit coin de plaine gelé », des froids sibériens ne parviennent pas à diminuer l'ardeur des Québécois qui, sentant bien les olympiques à leur porte, y vont de leurs plus beaux efforts. La consigne est stricte: « On n'est pas ici pour s'amuser, mais pour gagner », répète le chef de mission Gaétan Sainte-Marie.

Un revers énergique d'Isabelle Cloutier, lors de la première partie de tennis des Jeux du Québec.

Quinze jours plus tard, Nicole Nadeau et Ghislain Briand, deux membres de l'équipe de patinage artistique, sont invités à cueillir le drapeau des Jeux, emblème de la victoire. Pour la première fois de l'histoire et à la grande surprise du reste du Canada, les québécois sont champions!

Cette victoire fait office de couronnement. Le ministre Paul Phaneuf, responsable du Haut-Commissariat à la Jeunesse, aux Loisirs et aux Sports, s'exclame: « Voilà un triomphe drôlement plaisant, drôlement significatif, drôlement encourageant. Les québécois ont déjà remporté des victoires nationales, mais dans un sport ou dans un autre. Or voici que ce triomphe couronne des exploits collectifs réalisés dans dix-sept disciplines différentes. Cela indique donc que nos progrès sont généraux et fortement prometteurs puisque la majorité des athlètes québécois qui ont pris part à ces Jeux sont des espoirs... »

LES TRENTE-SEPT MORTS DU BLUE-BIRD

« C'était comme un lance-flammes gigantesque », dira le portier-placier, Guy Guimond, en décrivant, devant la cour, comment il avait vu l'escalier principal du cabaret *Blue Bird* quand éclata l'incendie où 37 personnes trouvèrent la mort le soir du 1er septembre 1972.

L'enseigne du cabaret *Blue Bird* brille tout le long de la face de ce vieil immeuble du 1172 de la rue Union, en plein centre de Montréal et, au-dessus, le clignotement d'un néon bleu agite les ailes d'un oiseau.

Ce soir-là, vers 8 heures, trois jeunes gens âgés de 24 ans se présentent en haut de l'escalier menant à la salle appelée « Wagon Wheel » au deuxième étage: c'est Gilles Eccles, Jean-Marc Boutin et James O'Brien.

Chargé de maintenir l'ordre, le « bouncer » Guimond remarque que les trois arrivants sont déjà visiblement éméchés. De plus, ils exigent d'être placés à une table où huit autres jeunes gens trinquaient bruyamment, leurs verres de bière à la main.

Le placier propose aux nouveaux arrivants une autre table, mais ceux-ci refusent et comme ils élèvent la voix, Guimond leur refuse l'entrée. Ils partent...

Vers dix heures, brusquement, un gigantesque tourbillon de feu envahit l'escalier. C'est la panique dans les deux étages du cabaret rempli à craquer. 268 personnes s'écrasent vers les escaliers de sortie... Mais l'escalier de secours est bloqué. La porte solidement verrouillée: « On la ferme, expliquera le patron, afin de pouvoir

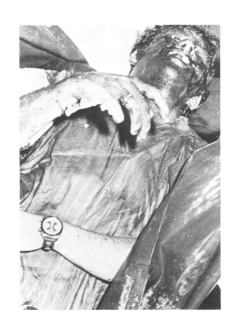

Une victime pour laquelle les sauveteurs ne pourront rien.

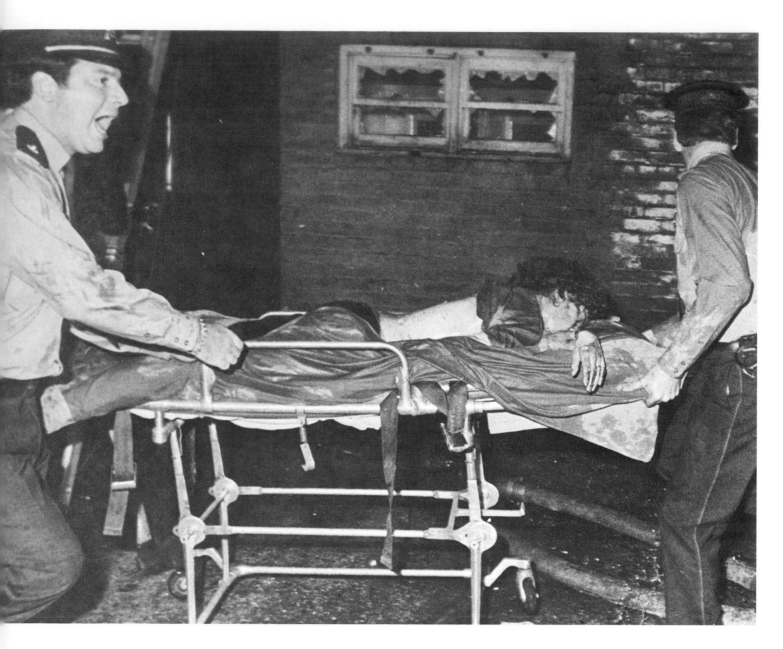

Les premiers blessés commencent à être évacués.

contrôler les arrivants qui ainsi ne montent que par l'escalier principal ». Or c'est de cet escalier que les flammes ont jailli.

L'enquête démontrera que les trois jeunes gens évincés avaient été remplir un gallon d'essence à une station-service voisine. Ils étaient revenus au *Blue Bird*, avaient répandu une certaine quantité d'essence, y avaient mis le feu et, par surcroît, jeté le contenant encore presque plein dans les flammes, d'où la terrible explosion. En quelques instants, le vieil escalier en bois prit feu et l'incendie gagna rapidement tout l'immeuble enfermant dans un cercle de flammes les nombreux occupants qui, hurlants et horrifiés, cherchaient les issues, s'écrasaient et se jetaient par les fenêtres. Bilan: 37 morts.

*Les policiers ont aidé les pompiers:
il y avait 37 cadavres à sortir des
décombres.*

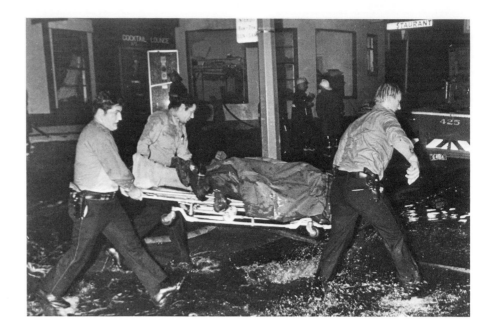

*Ému et épuisé, ce pompier de
Montréal prend le pouls d'une des
victimes retrouvée dans les
décombres. Il est malheureusement
trop tard...*

*Les secouristes ont risqué leur vie
mais n'ont pas pu empêcher la
mort de frapper trente-sept fois.*

Le propriétaire du cabaret, M. Léopold Paré, qui arrivait sur les lieux au moment où l'explosion venait de se produire, dira devant la cour que les tentures et le plafond étaient à l'épreuve du feu et acceptés par le service des incendies de la ville de Montréal. Mais que faire, lorsque l'immeuble entier devient un brasier?

Témoignant à l'enquête, l'inspecteur en chef du service de prévention, Maurice Lessard, expliqua que les règlements de son service concernant les exercices de feu n'avaient pas été distribués aux cabarets: «Nous n'avons jamais pris de mesures pour faire effectuer ces exercices dans les lieux de réunion. Comment pouvoir le faire dans ces lieux où ce ne sont jamais les mêmes clients?

Le « Blue Bird » au plus fort de l'incendie.

Cette salle de cabaret « Blue Bird », c'était le « Wagon Wheel ».

Jean-Marc Boutin, 24 ans.

James O'Brien, 23 ans.

Gilles Eccles, 24 ans.

Jean-Marc Boutin et James O'Brien, représentés par Me Raymond Daoust, ont finalement reconnu leur culpabilité devant le juge Shorteno, et ont été condamnés à la prison à perpétuité.

C'est probablement à la suite de ce témoignage que les familles des victimes réclamèrent $2 750 000 à la Ville de Montréal dans les années qui suivirent.

Quant aux trois jeunes assassins qui avaient provoqué une telle catastrophe, les policiers les retrouvèrent le même soir dans un autre cabaret des environs et un témoin entendit cette réflexion qu'ils faisaient au milieu de leur euphorie: « On verra bien si, la prochaine fois, ils nous refusent l'entrée au *Blue Bird* ».

·Mais il n'y aura plus pour eux de prochaine fois: déclarés criminellement responsables de la mort de 37 personnes par le coroner Laurent Laplante, Eccles, Boutin et O'Brien furent traduits devant la cour d'Assises et, avant même que ne commence leur procès, ils reconnaissaient leur culpabilité à l'accusation d'homicides involontaires.

Ils furent condamnés à l'emprisonnement à perpétuité. Non! Ils ne reviendront plus au *Blue Bird*...

Ceux que la presse surnomma « les monstrueux incendiaires », au cours de leur procès.

Au lendemain du drame, M. Clarence Déry, inquiet de n'avoir pas vu sa fille Marie-Lyne rentrer à la maison après son travail, s'est rendu à la morgue. Sa fille y était...

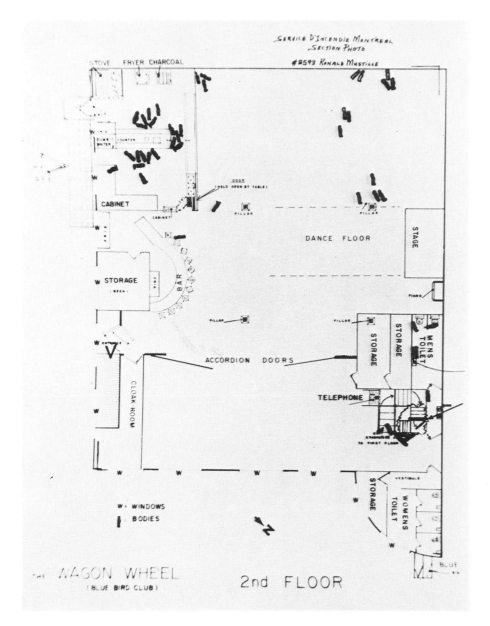

Lors du procès, le père d'une des victimes tente de se précipiter sur les coupables.

Croquis réalisé par le service d'incendie de la ville de Montréal. Les formes noires symbolisent les corps des morts et des blessés graves retrouvés dans le dancing.

TRAVAILLEURS
DE TOUS LES
PAYS
UNISSONS-
NOUS
1 MAI
CONSEIL
DU TRAVAIL DE
MONTREAL
LABOUR COUNCIL
F.T.Q. - C.T.C.
LIBERATI
S PRÉSIDENT
POUR

MICHEL CHARTRAND DÉFIE LA JUSTICE

Le 27 janvier 1972, au grand soulagement du gouvernement Bourassa, Michel Chartrand, président du Conseil Central de la C.S.N. Montréal (CCCSN) sort de la prison de Bordeaux. « Mis en congé » au cours d'une peine d'un mois. C'est la victoire définitive d'un homme contre tout un système judiciaire. Victoire gagnée au nom de la justice telle qu'il la conçoit. C'est aussi, dans un dernier geste bouffon, l'agonie de la Crise d'octobre et des procès qui s'en suivirent.

Certes, dans le combat judiciaire, Michel Chartrand est loin d'avoir été le seul: d'autres comme Charles Gagnon, l'avocat Robert Lemieux, Jacques Larue-Langlois ou Pierre Vallières ont été ses compagnons de combat. Mais Michel Chartrand est le meilleur symbole de la deuxième « révolution » qu'a connu le Québec au début des années 70.

Un mot sur le personnage. À vrai dire, un livre ne suffirait pas à raconter la vie tumultueuse et complexe de Chartrand. Ce Groucho Marx du syndicalisme (il n'est d'ailleurs pas sans ressembler au célèbre acteur) est lui aussi un chrétien social. Ses vitupérations, ses excès verbaux cachent à la fois une générosité incroyable et un désintéressement quasi impossible. En fait, dans ses actions directes, Chartrand est un modéré. Toute sa vie, il aura —et il le fait encore— donné sa chemise à celui qui la lui demande. Un exemple? Patron d'une petite imprimerie à Longueuil, non seulement il encourage ses employés à se syndiquer, mais il revise leurs demandes... en hausse!

Son histoire commence le vendredi 17 octobre 1970. Une journée « musclée », grâce à la loi des mesures de guerre, on arrête —et c'est

Une vedette dans les couloirs du palais. On remarquera son poignet gauche avec les menottes qui l'enchaînent à un policier.

le cas de le dire!— à tour de bras. Parmi les premiers que l'on amène à Parthenais se trouve Michel Chartrand. C'est pire qu'une erreur, pire qu'une maladresse, pire qu'une faute. C'est une bombe à retardement qui va ridiculiser la justice. Comme quoi il est souvent bon de tourner sept fois ses menottes dans sa main avant d'arrêter quelqu'un...

Mais pourquoi donc Michel Chartrand?

Il faut dire que pour le policier moyen, ce dernier représente l'archétype du gauchiste terroriste modèle. Tout d'abord, dès le début de l'année il s'est heurté violemment à l'exécutif de la CSN qu'il trouve beaucoup trop mou. Il a même fait circuler, le 21 janvier 1970, une déclaration de principe condamnant le capitalisme et préconisant « le pouvoir populaire ». Le sénat de la CSN a essayé de s'en débarrasser en l'expulsant de son bureau. Mal lui en prend: le 29 mai, Michel Chartrand est réélu président du Conseil Central de Montréal, presque par acclamation!

Côté politique, il a fait des siennes! Ne s'est-il pas avisé de verser un cautionnement de $2 500 pour faire libérer, après 41 mois de prison sans avoir été définitivement condamné, Charles Gagnon, un des penseurs du FLQ?

Le 23 mars, à propos des « gars de Lapalme », n'a-t-il pas été à deux doigts de se battre avec Pierre Elliot Trudeau dans les couloirs du Parlement? On savait déjà les anciens amis à couteaux tirés. Après s'être en public traités respectivement de menteurs et de fanatiques, Chartrand lance à Trudeau qu'il est un « c... de menteur », qu'il viole la population et que son gouvernement n'est guère qu'une « bande de prostituées », lesquelles sont encore plus respectables qu'eux! Peu s'en fallut que les deux hommes se bagarrent comme au temps de l'école! On dut d'ailleurs les séparer...

Enfin, le 8 octobre, toujours dans son langage fleuri, il commente les actes de terrorisme en disant que « tout ça, c'est la faute du gouvernement! » Donc, le 17, au trou! C'est là que les malheurs des juges commencent. Lors d'une comparution sommaire, avec 24 autres personnes, Michel Chartrand traite le juge de tous les noms.

Michel Chartrand et l'avocat Robert Lemieux arrivent hilares au palais de justice, où doit s'ouvrir leur procès pour « conspiration séditieuse ».

245

Celui-ci, un certain Deslauriers, prend le parti d'en rire et lui refuse son cautionnement.

Dehors, les syndicalistes s'agitent: non seulement il se crée un Front Commun contre la répression mais Marcel Pépin, qui a pourtant voté l'exclusion de Chartrand, prend sa défense. Le 22, bien qu'en prison, Michel Chartrand entame une poursuite contre le ministre fédéral, Jean Marchand (un autre « ancien ami »), et réclame $25 000 pour diffamation.

On lui refuse un autre cautionnement? Qu'importe! Michel ne se décourage pas. Il faut dire qu'on se demande bien sous quel prétexte l'accuser et le garder en prison.

Le 7 janvier, enfin un motif: Michel Chartrand bat un record dans les annales judiciaires: il est accusé 4 fois de mépris de cour en moins de trois minutes par le juge Roger Ouimet qui pense ainsi arrêter le flot des invocations religieuses du chef syndicaliste et le mâter! Il le condamne à un an de prison. Autre erreur!

Car, dehors, tout le monde s'agite et proteste. La foule gronde. C'est mal connaître, si on croit le briser, le bouillant Chartrand. Dehors, on manifeste: à l'appel de la CSN, 1 500 personnes descendront dans la rue pour exiger sa libération: en tête, Reggie Chartrand des « Chevaliers de l'Indépendance », Mathias Rioux de l'Alliance des Professeurs et même Émile Boudreault, de la maison concurrente, la FTQ!

Octobre 1969, Michel Chartrand accuse.

Mais le temps des gaffes n'est pas terminé. Le 28 janvier 1971, la police perquisitionne dans les locaux du Conseil Central dans l'espoir d'y trouver des preuves contre Chartrand. Du coup, le 2 février, nouvelle manifestation, juste à l'ouverture du procès! Malheureusement pour la justice, la police est revenue bredouille de sa perquisition, ce qui permet à Chartrand de déposer une plainte en diffamation contre le juge Roger Ouimet! Finalement, le 16, on lui accorde sa liberté contre un cautionnement de $200. Il sort en déclarant: « On m'a volé 4 mois de ma vie! Il faut que ça se paye! » Chartrand s'en prend ensuite aux syndicats pour leur reprocher leur passivité vis-à-vis de ceux qui avaient été jetés en prison, il attaque les gouvernements actuels soupçonnés d'être des « capitalistes fascistes américains » et il part faire une tournée d'information à travers le Canada. À l'Université de Toronto éclate une bagarre à coup de bâtons et de gaz Mace avec des opposants! Le 19, il déclare que Paul Rose n'est pour rien dans la mort de Pierre Laporte.

Enfin, le 25 mai 1971, on a, semble-t-il, une bonne raison de lui faire un procès: depuis novembre 1969 traîne une accusation d'outrages au tribunal, à la suite de commentaires sur les manifestations à l'occasion du bill 63. D'un ton allègre et décidé, Michel Chartrand aurait déclaré à l'époque que la justice était une farce et qu'un grand nombre de juges étaient d'anciens travailleurs d'élections. Mais en termes plus fleuris! Pour l'occasion, c'est Me Robert Burns, député péquiste de Maisonneuve, qui est son avocat.

Pour le second procès qui menace de tourner au vinaigre, en plein débat, la Couronne dépose un « nihil prosecuit »: elle renonce à poursuivre et retire ses accusations. Fureur de Michel Chartrand: « Je veux être jugé! »

Il y a vingt ans déjà.

La justice, elle, commence à faire prudemment marche arrière devant la tornade Chartrand: le 3 juin, sa condamnation à un an de prison par le juge Roger Ouimet passe en appel: acquitté.

Il le regrette presque! L'opinion est nettement en sa faveur: le Conseil Confédéral de la CSN vote sa réintégration dans son instance. Finalement, pour l'affaire de novembre 1969, il est condamné à $1 000 d'amende ou à un mois de prison. En espérant qu'il payera l'amende. Après tout, il faut bien le condamner pour quelque chose! Autre erreur! « Jamais! Je préfère aller en prison! », s'indigne Chartrand! Et c'est en vain que ses amis lancent une souscription pour qu'il puisse choisir entre la prison et l'amende. Michel ne veut rien savoir et le 20 janvier il se constitue prisonnier au siège de la Sûreté du Québec, rue Parthenais à Montréal. En sacrant allégrement comme d'habitude!

Cette fois, c'en est trop! Comment, mais comment donc se débarasser de ce Chartrand encore plus encombrant dedans que dehors! À travers lui, tous les procès à la suite d'octobre 1970 (sauf ceux qui concernent les personnes directement impliquées dans les enlèvements et qui ne sont qu'une douzaine) s'effondrent et démontrent l'injustice des mesures de guerre.

Ce qui n'empêchera nullement Michel Chartrand, dans les jours qui suivront, de se porter à la défense des autres, et de sacrer à pleins poumons —devant les foules ravies— contre la justice et les accusations sans fondement.

On ne saura jamais si une consigne avait été donnée mais il ne fut plus jamais question d'outrages au tribunal et la police comme la justice évitèrent de se frotter à nouveau à lui...

LE MAUDIT BEAU VOYAGE DE SERGE DEYGLUN

Né à Montréal, en 1928, d'un couple d'artistes en plein vedettariat —Mimi d'Estée et Henri Deyglun— le petit Serge, comme on le désigne en ce temps-là, fait donc ses premiers pas dans le climat du foyer paternel alors voué à la « chose artistique »: chanson, disque, théâtre, radio, sketches, répétitions, tournées...

Descendant des meuniers Daiglun de la Haute-Provence, Henri vient s'installer au Québec au lendemain de la Guerre de 1918. Ancien du Lapin Agile de Montmartre, il emporte avec lui son esprit créateur et sa longue expérience des théâtres parisiens. Dès son arrivée chez nous, il passe à l'attaque en innovant sans cesse, tant au théâtre qu'à la radio. On lui doit en quelque sorte une nouvelle forme de spectacles, la mise en circulation des chansons d'actualité, et la création de romans-fleuve radiophoniques devant servir par la suite à des pièces de tournées.

Serge Deyglun débute auprès de ses parents dès l'âge de 5 ans comme chanteur et comme acteur dans le rôle de Pierrot, héros de la pièce « Dans les Griffes du Diable » d'Henri Deyglun, son père. À cet âge, il enregistre même son tout premier disque.

Adolescent, il voltige entre la comédie, la chanson et la poésie. Il joue quelquefois des petits rôles à sa convenance et devient « le fils de son père » au micro. Puis il publie sa première plaquette de poèmes qu'il intitulera « Nez en Trompette ». Enfin, sa rencontre avec Raymond Lévesque lui ouvre les horizons de la chanson. Ils partent pour Paris tous les deux, l'un avec une guitare et l'autre avec son ukelele, des chansons et des rêves plein le coeur. Même si ses premières chansons poétiques sont assez bien accueillies sur la Rive Gauche, Deyglun n'a pas l'endurance de son camarade dont

deux chansons, « Les trottoirs » et « Quand les hommes vivront d'amour » atteignent la grande consécration. Il revient au pays. La télévision naissante lui ouvre une nouvelle porte. Commence pour lui une très belle période de succès répétés, soit celle de ses parodies —sur scène, au petit écran comme sur disque— des chanteurs western. Pris à son propre jeu, il se dégagera assez tôt de ce style afin de bifurquer dans un genre tout à fait opposé: le journalisme.

Il s'y cantonne dans une spécialité: la faune et la flore du Québec. Il ne le fera pas en dilettante mais avec amour, conscience et respect. Il devient peu à peu, non pas un simple chroniqueur, mais un engagé, un polémiste, un chef de file, pour une population avide de savoir. Son courrier, au journal, dépasse en volume tous les autres. On ne jure que par lui. Son émission à Radio-Canada bat les records de cote d'écoute.

Il sert d'éclaireur et de conseiller. Plus encore, il fait de sa tâche journalière non plus une simple spécialité, mais une noble mission, celle de la préservation de notre flore et de notre faune, juxtaposée à la découverte des beautés laurentiennes qu'il fait découvrir au grand public.

C'est avec consternation que le Québec apprend sa mort en août 1972. Serge avait quarante-quatre ans! Il laisse un vide immense, vide ressenti par ses amis et le public. Pour tout le monde, il est irremplaçable. Au Père Ambroise Lafortune, compagnon de toujours, il dit en souriant quelques minutes avant de mourir « Ambroise! Je vais faire un maudit beau voyage... »

COMPLAINTE DE PIERROT
"DIS, MON PETIT PAPA"
CHANSON INSPIRÉE DU ROMAN "DANS LES GRIFFES DU DIABLE"

SERGE DEYGLUN
(Cinq ans)

dans le rôle de Pierrot

Le héros du

Grand Succès

"Dans les Griffes
du Diable"

LE GRAND SUCCES
RADIOPHONIQUE
ET THEATRAL
Offert par la Maison
N. G. VALIQUETTE Ltée

Paroles de HENRY DEYGLUN   Musique de FRED. CARBONNEAU

LA REVUE MUSICALE ENRG.
8365 BOULEVARD LAJEUNESSE   MONTREAL, QUE.

LA SÉRIE DU SIÈCLE

En 1972, les Soviétiques viennent au Canada pour apprendre... à jouer au hockey. Avant le début de la fameuse série Canada-URSS, les « experts » sont pratiquement unanimes et les pronostics varient entre 8-0 et 7-1 en faveur de l'équipe canadienne. On ne peut admettre qu'une équipe européenne puisse vaincre la plus extraordinaire pléiade de vedettes canadiennes jamais réunies. On est tellement certain de la victoire qu'on se permet de snober et d'ignorer les Bobby Hull, Jean-Claude Tremblay et autres, qui viennent de passer à l'Association mondiale.

Les soviétiques, c'est bien connu, sont de bons patineurs. Ils sont cependant sur la défensive, font trop de passes inutiles et, dit-on, ne brillent pas par leur courage. Les rapports des dépisteurs sont catégoriques: Ragulin (un défenseur) ne verra même pas passer Frank Mahovlich et Yvan Cournoyer; les soviétiques, dans l'ensemble, ne sont pas de taille. Serge Savard, reconnu pour l'intelligence de ses propos, affirme que « les soviétiques n'ont absolument aucune chance de remporter une victoire contre une équipe formée de ces gars-là. Il y a trop de talent au sein de notre équipe et il n'y a aucun doute que nous les surclasserons. »

Au pays, on interroge les émissaires soviétiques venus surveiller l'entraînement de la célèbre équipe-Canada-Team (sic). « Par leur mine, répond l'interprète, je peux vous assurer qu'ils sont éblouis et quelque peu inquiets.

L'instructeur Harry Sinden, quant à lui, se dit convaincu que nous sommes supérieurs aux soviétiques. Mais légèrement seulement... Ken Dryden, l'intellectuel du groupe, semble le seul à témoigner un

Boris Kulagin, entraîneur soviétique, au milieu de ses troupes.

véritable respect à l'endroit des soviétiques. « J'ai joué contre eux en une occasion, en 1969, et j'ai été battu (9-3). J'avais fait face à 45 lancers, tous plus difficiles les uns que les autres, parce qu'ils n'ont pas l'habitude de gaspiller leurs lancers... » Oui, se dit-on, mais cette année-là, Dryden n'avait pas toutes ces vedettes devant lui. Cette fois, ce sera autre chose. Enfin les Russes arrivent! À l'issue de leur premier entraînement, les observateurs notent qu'après 60 minutes, ils ne semblent même pas fatigués. Le coup de patin est bon, le tir juste, le lancer frappé plus rapide et mieux utilisé. Ici et là, mais peu écoutées, voire ridiculisées, quelques voix s'élèvent pour annoncer que la lutte ne sera pas si facile. On commence à signaler que les Canadiens reviennent à peine de vacances (nous sommes à la fin d'août et la série débutera le 3 septembre) tandis que les Soviétiques, eux, s'entraînent depuis longtemps et selon des méthodes plus scientifiques.

Premier match: les Canadiens prennent rapidement les devants et le massacre prévu est attendu. Score final: Canada 3... URSS 7. C'est la désillusion totale, l'humiliation complète dans ce temple du hockey qu'est le Forum de Montréal, où 200 millions de téléspectateurs ont été témoins de la déroute canadienne.

Les Soviétiques ont ridiculisé les glorieux Canadiens et trois grandes vedettes montrent déjà que le style soviétique est un style de robots: Vladislav Tretiak, Aleksander Yakushev et Valery Kharlamov. Trois noms que le public montréalais n'est pas prêt d'oublier. Fier de la victoire des siens, l'instructeur Vsevolod Bobrov ne peut s'empêcher de dire que « le match de ce soir a été le plus rude de notre histoire. » En effet, les Canadiens en ont été réduits à la brutalité pour essayer de contrer le brio des Soviétiques. « Auparavant, je n'avais pas réalisé qu'ils étaient en mesure de jouer aussi bien », confesse de son côté Sinden, qui vante encore le superbe conditionnement physique de ses adversaires.

Deuxième match: huit nouveaux joueurs, dont le gardien Tony Esposito à la place de Dryden, et une dose accrue de robustesse conduisent le Canada à une victoire de 4-1. « La différence, c'est que cette fois, nous savions à quoi nous attendre, » lance triomphalement Sinden.

Troisième match: un verdict nul de 4-4, mais les Soviétiques impressionnent encore. On commence vraiment à les prendre au sérieux. Frank Mahovlich est songeur. Rien de nouveau à ce que ce drôle de bonhomme se retrouve dans les nuages, mais cette fois, il est ébloui. Ébloui par les diables rouges, comme il les appelle. « Je suis persuadé que ces deux instructeurs pourraient conduire ces jeunes soviétiques à la coupe Stanley dès leur première saison dans la ligne nationale », dit-il.

Quatrième match: nette victoire des Soviétiques 5-3. C'est la catastrophe nationale. Les Soviétiques vont retourner dans leur pays, où seront disputées les quatre dernières rencontres, avec un avantage de 2-1-1. Les Canadiens sont hués par le public de Vancouver et après le match, les déclarations fusent de toutes parts. Celle de Bill Goldsworthy deviendra la plus célèbre: « J'ai honte d'être Canadien, dit-il. C'est une honte nationale que cette foule nous ait hués. » Sinden et plusieurs de ses joueurs admettent la supériorité de leurs rivaux au niveau du conditionnement physique. Dans les journaux et sur les lignes ouvertes radiophoniques on reproche aux grosses vedettes leurs salaires faramineux, leur piètre conditionnement physique et leur manque d'esprit sportif. Plusieurs ont honte d'être canadiens... mais pour des raisons diamétralement opposées à celles de Golsworthy.

Mais c'est en Suède, où l'équipe canadienne poursuivra son entraînement et disputera deux matches contre des formations locales, que le problème de la violence éclate dans toute son ampleur. Les plus objectifs l'avaient noté dès le début; cette fois, le fait est évident: les Canadiens usent d'une rudesse exagérée et se conduisent en frustrés. « Rena rama gangstertakterna », titre un journal suédois à l'issue du deuxième match qui s'est terminé 4 à 4, après une première victoire peu convaincante de 4 à 1 du Canada. «Pures méthodes de gangstérisme » dit la presse étrangère, un autre journaliste parle «du sang qui prouve la faiblesse des Canadiens ». « Si c'était à recommencer, dit pour sa part un Sinden déçu du rendement de ses joueurs, il n'y aurait plus de Parisé sur cette équipe. » Parisé, c'est le joueur ordinaire mais travailleur, qui fait la barbe aux richards du hockey. L'instructeur suédois, lui, dit que ses joueurs ont mieux joué au cours de la deuxième rencontre parce qu'ils respectaient moins les professionnels canadiens.

Cinquième match: après avoir concédé une avance de 3 à 0, puis 4 à 1, à l'équipe canadienne, les Soviétiques triomphent 5 à 4 en marquant tous leurs buts au cours de la dernière période. Au moins, cette fois, les Canadiens n'ont pas joué les bouffons. Il faut dire que l'instructeur Sinden avait laissé ses « gorilles » de côté, Golsworthy ayant été ignoré, Wayne Cashman étant blessé à la langue et Vic Hadfield ayant décidé de retourner à Montréal en compagnie de Richard Martin et Jocelyn Guèvremont. Le trio est amer d'avoir été laissé de côté pour ce premier match en Union soviétique, ce qui donne une bonne idée de l'esprit d'équipe qui règne au sein d'Équipe-Canada. Le jour même, il sera rejoint par Gilbert Perreault, que Sinden juge « très faible » à la défensive.

Brad Park compte sur les Russes.

Après la rencontre, Harry Sinden et son adjoint John Ferguson, ne se sont pas présentés à la traditionnelle conférence de presse. Plus tard, dans la soirée, Sinden devait rencontrer les journalistes canadiens à leur hôtel. Il leur dit: « Je tiens à m'excuser auprès de vous, messieurs. Mais si j'ai refusé de me rendre à cette conférence, ce n'est pas sans raison. Mercredi, alors que vous étiez tous réunis dans la salle de presse du Palais des Sports, les instructeurs soviétiques ont brillé par leur absence après avoir promis d'être présents. Je commence à croire que ces gens peuvent se permettre n'importe quoi, tandis qu'on ne manque pas de nous blâmer pour le moindre geste qui ne fait pas leur affaire. » La guerre des nerfs se continue et les plus acharnés des partisans canadiens traitent les soviétiques de braillards. Les joueurs de l'équipe du Canada,

But des Russes contre Dryden.

pendant ce temps, cherchent toutes sortes d'excuses, se plaignent de la mauvaise nourriture, disent qu'ils sont espionnés, etc. Une véritable folie collective s'est emparée du groupe, folie qui va empirer jusqu'à la fin du séjour à Moscou. Ainsi, on proclamera de plus en plus fort que les hockeyeurs soviétiques utilisent leurs bâtons comme une arme, mais en hypocrites, vu que personne ne les voit...

À ce moment, il n'y a probablement plus un seul amateur qui croit encore à une victoire finale des Canadiens. Le climat est malsain et les sacro-saintes vedettes critiquées de toutes parts. Mais les plus éclairées trouvent un côté positif aux événements. « Il est heureux, écrit un journaliste, que les Soviétiques aient remporté la victoire dans ce cinquième match et il est à souhaiter qu'ils enlèvent les honneurs de la série. Car c'est le seul moyen d'amener l'ensemble du public et des observateurs canadiens —des joueurs eux-mêmes— à réfléchir sur la grande leçon qui nous a été enseignée.

Tretiak se défend...

Le journaliste en question est loin d'être le seul à penser ainsi et cette théorie est même devenue la plus populaire: il faut ouvrir les yeux et transformer notre hockey. Un autre journaliste écrit un vigoureux article, intitulé: « J'ai eu honte », dans lequel il dénonce la violence, voire l'imbécilité de certains joueurs de l'équipe canadienne. Quand des amateurs arrivent à Moscou, son journal en main, la réaction est spontanée: la majorité des joueurs et le directeur exécutif de leur association, Alan Eagleson, refusent de lui adresser la parole. Les *prima donna* n'acceptent pas la critique. S'ils entendaient ce qu'on dit d'eux au Québec...

Sixième match: les Canadiens rebondissent et triomphent difficilement 3 à 2. L'auteur du but victorieux est Paul Henderson, des Maple Leafs de Toronto, dont c'est déjà le cinquième but de la série. Au cours de ce match, un but est mystérieusement refusé aux

Dryden fait un arrêt contre Mikhailov.

Soviétiques. Pourtant, les deux arbitres allemands, Josef Kompala et Frantz Baader, sont violemment pris à parti par les Canadiens. « Je n'ai jamais vu d'arbitres faire preuve d'une telle incompétence », déclare John Ferguson qui, tout au long du match, a gesticulé comme un diable dans l'eau bénite pour laisser échapper sa frustration. Très calme, l'instructeur soviétique Kulagin réplique: « Lorsque nous avons été défaits 4 à 1 à Toronto, nous n'avons pas été satisfaits de la performance des arbitres, mais nous ne nous sommes pas plaints. » Les journalistes soviétiques avaient cependant durement critiqué le travail des arbitres ainsi que le jeu brutal des Canadiens (accusés entre autre d'avoir poursuivi Kharlamov avec leurs bâtons, leurs gants et même leurs patins). Ron Ellis, Bobby Clarke et Phil Esposito étaient expressément cités. Au cours de cette rencontre, les Canadiens avaient écopé de 31 minutes de pénalité, contre quatre pour leurs adversaires.

Septième match: à l'issue d'un autre match serré décidé par la marge d'un seul but, le Canada égale les chances 3 à 3 dans la série grâce à une victoire de 4 à 3. C'est encore Henderson qui marque le but vainqueur, à deux minutes de la fin, sur une passe de Serge Savard. Ce dernier, blessé lors de la troisième rencontre, n'a pas perdu un seul match contre les Soviétiques. Cette fois, un Tchèque et un Suédois arbitrent la rencontre; la délégation canadienne, Dieu sait comment, est parvenue à convaincre les Soviétiques (qui auront le choix des officiels pour la rencontre décisive) d'oublier Kompala et son compère et d'avoir recours aux deux mêmes hommes. Mais à la veille de ce qu'on appelle déjà le match du siècle, voilà que les Soviétiques décident de revenir sur leur décision et d'utiliser leur droit de veto quant au choix des arbitres. On parle de tactique d'intimidation et de guerre des nerfs, domaines dans lesquels les Soviétiques seraient passés maîtres. Le Canada ne cède pas et menace tout bonnement de ne pas disputer le fameux match.

Action russe autour du but canadien. Yakushev porte le numéro 15.

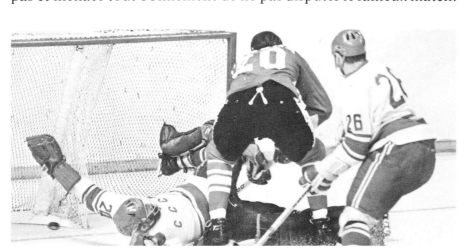

Le Canadien Pete Mahovlich compte un but contre Vladislav Tretiak.

Pendant ce temps, Kompala déclare: les Canadiens se conduisent comme des enfants sur la glace. Ils passent leur temps à jurer et à nous insulter. Kompala est gérant de discothèque et arbitre pour son plaisir, à $15.00 par match. Une déclaration surprenante de l'arbitre allemand: « Si tous les joueurs canadiens étaient en parfaite forme, ils seraient en mesure de battre les soviétiques régulièrement. »

Entre-temps, la popularité du hockey atteint son comble au Québec et les télégrammes de bonne chance affluent à Moscou. Ils proviennent de simples spectateurs... ou de politiciens comme Jean Drapeau et Pierre Elliot Trudeau. On ne parle que du match qui —disputé en après-midi à cause de la différence horaire— perturbera le travail de bien des employés. Mais cette fois-ci, les patrons se révèlent étonnamment compréhensifs... étant eux-mêmes rivés à leur écran de télévision.

*Le but vainqueur de Paul Henderson,
lors de la dernière partie.*

Huitième match: l'incroyable devient réalité. Le Canada gagne le match et la série, encore une fois par un seul point, 6 à 5. Et qui marque le but vainqueur, à 34 secondes de la fin? Paul Henderson évidemment, le héros de la série, qui en est à son troisième but gagnant. Il se confie après le match: « J'ai eu une sorte de pressentiment alors qu'il restait à peu près 50 secondes à jouer parmi les scènes d'hystérie. Je me suis levé et j'ai vu Pete Mahovlich passer tout près du banc. Je lui ai lancé un cri et il s'est arrêté afin que je le remplace. Ce fut de loin le but le plus important de ma carrière. » Et le plus payant, aurait-il pu ajouter...

Ce but historique survient de façon imprévue, après une attaque canadienne avortée. Mais Henderson est demeuré près du filet. Il se retrouve seul devant Tretiak quand Yvan Cournoyer lui passe la rondelle qu'il vient de soutirer à un Soviétique. Le Canada avait dû surmonter un déficit de deux buts en troisième période. Or le conditionnement physique supérieur des Soviétiques devait prévaloir en fin de match. Le but Henderson a peut-être semé les plus grandes scènes de joie jamais vues à l'occasion d'un match de hockey, tant sur la glace, parmi les joueurs, que chez les partisans (ils étaient quelque 2 500 canadiens sur place) qu'ici même au pays. Et comment imaginer un meilleur *climax*? Le plus fameux réalisateur d'Hollywood n'y serait jamais parvenu. Il n'y a vraiment pas de mots, a rapporté un journaliste, pour d'écrire l'explosion de joie qui a suivi la victoire des Canadiens, non seulement dans le huitième match, mais dans l'ensemble de la série entre le Canada et l'URSS. Quatre matches fantastiques disputés à Moscou, tous décidés par la marge d'un but, et les trois derniers, gagnés par le Canada.

...Ce fut le match du siècle par l'intensité de chaque minute, par les péripéties de ce dernier duel, par les événements qui se sont déroulés. Malheureusement, jusqu'à la fin, il faut bien le dire, des Canadiens auront été délibérément discourtois. Lors de la dernière rencontre, Jean-Paul Parisé a feint de molester un officiel et Alan Eagleson a joué les fous dans les estrades. Lors de l'expulsion du premier, l'instructeur Sinden et un soigneur ont chacun lancé un banc sur la patinoire.

Mais qui, aujourd'hui, se souvient de ces histoires? On a surtout retenu la grandeur du triomphe, car, comme l'a dit Serge Savard, « cette victoire me procure une plus grande joie que l'année où le Canadien a remporté la coupe Stanley et que je me suis vu décerner le trophée Conny Smythe. Le coupe Stanley décrochée par le Canadien procure beaucoup de joie aux Québécois, mais ce soir il y avait 15 ou 20 millions de téléspectateurs qui nous surveillaient et je ne crois pas qu'un seul d'entre eux était contre nous.

Sans doute pour plusieurs cependant, ce succès nuisait à l'évolution du hockey canadien. La certitude d'être toujours les meilleurs, que rapportaient avec eux à Dorval une joyeuse bande de fêtards à la fin de ce mois de septembre 1972, allait endormir pour un temps encore toute velléité de changement et préparer la cruelle déception qui devait survenir quelques années plus tard.

Tretiak arrête Cournoyer.

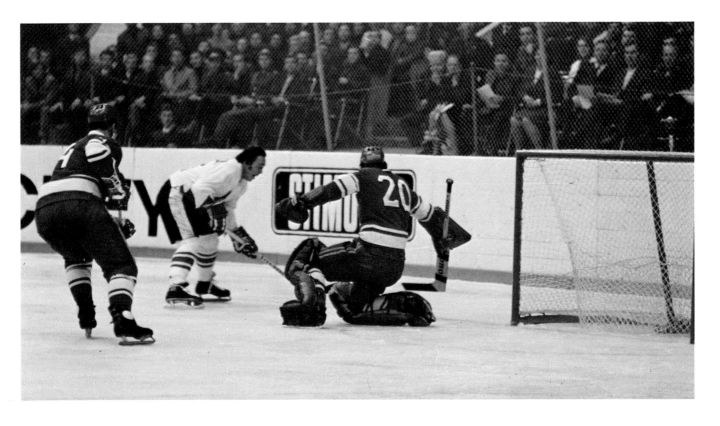

TROIS SYNDICALISTES À L'OMBRE

Une date dans l'histoire du Québec: 1972. Pour la première fois, les trois plus puissantes centrales syndicales s'unissent pour affronter le Gouvernement. La Confédération des Syndicats Nationaux, la Fédération des Travailleurs Québécois et la Corporation des Enseignants du Québec ont décidé de faire front commun face à l'État-patron. Ces trois centrales représentent 210 000 travailleurs des secteurs public et parapublic. La CEQ regroupe la plupart des enseignants du Québec, la FTQ, les employés de l'Hydro-Québec et la CSN, la majorité des fonctionnaires provinciaux.

Marcel Pépin, président de la CSN, aime les foules. Leader naturel, négociateur né, il ressemble beaucoup plus à un syndiqué sorti du rang qu'à un universitaire. Il détient pourtant un diplôme en Sciences Sociales obtenu à l'Université Laval où il a eu comme maître à penser le père Lévesque, premier religieux à avoir osé affronter Duplessis à l'occasion de conflits de travail. Pépin peut négocier pendant des semaines, se priver de sommeil si nécessaire et toujours garder l'esprit lucide.

« Il ne faut pas politiser le syndicalisme, disait-il en 1967, le rôle d'un chef syndical, c'est de revendiquer de meilleurs salaires, de meilleures conditions de travail pour ceux qu'il représente. » Le Pépin d'aujourd'hui n'endosse plus cette affirmation; bien au contraire, il politise tout. Certains de ses syndiqués —pince-sans-rire— songent à lui acheter un costume. Apparemment, il n'en aurait point changé depuis une dizaine d'années.

Le président de la FTQ, Louis Laberge, blague toujours. Plus coloré, et de verbe et de vêtements, que son collègue de la CSN, il n'en prend pas moins son rôle très au sérieux. L'an dernier au

*Ceux par qui le « scandale »
arrive...*

Forum, il lançait comme cri de ralliement: « Il faut casser le régime. » D'abord machiniste à la Canadair, Laberge a dû gravir tous les échelons à l'intérieur de sa centrale. « Je suis moi-même un travailleur, aime-t-il rappeler aux autres chefs syndicaux et à ses troupes. » Il négocie un verre de cognac à la main et offre volontiers la tournée à ses adversaires et aux journalistes.

Originaire de Mont-Laurier, Yvon Charbonneau, président de la CEQ, connaît la pauvreté. Elle a baigné son enfance. Avec ses costumes sombres et tristement coupés, ses cravates ternes, il ressemble bien plus à un ancien clerc qu'au militant de gauche qu'on commence à discerner chez lui en dépit de sa timidité et de ses gaucheries. Il en a surpris plusieurs ces derniers jours en attaquant hargneusement le gouvernement Bourassa et les tribunaux. Ceux-là avaient sans doute oublié que la CEQ prend maintenant position dans tous les débats sociaux, politiques et culturels.

Le 28 mars, les trois centrales déclenchent une grève symbolique d'une journée. Elles récidivent le 11 avril. Illimitée, cette grève n'est toutefois pas générale puisque les employés de l'Hydro-Québec n'y participent pas. Le Gouvernement, après quelques jours d'hésitations, décide de recourir aux injonctions pour forcer les employés des hôpitaux à reprendre le travail. Les chefs syndicaux réagissent brutalement et recommandent à ses travailleurs la désobéissance civile. Pour Bourassa, c'en est trop: il fait voter la Loi 19 qui enlève temporairement le droit de grève dans la fonction publique. Puis, le Procureur général somme les trois présidents à comparaître en justice les accusant d'outrage au tribunal puisqu'ils ont incité leurs membres à résister aux injonctions.

Le local choisi à l'intérieur du Palais de justice de Québec s'avère trop petit et les autorités, à la suite d'un début de bousculade, transportent la Cour dans la vaste salle des sessions de la paix. C'est encore trop exigu et les policiers demandent à ceux qui n'ont pas trouvé de siège de se retirer. Ils s'y refusent. On fait alors entrer 12 agents de l'escouade anti-émeute, casqués, visière baissée et long bâton à la ceinture. Ils ont vite fait d'évacuer les spectateurs récalcitrants mais ils demeurent en place... menaçants. Les trois accusés attendent toujours le juge qui sans doute volontairement, retarde son entrée. « C'est une république de bananes pense Laberge... les tontons-matraque veillent! » Les présidents se consultent de l'oeil. « La moindre réaction de qui que ce soit, et ce sera la violence, précisément ce que nous ne voulons pas. » Et Pépin, Charbonneau, Laberge quittent les lieux; une cinquantaine de partisans les suivent aussitôt.

Les trois chefs à la tête d'une manifestation.

Les travailleurs manifestèrent à plusieurs reprises, mais la grève générale qu'espéraient Pépin, Laberge et Charbonneau pour obliger le Gouvernement à rappeler la loi 19 et à les amnistier, n'eut pas lieu.

Cinq minutes plus tard, le juge Pierre Côté fait son apparition et s'étonne de ne pas voir les accusés. « Nous procéderons sans eux, s'empresse-t-il de dire. » Et en moins d'une demi-heure, tout est terminé. Le procureur de la couronne, après avoir déposé le ruban d'une émission de radio au cours de laquelle Charbonneau invitait les syndiqués à désobéir et la transcription d'une déclaration de Pépin faite devant le juge Pelletier et l'incriminant, termine sa plaidoirie en demandant au juge « d'appliquer la loi selon sa conscience non pas en ayant en vue tellement l'idée de châtiment mais plutôt la nécessité d'affirmer sans équivoque mais avec la pondération qui caractérise les décisions de nos tribunaux, l'obligation du respect des tribunaux » et il conclut en disant qu'ils « se sont rendus coupables à un très haut degré d'outrage au tribunal. »

Le 8 mai, le juge Côté fait lecture d'un jugement de 28 pages où il insiste particulièrement sur le fait que les accusés ont commis leur délit en pleine connaissance de cause. En foi de quoi, il les condamne aux maximum de la peine imposable, soit un an de prison.

Charbonneau, Pépin et Laberge décident de ne pas en appeler en dépit des exhortations de nombreuses personnes dont Bourassa lui-même qui, visiblement, ne semble pas du tout d'accord avec la rigueur de la sentence. Les trois se présentent donc à Orsainville, prison de Québec, et y endossent le costume du bagnard.

Le maigre et grand Charbonneau se retrouve évidemment avec un pantalon trop court. « Enfin tu portes une culotte qui te fait », de dire Laberge à Pépin. Mais il suscite lui-même aussitôt le rire chez les autres en s'affichant avec un « T-shirt » qui ne cache rien de son ventre plantureux. À Pépin qui lui dit: « Je vais relire Jean-Jacques Rousseau« (sans doute pense-t-il au Discours sur l'origine et les fondements de l'inégalité parmi les hommes), Laberge rétorque: « Je me contenterai de lectures obscènes comme le jugement du juge Côté. »

Cette première journée se passe donc sous le signe de la bonne humeur et, même s'il faut dîner à 17h30, personne ne s'en formalise. Force est cependant de constater que vin et cognac ne font pas partie du menu.

Les jours se suivent et ne se ressemblent pas. Pépin, Charbonneau, Laberge, espéraient qu'à la nouvelle de leur incarcération, le Québec entier se mettrait en grève et que le Gouvernement devrait rappeler la Loi 19 et les amnistier. Mais cela ne se passe pas comme prévu. Les travailleurs ne les suivent pas jusqu'à cette extrémité. Et ils doivent se résoudre à en appeler de la sentence pour retrouver leur liberté.

Le 13 novembre, la Cour d'appel du Québec, d'accord avec le représentant du Procureur général, maintient la sentence du juge Côté. Quant à la Cour suprême du Canada, elle juge qu'il n'y a pas matière à révision. C'est donc le 2 février 1973 que Pépin, Laberge et Charbonneau reprennent non sans amertume le chemin d'Orsainville où ils purgent le tiers de leur sentence avant d'obtenir une libération conditionnelle à laquelle le Gouvernement ne s'oppose pas.

Les grilles s'ouvrent, Marcel Pépin est libre...

267

LE TEMPS DE LA COLÈRE

À la fin des années soixante, un peu partout dans le monde, les étudiants se révoltent contre la guerre du Vietnam, l'impérialisme américain et, finalement, l'ordre social en place. La conflagration n'épargne pas les universités québécoises qui auront leur part de feu et de sang. Le moindre désaccord devient prétexte à de violentes échauffourées. Les brigades anti-émeutes attendent, toujours prêtes à riposter...

Rentrée scolaire 1968. Grève dans les CEGEP. Le 22 octobre, les étudiants de l'université Laval organisent une manifestation de soutien. À Québec, ils ne seront que deux cents, scandant des slogans hostiles à la création, toute récente, des CEGEP, réclamant la gratuité de l'enseignement universitaire et le pouvoir dans la rue. Leur petite manifestation manque de puissance. Mais, le même jour, à Montréal, ce sont 7 500 étudiants qui manifestent de la rue Mont-Royal à l'Université de Montréal, sur les mêmes thèmes.

Manifestations pour un Québec unilingue, le 6 décembre 1968.

À l'université Sir George Williams, des étudiants noirs se plaignent dès 1968 d'être victimes de mesures discriminatoires. Début 1969, l'administration décide d'obliger les étudiants jamaïquains à avoir une carte d'identité. C'est la goutte qui fait déborder le vase! Soutenus par des étudiants blancs, les noirs de Sir George Williams protestent et occupent une partie de l'université. Le matin du 10 février, la direction appelle la police à la rescousse. Les étudiants retranchés au neuvième étage, où se trouve le service informatique, repoussent leurs assaillants à la lance d'incendie, empilent des meubles pour bloquer le passage et détruisent un ordinateur. 86 d'entre eux, dont 44 Canadiens et 23 Antillais, seront arrêtés. Les dégâts sont estimés à $2 000 000.

Après l'orage... Du neuvième étage, une pluie de fiches mécanographiques s'est abattue sur la rue Mackay. Les étudiants menaçaient de réduire les ordinateurs en miettes si la police ne quittait pas les lieux.

Évidemment, au Québec ce sont les questions linguistiques et nationales qui soulèvent le plus de remous en cette période de contestation.

Vers la fin de 1968, le premier ministre Jean-Jacques Bertrand dépose un projet de loi visant à protéger les droits linguistiques de la minorité anglophone.

Cette initiative va soulever un tollé général chez les partisans d'un Québec francophone. Au début de décembre 68, le Mouvement pour l'Intégration Scolaire, dirigé par Raymond Lemieux, appelle ses sympathisants à manifester contre le projet de loi. Professeurs et élèves de l'enseignement secondaire et supérieur se retrouvent dans la rue.

L'année suivante, en septembre 1969, de violents combats de rue opposent des manifestants en faveur des « droits linguistiques de la majorité francophone » et d'ardents défenseurs du bilinguisme à Saint-Léonard.

La fin des années 60 voit ainsi s'organiser de tous côtés des manifestations séparatistes et nationalistes.

En mai 1968, le « Train du Centenaire » de la Confédération est vigoureusement accueilli à Montréal... Claude Morin, 29 ans, affirmera à son procès qu'il n'est ni pour la violence, ni séparatiste. Il sera néanmoins condamné à payer $250 d'amende pour avoir blessé un policier de la ville de Montréal avec un morceau de bois. On le voit, sur la photo de la page 268, frapper un membre de la Police Montée qui accompagnait le train.

Le 6 décembre, c'est à Québec que le MIS appelle ses partisans à manifester pour un Québec unilingue. Raymond Lemieux à leur tête, ils sont 3 000 à marcher sur le Parlement, dont des vitres seront brisées à coups de pierres et de boules de neige. Au lendemain de cette journée de violence, René Lévesque désavoue le MIS, qu'il accuse d'être un groupe de « déséquilibrés qui se prennent pour des révolutionnaires ». Le Parti Québécois ne peut cautionner un mouvement qui entraîne des enfants à manifester dans la rue. Cependant, René Lévesque demande au gouvernement de retirer son projet de loi qui est une véritable provocation dans le climat de tension qui règne au Québec sur les questions linguistiques.

Vérifications d'identité, fouilles, interrogatoires.

Voilà quelqu'un qui serait bien surpris d'apprendre qu'il a fait circuler une affiche contestataire, le 22 octobre 1968!

Des policiers en civil viennent d'arrêter un manifestant.

Parmi les manifestants, un séparatis-te qui fera parler de lui deux ans plus tard: Paul Rose.

Le 11 septembre 1969, la police interdit une manifestation du MIS en faveur des droits linguistiques de la majorité, à Saint-Léonard. À la télévision, Raymond Lemieux appelle ses troupes à braver l'interdiction. Près de mille personnes répondent à son appel. Elles vont se heurter à de petits groupes d'immigrants italiens en colère, et à 550 policiers qui les attendent de pied ferme, casqués et blindés! Bombardées de projectiles divers, les forces de l'ordre rétorquent à coups de bombes lacrymogènes. Le centre commercial du Boulevard sera saccagé et une centaine de personnes blessées au cours de cette sanglante échauffourée.

Le monde du travail est également touché par ce vent de folie... Les revendications salariales des syndicats se font plus véhémentes que jamais.

Le 28 octobre 1971, certains employés de *La Presse* se mettent en grève pour obtenir des augmentations de salaire et de meilleures conditions de travail. La direction décide de fermer les portes du journal. Pour protester contre cette décision arbitraire, les deux syndicats, F.T.Q. et C.S.N., appellent tous leurs membres à participer à une manifestation de soutien aux employés mis à pied, le 30 octobre 1971. Au cours de la nuit, cette manifestation qui se voulait pacifique tourne au combat de rue. La brigade anti-émeute charge. La grève ne prendra fin que le 11 février 1972.

Policier en état de choc.

Louis Laberge, président de la FTQ, lance un appel désespéré au calme.

Le soir du 12 mai 1974, une cinquantaine de grévistes de la United Aircraft détiennent en otages des employés à l'intérieur de l'usine. La police de Longueuil donne l'assaut.

À Longueuil, en banlieue sud de Montréal, le 4 janvier 1973, les 2 600 employés de la multinationale *United Aircraft* déclenchent un arrêt de travail, sans se douter que ce conflit durera un peu plus de vingt-deux mois, et presque trois ans si l'on considère la mécanique lente et compliquée du protocole de retour au travail.

Un conflit où des travailleurs ont été congédiés pour activités syndicales et où l'employeur s'est mis l'opinion publique à dos en refusant de reconnaître la formule Rand obligeant les salariés à faire partie de l'unité syndicale existant au sein d'une entreprise.

Pour les Québécois, cette grève passe à l'Histoire au même titre que celles de l'amiante et du textile, si bien qu'en mai 1975, au moment où une cinquantaine de grévistes réussissent à pénétrer dans l'usine, lors d'une manifestation, personne ne peut plus en prévoir la fin.

Le tout se termine d'ailleurs devant les tribunaux pour trente-quatre des occupants et quatre d'entre eux n'obtiennent même pas de cautionnement. Symboliquement peut-être, leur enquête pour l'obtention d'un cautionnement s'instruit, non pas au Palais de Justice, mais aux quartiers-généraux de la Sûreté du Québec, rue Parthenais, un vendredi en fin d'après-midi, et journalistes comme membres de la famille des accusés, doivent quasiment se battre pour se rendre jusqu'au juge.

Même les avocats des prévenus ont du mal à franchir les portes du tristement célèbre 1701 Parthenais. Mais la plupart des chefs d'accusations tomberont et les procès instruits sur certains chefs se terminèrent, règle générale, par des acquittements.

Des employés affectés par la grève, 1 000 ont trouvé un emploi ailleurs, 700 ont continué à travailler pendant le conflit sous la protection de la police ou d'agents de sécurité et 750 sont revenus au travail après la signature de la convention collective.

Un conflit sauvage qui a été qualifié d'« écoeurant », même par beaucoup d'hommes politiques.

Comment transformer un pacifique pot à fleurs en munition.

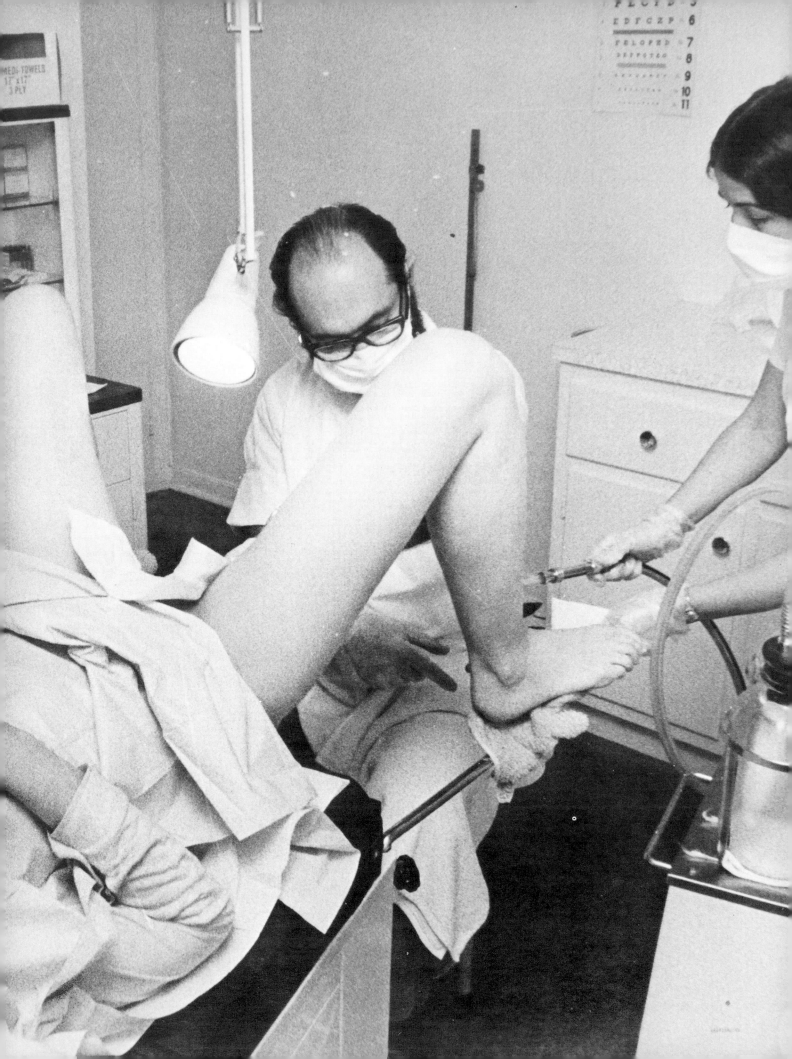

LE SCANDALE MORGENTALER

Parler d'avortement, encore aujourd'hui, c'est ré-ouvrir à chaque fois une plaie qui ne se cicatrise pas. Pourquoi? Parce que, quand il s'agit de donner la vie ou de l'éviter, on entre dans l'illégalité selon les articles 251 et 252 du code criminel sur la loi canadienne contre l'avortement. Qui osera défier ouvertement cette loi? Qui donc choisira d'accorder ou non la vie?...

Morgentaler l'a fait! Il affirmait déjà en 1967 dans un débat public que toute femme devrait avoir la permission de subir une intervention chirurgicale dans un hôpital pour mettre fin à une grossesse au cours des trois premiers mois. C'est à travers la longue lutte de cet homme que nous allons essayer de retracer les dix dernières années face à cet immense problème: l'avortement.

Il ne s'agit pas de démontrer si la loi est injuste ou nécessaire, si l'avortement doit être libre et gratuit, si les comités thérapeutiques composés de trois médecins qualifiés (auxquels d'autres personnes peuvent d'ailleurs se rajouter, dont l'aumônier de l'hôpital) sont justes et efficaces ou si la contraception est la seule solution au malaise qui nous concerne tous. Il s'agit plutôt de poser un regard différent sur le sens de la vie et sa qualité, et la nécessité de l'existence. —« Jusqu'où oser », écrira Morgentaler à la prison de Bordeaux lorsqu'il sera incarcéré. Les raisons et motifs de son emprisonnement? Sociaux et politiques.

À 52 ans, Morgentaler ne peut chasser les souvenirs d'une enfance confisquée. Son enfance et son adolescence se sont déroulées dans un ghetto en Pologne pour se poursuivre à Auschwitz et à Dachau. Élevé dans une famille où on prêchait le socialisme, la justice universelle, la responsabilité envers les autres et le devoir de faire

Celui par qui le scandale arrive...

du bien dans le monde, Morgentaler vivra une enfance de terreur où se trouve la racine profonde et fondamentale de toute la mise en marche de ce que l'on a très vite appelé *l'Affaire Morgentaler.* Quand tout cela a-t-il commencé? D'abord par l'installation au Canada et les premières difficultés réservées à tous les émigrants. Avec effort et acharnement, Morgentaler devient à la fois médecin et citoyen canadien. Pourtant quelque chose lui manque. Il écrira en 1964 ce qu'il ressentait: «Ni extase, ni douleur lancinante, l'événement m'oubliait là... pourvu qu'il ne soit pas déjà trop tard? » Morgentaler est avant tout un idéaliste mais un idéaliste réaliste, c'est-à-dire un homme d'action.

On peut traverser des épreuves aussi terribles sans attendre de la vie la preuve valable du destin. Il dira: « Le fait d'avoir vécu dans un camp de concentration dans ma jeunesse où j'avais vu tant de mal me conférait presque la mission de faire l'abnégation du mal. »

C'est parce qu'il connaît profondément la mort que l'existence doit avoir un sens sacré et plus particulier. « Rien de ce qui est humain ne m'est étranger », dira-t-il, et il sera élu président de la Fraternité humaniste de Montréal. C'est aussi la première fois qu'il s'exposera à la vue du public. Il faut bien se rappeler qu'à cette époque, au Québec, la religion était fortement enracinée et le système d'éducation restait sous l'emprise de l'église catholique.

Morgentaler voulait marquer l'histoire, tout en sachant qu'il ne pouvait rien changer. Ce besoin, cette urgence est compréhensible. Tous ceux qui ont vécu la tragédie de la guerre savent plus intimement qu'ils sont condamnés et que la vie n'est qu'un sursis. Morgentaler le savait plus que les autres autour de lui. La vie présente, réelle, était plus déterminante que la vie étatique. On peut comprendre pourquoi, en pratiquant sa profession, la souffrance des autres le frappait plus brutalement. À cette époque, il vivait dans la plus grande contradiction: il se disait le défenseur de l'humanité et prônait l'avortement. Lorsque des femmes désespérées lui demandaient de l'aide, il sympathisait mais refusait de pratiquer l'avortement alors qu'il s'élevait avec véhémence contre cette loi qu'il disait injuste et inutile.

Comment concilier idéal et pratique? Il faut comprendre qu'il avait acquis, après bien des efforts, le droit d'exercer sa profession et même une réputation dans le milieu où il vivait, et qu'il était marié et père de deux enfants. Pratiquer l'avortement, c'était tout risquer. Pourtant il se sentait solidaire des femmes qui venaient le voir, sachant surtout qu'il avait les moyens de les délivrer.

Face à lui-même, l'idée de lâcheté lui est insupportable et, puisqu'il s'est déclaré publiquement, il doit aller jusqu'au bout. En 1969, il va donc décider, dans sa clinique Champlain de la rue Beaugrand, dans l'est de Montréal, de se consacrer à la planification familiale. Cette époque marquera le destin de Morgentaler et lui fait écrire: « La question est de savoir si ces tragédies sont nécessaires et inévitables ou si nous pouvons y remédier de sorte qu'aucune femme ne s'expose inutilement aux dangers de l'avortement illégal. » C'est là que toute la morale de Morgentaler se situe. Pour saisir sa démarche, il faut retrouver dans son enfance la tragédie de la mort. Ses parents sont morts dans les camps, son frère et lui sont des rescapés de la mort. La vie a donc un prix incommensurable

Certains ne se contentent pas de manifester pour ou contre l'avortement, mais proposent des solutions.

Des catholiques intégristes manifestent devant sa clinique.

pour lui, mais c'est aussi la vie immédiate, pas le devenir: le bien médical qu'il peut procurer aux femmes en détresse. Son idéologie se place à cette dimension. Morgentaler vit une revanche sur l'existence: là où il n'a pu avoir aucun choix, il demande le libre choix.

Il proclame en 1972: « J'ai horreur de tout ce qui opprime la vie humaine, de la pauvreté aux lois sur l'avortement. » Il est certain que Morgentaler pense réellement ce qu'il dénonce. Il porte en lui la souffrance des femmes parce qu'il se voit comme le défenseur invulnérable de l'Humanité.

En 1972, il y eut plus de 120 000 avortements clandestins (sans compter les canadiennes qui vont se faire avorter à New York où l'avortement est légalisé) et seulement 30 000 avortements sous l'égide du Bill Omnibus. Les journaux titrent: « Morgentaler sera le premier médecin à utiliser la méthode d'aspiration sous vide au Canada — Le procès Morgentaler s'engage — La loi sur l'avortement est jugée constitutionnelle — Le docteur Morgentaler reconnaît qu'il pratique une moyenne de 12 avortements par jour. »

Morgentaler demande alors au ministre des Affaires sociales d'approuver sa clinique pour fin d'avortement dans le cadre de la loi canadienne actuelle. « Je ne suis pas en faveur de l'avortement, explique-t-il, je suis en faveur des moyens contraceptifs mais il ne sert à rien de nier l'évidence... »

Cette fois-ci, celui qui se croyait à l'abri de la loi, protégé par ses convictions, par la justesse de son raisonnement, va déclencher son propre malheur. Pourquoi va-t-il défier ainsi la justice? Parce qu'il se croyait le porte-parole de l'Humanité? Que cherche-t-il à travers cette longue marche difficile? Le 6 avril 1973, le docteur Morgentaler soutient qu'il ne regrette rien et que l'important pour l'État est de s'assurer que les avortements se font dans les meilleures conditions médicales possibles.

C'est l'arrestation! Mais il faut aussi tenir compte du soulèvement des foules. Cette vaste campagne contre l'avortement représente un danger pour la profession, pour l'État et aussi pour la société. Morgentaler, âgé de 49 ans, est accusé d'avoir pratiqué un avortement sur la personne d'une femme de Québec pour la somme de $300. dans sa clinique de la rue Beaugrand, le 20 janvier 1971.

Il sera pourtant acquitté par un jury composé de onze hommes et une femme. Après un acquittement qui lui fait croire que la justice triomphe, il aura la surprise de se voir appeler en cour d'appel et les journaux titrent le samedi 27 avril 1974: *Morgentaler avait été acquitté par erreur.* En effet la cour d'Appel du Québec a décidé à l'unanimité que l'acquittement par 12 jurés du docteur Morgentaler le 13 novembre dernier était le fruit d'une erreur de droit commise par le juge lors du procès et elle a remplacé le verdict d'acquittement par un verdict de culpabilité sans ordonner un nouveau procès. Ceci est sans précédent. Il ira donc en Cour suprême. Verdict: 18 mois de prison.

L'affaire Morgentaler fait la une des quotidiens. « La loi est injuste et cruelle », déclare-t-il le 6 mai 1974. On l'incarcère neuf jours après à la prison de Parthenais.

À la suite de cet emprisonnement, une trentaine de femmes forment un comité pour la défense de Morgentaler et défilent devant le palais de justice en proclamant: « En condamnant ce médecin, c'est à la liberté des femmes qu'on s'attaque. » Pour la Couronne, Morgentaler est indigne de sa profession. Le 24 mai 1974, Morgentaler est libéré sous caution. Son seul commentaire sera: « La répression laisse la voie aux charlatans. »

Il sera libéré sous caution à condition de ne pratiquer aucun avortement avant qu'il ne soit statué en dernière instance sur son cas. Il se trouve donc libéré, mais pieds et poings liés. C'est le moment qu'il choisit pour dénoncer les conditions de vie dans le système carcéral. Mais que va-t-il devenir durant cette période d'inaction? Pourquoi cet étranger s'est-il mis au service des autres? Comment situer cet homme? En fait, qui est Morgentaler? Anarchiste? Possible. Naïf? Sûrement. Prétentieux? Sans doute, puisqu'il croyait changer les choses. Généreux? évidemment: le remerciement de ces femmes qui avaient besoin de lui devait

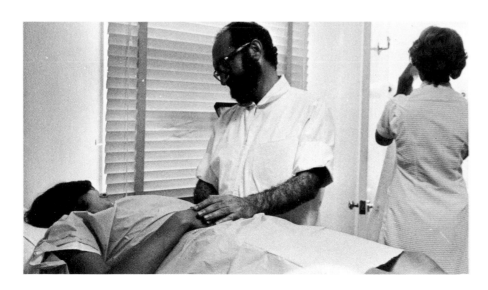

Le docteur Morgentaler avec une de ses patientes, après « l'opération ».

283

Septembre 1973. Le docteur Morgentaler est arrêté à la sortie de sa clinique.

souvent lui servir d'honoraires. Affamé de publicité? Comment ne l'aurait-il pas été, lui qui n'a appris qu'une chose dans son enfance: croire et se taire. Idéaliste? Peut-être puisqu'il croit à la bonté des hommes. Revêche? Possible face à ceux qui s'opposent à lui. Profondément humain? Oui. Quand on a souffert au-delà de la vie et de la mort, quand on a le regard chargé de la misère des autres, il est impossible de n'être pas humain. Malin? Sûrement, car il faut être très intelligent pour défier les lois, prendre sa revanche publiquement. Audacieux? Oui, car il a tout risqué aux yeux du monde.

Septembre 1976. À sa sortie du Palais de Justice, le docteur affiche sa double victoire.

« Je me sentais castré, expliquera-t-il, on m'empêchait de pratiquer l'avortement même si les gens me suppliaient encore de dispenser mes services. On m'empêchait de gagner ma vie... »

Après une longue attente où il se croit sûr de gagner, on lui apprend que l'appel a été rejeté. Morgentaler est stupéfait. « Il faut maintenant que je purge une peine d'emprisonnement de 18 mois non parce que j'ai commis un crime mais pour m'être soucié des autres! » Pour la première fois dans les annales canadiennes, un accusé acquitté par un jury de ses pairs essuyait l'infirmation de cet acquittement par une cour d'appel sans que soit ordonné un nouveau procès. Le 27 septembre 1975, après avoir purgé le tiers de sa sentence de 18 mois, Morgentaler est admissible à la liberté surveillée et l'on déclare devant lui: *Morgentaler n'aurait jamais dû être emprisonné.* La justice n'avait pas dit son dernier mot; voilà qu'on l'accuse de fraude fiscale. Tous ses biens sont confisqués. Il retourne en prison et l'histoire se poursuit jusqu'à aujourd'hui...

Cependant, dans la province de Québec, les gens ne voient plus l'avortement comme il y a dix ans: c'est le changement le plus marquant. Si l'affaire Morgentaler a été le déclencheur des revendications publiques, du droit au libre choix pour la femme, la page d'histoire se referme sur le visage d'un homme au regard inquiet mais confiant. Si l'histoire est une épreuve, tous ceux qui la traversent en sont concernés...

On fête l'acquittement entre amis.

QUAND LE BÂTIMENT VA, TOUT VA

On ne choisit pas toujours son moyen pour passer à la postérité: ainsi Robert Cliche, ce Beauceron souriant, fin lettré, esprit attachant, qui aurait bien cru —en vain— réussir en politique (il se présenta cinq fois aux élections et fut cinq fois battu!) ou en littérature, ne se serait jamais douté qu'un jour il entrerait dans l'histoire du Québec par le biais d'une commission qui fit beaucoup de bruit, d'un rapport qui causa beaucoup de hurlements et d'injures de toutes parts. Lui qui était ami avec tout le monde! Pourtant, si l'affaire ne tourna finalement pas au désastre, ce fut justement grâce à lui, parce que les gens l'aimaient bien.

Pour lui et pour ses compagnons, l'aventure commença le 5 mai 1974, lorsque la Commission Royale d'Enquête sur la liberté syndicale dans la construction fut assermentée. Autrement dit, la commission Cliche...

Mais tout d'abord pourquoi cette commission?

Il faut dire que, depuis quelques années, dans les métiers de la construction au Québec, tout n'allait pas pour le mieux dans le meilleur des mondes. Question relations de travail, c'était la pagaille et la foire d'empoigne, aggravées par le fait que les centrales syndicales se livraient, chantier par chantier, à une bataille féroce pour conquérir les adhérents. Féroce est presque un mot faible: au moment du maraudage les conversions se faisaient facilement à bâtons rompus et à bras raccourcis entre principalement la C.S.N. et la F.T.Q., cette dernière essayant d'avoir le monopole de la représentation.

C'était encore pire quand un conflit éclatait dans les chantiers

Le 5 mars 1975, à la barre des témoins, Louis Laberge de la F.T.Q., pointe un doigt accusateur sur ses juges.

*Un autre témoin de la F.T.Q.-
Construction: Sylvio Mantha, qui
avait trouvé un emploi au Zaïre. Il
fut rappelé et condamné pour le
rôle qu'il avait joué dans le
saccage de la Baie James.*

éloignés: à Baie Comeau, il y avait des batailles rangées; au Mont-
Wright, un léger différend avec la direction avait causé l'incendie
des bâtiments, mais le comble fut atteint lors de l'affaire de la Baie-
James.

La Baie James, c'était « le projet du siècle », l'enfant chéri du
gouvernement Bourassa. Sauf que tout n'allait pas pour le mieux
sur les chantiers, non seulement entre patrons et syndicats, mais
aussi entre centrales syndicales. Au bout de quelques accrochages
sérieux, l'anarchie commença lorsque le 20 et 21 mars 1974, entre
autres pécadilles, un bulldozer conduit par un certain Yvon
Duhamel qui était représentant du local 791 (Union des Opérateurs
de Machinerie Lourde) défonça deux groupes électrogènes de 800
watts au chantier LG 2. Du coup, la compagnie suspendit ses
travaux et évacua tout le monde. Cela fit grand bruit, à travers la
province. Cette fois-ci, il fallait que le gouvernement intervienne.

C'est pourquoi Jean Cournoyer, ministre du Travail, annonce la
création d'une commission d'enquête sur la construction. Tel
Salomon, pour assurer la crédibilité de celle-ci, il décide qu'elle sera
formée d'un représentant patronal, d'un autre syndical et dirigée
par une personnalité au-dessus de tout soupçon.

Les ennuis commencèrent. Car, si pour le représentant patronal il
n'y eut pas de problème (Brian Mulroney, avocat spécialiste dans
les négociations collectives faisant parfaitement l'affaire), l'os se

trouvait dans le choix du représentant syndical. Pas question de choisir dans la FTQ ou dans la CSN qui font partie des adversaires. Pas question non plus de le prendre dans la petite CSD, considérée comme traître par la CSN, et ridicule par la FTQ! Il fallait donc faire appel à la C.E.Q. laquelle n'était pas chaude pour se mêler d'une affaire qui allait forcément mouiller le monde syndical. On songea donc à Raymond Laliberté, ancien président de cette centrale de professeurs, mais fort opportunément pour lui, l'Université Laval ne lui accorda pas le congé qui était nécessaire. De peine et de misère, après quelques torsions de bras en coulisses, on obtint Guy Chevrette, vice-président de la C.E.Q. Avec le juge Robert Cliche, tout ce beau monde se trouva assermenté devant le juge en chef Gilles Deschênes, le 5 mai 1974.

On fixe les premières auditions publiques au 16 septembre, et la commission, commence tranquillement à enquêter.

Tranquillement, c'est beaucoup dire. Tout d'abord parce que des faits commencent à sortir dans les journaux. On prétend même que certaines personnes impliquées sont au mieux avec le gouvernement! Ensuite parce que sous la houlette d'André « Dédé » Desjardins, président de la FTQ-Construction, à la suite d'un incident, on assiste à un débrayage quasi général sur les chantiers, le 12 juin. On recommence même les bagarres avec les gars de la CSN, vu que, les contrats expirant, on est dans la période de maraudage! Enfin, dernier coup, les vacances dans la construction étant du 1er au 15 juillet, au bout d'une semaine de grève, Dédé Desjardins, en compagnie d'une cinquantaine d'amis, vient persuader le bureau de la Commission de l'Industrie de la Construction d'émettre les chèques de vacances tout de suite. Comment dire non à ces gentils garçons qui font tous 6 pieds ou plus, et qui sont bâtis comme des portes cochères?

Enfin, lors de l'enquête sur les incidents de la Baie James, le coroner Cyrille Delage, en faisant son rapport, établit des accusations, mais il a le malheur d'émettre quelques recommandations, à propos des bureaux de placement syndicaux. Fureur du ministre du Travail, Cournoyer, qui déclare: « Qu'il se mêle donc de ses affaires! »

Ayant parcouru les chantiers tout l'été, la commission Cliche se met à siéger en septembre. Pianissimo d'abord pour aller ensuite à une allure folle.

On commence par les hors-d'oeuvre: une association patronale déclare qu'elle est prête à accepter le monopole syndical sur chaque

Robert Meloche, également condamné pour le saccage de la Baie James, et Sylvio Mantha, ne comptent pas que des amis, ainsi qu'en témoigne ce billet doux (anonyme...) expédié quelques jours avant Noël 1974.

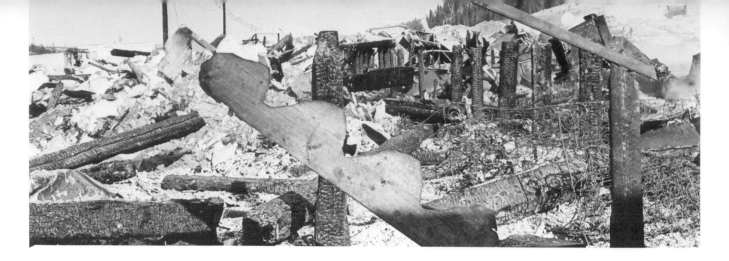

*Saccage à la Baie James...
Vestiges fumants d'un dortoir
incendié par des travailleurs en
colère à LG-2, en mars 1974.*

chantier, mais à la condition qu'on abolisse les bureaux de placement syndicaux. Le bal s'ouvre avec la Société de la Baie James, le 17 septembre. Tout d'abord, elle donne le chiffre du coût de la petite sauterie du 21 mars: 35 millions. Ensuite, elle prétend que des délégués syndicaux extorquent jusqu'à $900 par semaine, que l'on en paye certains qui ne travaillent pas, pour avoir la paix, d'ailleurs « attendez le rapport de la police ». Du coup, la FTQ hurle à la répression policière! Le 19, on apprend qu'un fonctionnaire du ministère du Travail « marche » avec la FTQ. Ça commence à sentir mauvais. La FTQ qui n'était peut-être pas tout à fait au courant de ce qui se passait dans sa branche construction, s'engage, le 20, à remettre des dossiers à la commission.

La coupe commence à déborder: on apprend qu'un délégué syndical, impliqué dans l'affaire de la Baie James, aurait été un honorable travailleur d'élections d'un député libéral de la rive sud. Il serait bien venu témoigner mais on lui a trouvé du travail... au Zaïre! C'est loin l'Afrique! Autre coup du sort, les associations patronales mettent en cause la Commission de l'Industrie qui est l'organe paritaire, parce que grâce à Jean Cournoyer, disent-elles, c'est la FTQ qui fait la loi. Le lendemain, la CSN soumet un mémoire, par le biais de Michel Bourdon et Me Clément Richard qui fait quelques déclarations croustillantes. Le 25 septembre, les journaux y vont gaiement: il existe une « armée de la FTQ-Construction » qui terrorise les chantiers. On commence à demander la démission de Jean Cournoyer.

Chaque jour, cela prend un peu plus d'ampleur: on donne des exemples d'usure sur les chantiers. Jean Cournoyer refuse de démissionner et s'offre à témoigner. Le 28 septembre, les manufacturiers, qui, semble-t-il, n'avaient rien à voir dans l'affaire, dénoncent: chez nous aussi, des délégués syndicaux pratiquent le taux usuraire! Enfin le lendemain la Québec Cartier Mining déclare que si le gouvernement n'agit pas, elle sera obligée de « reconsidérer » les investissements qu'elle s'apprête à faire sur la Côte Nord et qui se montent à un nombre respectable de millions de dollars, sans compter les nouveaux emplois.

Non seulement, on est en pleine crise politique, mais tous les jours la commission Cliche remplace les faits divers! Heureusement, car Robert Bourassa, bien qu'il déclare avoir totalement confiance en son ministre, sent que sa crédibilité s'effrite en dépit, ou peut-être à cause, de ses 102 députés sur 110. Dans les journaux, les lettres des lecteurs le traitent de vendu et de pourri!

On ne parlera plus tellement de la liberté syndicale. Surtout quand on apprend, le 7 octobre, que Canadian Liquid Carbonic a versé, le 27 mars, $38,500 à l'Association Sportive des Plombiers, local 144, le fief de Dédé Desjardins, pour ne pas « avoir d'histoires » à propos de marchandises provenant de l'Argentine. Enfin on tombe dans le film de gangsters (mais hélas bien réel) quand on publie les transcriptions de conversations téléphoniques entre Dédé Desjardins et un fonctionnaire. Ajoutons que le juge Cliche proteste parce que des témoins ont été menacés de mort, et que l'on découvre, toujours par la voie des journaux, que les histoires de fiers-à-bras, dans la construction, sont monnaie courante.

André « Dédé » Desjardins, président de la F.T.Q.-Construction, reste sans doute convaincu que la fin justifie les moyens!

Le public commence à être blasé. La commission termine ses auditions début mars 1975. Ce qui ne signifie pas la fin de ses malheurs: Laberge, de la FTQ, traite le juge Cliche de « clown », et début mai, avant le dépôt officiel du rapport en public, une « fuite » que l'on soupçonne d'être organisée, révéle dans les journaux quelques-unes de ses recommandations, ce qui permet au ministre d'avoir, avant la lettre, quelques réactions. Finalement, le rapport est déposé le 7 mai 1975.

Ainsi finit la commission Cliche.

Plus tard, il y eut des lois, des procès, des commentaires, de nouvelles institutions et de nouvelles bagarres, mais bénignes. On peut aussi penser qu'une certaine partie de l'électorat, qui avait été révoltée par toute cette affaire, s'en est souvenue un certain 15 novembre. Au moins dans le comté de M. Cournoyer, qui ne fut pas réélu.

Les membres de la commission d'enquête remercient et félicitent Julien Masse qui fut un des dirigeants du syndicat pour son courageux témoignage, à propos des prêts à taux usuraires.

Mais on comprendra que, son rapport déposé, le juge Robert Cliche, fatigué, écoeuré, se refusant à toute déclaration, partit clandestinement se reposer aux Bahamas. Hélas, pas longtemps! Les journalistes le retrouvèrent!

Ironie du sort: ce rapport, bien malgré lui, fut en quelque sorte le best-seller de sa carrière d'écrivain: il s'en vendit 45 000 exemplaires!

L'IVRESSE DE LA SUPER FRANCO FÊTE

Sac à dos ou couverture roulée sur l'épaule, les « pouceux », les « auto-stoppeurs », attendent, un peu avant l'entrée du pont Jacques-Cartier, à Montréal.
— Vous allez à Québec? Allez, embarquez! Toi aussi, embarque! y'a de la place en masse!

Ils se sont entassés dans le mini-bus Volkswagen, un français, deux québécois et un africain.

— D'où viens-tu, toi?
— Du Sénégal!
— J'ai des « chums » qui sont partis hier... Ils ne voulaient pas manquer la cérémonie d'ouverture! Moi, t'sais, les cérémonies...
— Il paraît que c'était pas mal beau à voir!
— Oui, on m'a dit ça... les costumes, le défilé, les danseurs africains...
Notre nouvel ami sourit.
— Moi, j'aurais bien aimé voir les parachutistes descendre sur les plaines d'Abraham!
— T'es déjà allé à Québec?
— Non! J'ai écouté la radio!
— Il y a eu une manifestation, à ce qu'il paraît?
— Oui, Trudeau a dit que les québécois ne voulaient pas souhaiter la bienvenue aux délégués étrangers!
— Tu n'as pas cru ça, j'espère?
— Non, non, bien sûr... Mais qu'est-ce qu'ils voulaient exactement?
— Exactement? L'indépendance du Québec! C'est le drapeau canadien qu'ils ont hué! Et Robert Bourassa...
— Mais pourquoi? C'est votre premier ministre?

Les bergers landais s'élancent à la conquête du Québec.

Au premier rang des spectateurs, un premier ministre souriant.

Joie de la fête, ivresse de la danse.

La délégation vietnamienne.

— Oh! Ils ont raison; il défend pas les intérêts du Québec. C'est un traître... il protège les intérêts canadiens... »

Quand nous sommes arrivés à Québec même, il y avait tellement d'embouteillages que les autos roulaient au pas. Il faisait chaud. On se parlait d'une file à l'autre, par les vitres baissées.

— Et pis, c'était-tu beau tantôt?
— As-tu vu le défilé, toé? »

Les enfants apprennent la poterie.

D'une vieille Ford rouillée, une vraie « minoune », une jeune barbu nous a passé un « joint », la cigarette de l'amitié, le « pot », la marijuana. Tout simplement, comme ailleurs dans le monde on offre le thé à la menthe, un verre de vin ou une bière. Comme, à une autre époque, dans le village indien d'Hochelaga, on nous aurait peut-être invités à fumer le calumet de la paix.

En ce soir du 13 août 1974, Québec est la capitale de la francophonie! Tout ce monde est venu pour assister au spectacle d'ouverture du Festival International de la Jeunesse Francophone! Il y a des centaines de journalistes en quête de gros titres. Demain l'événement fera la première page de bien des journaux dans le monde, et pas seulement de journaux français! Mais surtout, il y a des milliers et des milliers de jeunes, jeunes de coeur et jeunes tout court! 125 à 150 000, d'après les spécialistes en comptage de foules.

Nous nous sommes glissés jusque sur le côté de la grande scène en plein air qui ressemble à une conque gigantesque, avec, très loin derrière, les lumières sur le fleuve Saint-Laurent.

Papa, emmène-nous à la fête...

— Lâche-moi pas la main, on va s'perdre!

La grâce et la beauté des danseuses sacrées du Cambodge.

Nous sommes tassés, pressés le long des barrières de sécurité par la masse des spectateurs. J'étouffe un peu. Soudain, une clameur immense s'élève. 150 000 personnes? Je ne suis pas très douée pour ce genre d'estimation! Mais j'ai le sentiment de participer à un événement, une sorte de communion universelle, le dernier des grands festivals « pop », un « Woodstock » placé sous le signe de la francophonie sans frontières! Et je sais que je ne suis pas la seule à prendre conscience de cette force. Tous les autres, venus d'un peu partout dans la province, mais aussi des quatre coins du monde, se sont levés d'un seul coeur pour acclamer l'entrée en scène de trois grosses, trois énormes vedettes...

Il y là le vieux loup, Félix Leclerc, le père, l'ancêtre, 60 ans. Le renard de Natashquan, au faîte de sa carrière, Gilles Vigneault, 45 ans, et le lion à crinière bouclée qui a encore la fougue de ses débuts, Robert Charlebois, 30 ans. Trois générations de la chanson québécoise, qui lancent en choeur « Quand les hommes vivront d'amour, il n'y aura plus de misère... » Je n'ai pas tout vu, mais j'ai tout entendu... J'étais tout près des gigantesques colonnes de son. D'autres, au loin, se sont plaints de ne pas avoir bien vu les

chanteurs. Seuls, les prévoyants, qui étaient venus s'installer juste en face de la scène bien avant l'heure du spectacle, n'en ont rien perdu. Mais tout le monde se sentait vidé et comblé à la fois, lorsque les feux de la rampe se sont éteints vers 23h30. Vidé d'énergie d'avoir tant applaudi et crié, et comblé d'avoir assisté à un vrai spectacle, d'avoir participé à une grande fête de paix et d'amour. Repu, on s'éloigne doucement, pour ne pas briser le charme; on s'assied dans l'herbe. C'est un peu dommage qu'il y ait tant de boîtes de bière vides... mais déjà l'équipe « coup de balai » s'est mise l'oeuvre.

Pendant ce temps, dans leurs loges, les artistes reçoivent la visite des premiers ministres du Québec et du Canada. Pierre Trudeau tend une main amicale à Robert Charlebois: « T'es pas un gars ordinaire, toi! » La réplique de Charlebois ne se fait pas attendre: « Vous non plus, vous n'êtes pas un ministre ordinaire, mais lui, par exemple... », sourit-il, narquois, en désignant Robert Bourassa.

Dehors, les premières fusées du feu d'artifice sont lancées. Le ciel de la vieille capitale s'embrase de gerbes d'étoiles filantes, dont le reflet réveille le grand fleuve endormi. C'est le dernier sursaut d'euphorie avant la nuit. Il n'y a plus un seul lit disponible dans les hôtels ou les auberges de jeunesse. Plus une chambre à louer. Nombreux sont les habitants de Québec qui ont fait une place sur le tapis du salon à des amis de passage, cette nuit-là. Mais il faisait doux, alors d'autres ont choisi l'herbe des plaines d'Abraham pour y planter leur tente ou y dérouler leur « sleeping », leur sac de couchage. Les Camerounais, les Togolais, les Acadiens, les Tunisiens, les Laotiens, les Vietnamiens, les Sénégalais, les Haïtiens, etc., tous les délégués des vingt-quatre pays francophones invités par l'Agence de Coopération Culturelle et Technique, seront hébergés à l'université Laval. C'est le lendemain que leur spectacle à eux va commencer. Pendant douze jours, ils vont devoir faire la démonstration de leurs multiples talents.

Dans ma tête, les souvenirs se bousculent! Il se passait tellement de choses en même temps. Jamais, depuis, je n'ai vu autant de monde dans les rues de Québec, autant de visages souriants! Pas même aux beaux jours du Carnaval ou des autres festivals d'été. Un soir, au Biarritz, on faisait la queue pendant un quart d'heure, une demi-heure avant d'avoir une place —j'ai partagé la même table que trois Canadiens anglais, qui étaient venus exprès pour la Super-Francofête. Ahurie, incrédule, je n'ai pu cacher mon étonnement:

Banderolle inquiétante qui veut illustrer ce que va devenir le français dans la belle province, si la loi 22 n'est pas abolie.

Les spectacles spontanés dans la rue, un des charmes de la francofête.

Robert Bourassa, admiratif, devant la jeune Afrique qui danse.

Faites votre totem vous-même...

— Vraiment? Toronto?

— Il y a des gens qui viennent de beaucoup plus loin! »

(J'ai pensé: c'est vrai! Mais en ce moment l'Ontario me paraît presque plus loin que le Laos ou le Cameroun... Des anglophones ici, c'est le monde à l'envers!)

« — Vous ne vous sentez pas un peu perdus?

— C'est une bien belle fête!

— Vous ne vous êtes pas fait agresser? » Cette question, qui me brûlait les lèvres depuis le début de la conversation et que je ne

Visages renfrognés... C'est déjà fini!

Les joyeux représentants de la Belgique.

Atterissage sur les plaines d'Abraham.

L'apothéose. Un gigantesque feu
d'artifice.

savais pas comment amener, les fait rire de bon coeur. L'heure n'est
pas à la guerre, mais à la joie. Au total, la société d'Accueil du
Festival estime que l'ensemble des festivités a attiré 800 000
personnes. Il y a tous ceux qui ont pu rester et vivre pleinement ces
douze jours de liesse, de libations, de délire parfois, et ceux qui ont
dû se contenter d'y goûter du bout des lèvres, le temps d'une heure
de pose à midi ou d'une fin de semaine. Et on ne déplore à peu près
aucun incident fâcheux. Ici et là une manifestation séparatiste, une
autre fédéraliste, se perdaient dans la foule. Le soir, ils rangeaient
leurs banderoles pour assister aux mêmes spectacles.

Un après-midi, je me suis assise au pied d'un érable dans le parc des
Gouverneurs. Il faisait merveilleusement beau. Des gens avaient
sorti des flûtes, une guitare, une « musique à bouche » (un
harmonica). Le spectacle, c'était aussi les spectateurs qui le
donnaient. Inconsciemment, fascinée, j'observais une grande fille
noire au corps de panthère qui dansait toute seule, au rythme de la
musique improvisée. Personne ne la regardait vraiment. Elle
dansait pour elle-même, exclusivement, et elle semblait dire: « Je
suis bien dans ma peau! », exprimant ainsi, par sa danse, ce que
tout le monde sous les arbres devait ressentir.

J'étais allée au village des arts. Vingt-cinq pays, dont le Québec, y étaient représentés par cinquante artisans. Les africains remportaient un franc succès. J'avais remarqué les potiers, parce que les enfants, torse nu (heureusement!) avaient mis la main à leur pâte... jusqu'aux coudes! « C'est pas tous les jours qu'on a le droit de jouer dans la *bouette*! » Deux jeunes femmes écoutaient un tisserand gabonais leur décrire les plantes, les couleurs, les techniques traditionnelles de son lointain pays, qui, par lui, prenait forme, réalité. Et, à leur tour, elles lui expliquaient que, chez elles, elles tissaient la laine de leurs propres moutons, la cardaient, la filaient, la teignaient avec leurs propres teintures, qu'elles faisaient elles-mêmes en s'inspirant des méthodes indiennes, à partir d'écorces d'arbres, de fleurs, de pelures d'oignons, d'insectes... Elles ont dû rester des heures. Je ne serais pas surprise qu'elles soient allées faire un tour en Afrique, ou, tout du moins, qu'elles rêvent encore d'y aller.

Un symbole...

Partout, on s'échangeait des souvenirs. Certains vendaient des bijoux libanais ou tunisiens ou des boubous africains. D'autres tentaient de les échanger contre une montre ou un appareil photo. « Non? Tant pis! » Ils n'insistaient pas. Une Québécoise essayait de troquer son petit instamatic contre l'arc d'un Togolais, qui lui

expliquait que c'était impossible: cet arc lui venait de son père, qui l'avait lui-même reçu de son père...

J'avais repris mes pérégrinations. J'aimais me sentir seule, spectatrice de toute cette foule qui me frôlait, m'effleurait, sans me voir. J'aurais voulu tout voir, tout toucher, les étoffes bigarrées, les bijoux, le cuir, le bois, la terre, et puis tout entendre, les spectacles improvisés comme les spectacles officiels. C'était de la folie!

J'ai donc continué ma quête au hasard. Une fois, j'avais regardé des Belges montés sur de hautes échasses se livrer un combat impressionnant, cherchant à se renverser en jouant des coudes et du bâton! Une autre fois, je m'étais exercée au tir à l'arc... sans grand succès, si ce n'est que j'avais réussi à faire rire ceux qui étaient plus doués que moi! Et moi qui ai horreur du sport en chambre, assise dans un fauteuil, j'avais assisté avec plaisir à des démonstrations de lutte. Il y avait eu les Africains, bien sûr. Tout au long des festivités ils se sont taillés la part du lion, attirant des foules de spectateurs. Mais aussi, peut-être moins remarqués, des lutteurs vietnamiens, munis de bâtons de bambou, dont ils se servaient pour pousser leur adversaire à l'extérieur d'un cercle tracé sur le sol. Je les regardais évoluer comme des danseurs, souples et rapides. Je suivais ces compétitions avec plaisir. Il me semblait que les athlètes n'essayaient pas tant d'être les meilleurs, que d'être détendus, souriants, beaux. Le sport redevenait ludique, retrouvait sa source première, le jeu. Tous les concurrents recevaient une médaille pour leur participation.

Au Jardin Grande Allée, perchés sur des échasses, des acrobates gabonais présentaient un numéro avec des serpents. Mais ni les uns, ni les autres n'arrivaient à se concentrer, tant l'enthousiasme des spectateurs s'exprimait bruyamment. Certains allaient jusqu'à monter sur la scène pour voir ça de plus près! Finalement, la police avait dû intercaler des barricades entre les exécutants et leurs admirateurs excessifs!

Comme 5 000 autres, j'avais assisté sous la pluie —la seule dont je me souvienne durant ces douze jours— au spectacle national du Mali. J'étais même allée m'enfermer dans une salle noire, alors que le soleil brillait encore haut et chaud, pour voir des films qui parlaient de médecine traditionnelle arabe ou qui présentaient des griots africains. J'avais ri de voir les jeunes fous de la « Bibitte à Roche », des comédiens québécois, faire leurs « chiens savants », le dimanche après-midi.

Et puis, complètement épuisée, j'étais venue m'asseoir au pied de cet arbre. Je regardais le fleuve. Je ne cherchais plus à savoir ce qui se passait, où était le prochain spectacle « à ne pas manquer ». Brusquement, j'entendis des applaudissements derrière moi! Richard et Marie-Claire Séguin, accompagnés de Yama-Mech, un merveilleux chanteur africain, venaient de monter sur le podium de la place des Gouverneurs. Le spectacle était partout! Impossible de lui échapper. Il restait plusieurs jours de fête. Je me suis laissée porter au gré des notes de musique et des sourires. J'ai chanté, j'ai dansé. Nous n'étions plus six millions de francophones, un tout petit peuple égaré, entouré de 260 millions d'anglophones. Nous faisions partie d'un tout, d'une communauté immense, dont les membres disséminés aux quatre coins du monde avaient rendez-vous à Québec pour sceller leur fraternité dans la joie.

LA CRISE DE LA LOI 22

On ne saurait contenter tout le monde et son père. Pour avoir oublié ce précepte de la sagesse populaire, le gouvernement libéral de monsieur Bourassa va plonger la province de Québec dans la rogne, la hargne et la grogne pendant deux ans, et va y laisser sa peau un peu plus tard. Pendant tout son règne, un seul mot va déclencher la bagarre: la loi 22!

Mais commençons par le commencement. Au départ, tout semblait facile. Le gouvernement de monsieur Robert Bourassa venait d'être reporté au pouvoir avec une majorité jamais vue, dans la province, même aux temps légendaires de monsieur Duplessis: le 29 octobre 1973, il se voyait réélu au pouvoir avec 102 sièges sur 110, les miettes restantes allant au P.Q. (6 sièges) et au Crédit social (2). Ceci, grâce à la répartition des votes: en effet, le P.Q. avait obtenu 30% des voix pour ces 6 sièges. Mais enfin, le pouvoir c'est le pouvoir! L'Union Nationale semblait morte et enterrée. Il faut dire que depuis la loi 63 de feu Bertrand, qui avait officialisé les deux langues dans le Québec (et qui lui avait coûté le pouvoir) le diable était dans la cabane lorsqu'on parlait des langues. À tel point, que monsieur Bourassa avait nommé une commission d'enquête en 1971 sur l'état de la langue française au Québec: la Commission Gendron. Elle remit son rapport le 31 décembre 1972. Force est de dire qu'il n'était guère réjouissant. À son sens, l'immigration aidant, la langue française était en péril, il fallait donc prendre des mesures urgentes, assurant le français comme langue de travail, et surtout pousser, ou inciter, les immigrants à envoyer leurs enfants à l'école française.

S'il est vrai que l'on gagne mieux son pain en anglais au Québec, il est bien évident que le français y perd: à preuve, certains francophones envoient leurs enfants à l'école anglaise.

En septembre 1975, sur les ondes de la station anglophone CFCF, l'animateur John Robertson, le député libéral Georges Springate et le journaliste Georges Sinclair sont réunis dans le cadre d'une émission spéciale contre le bill 22.

Dans le hall d'entrée de CFCF, des employés recueillent les signatures pour une pétition contre le bill 22 du gouvernement libéral.

Fort sagement, le gouvernement Bourassa se déclara fortement intéressé par le rapport, promit de l'étudier, de prendre des mesures, et laissa traîner les choses en longueur. Or, pour battre le P.Q., lors des élections on prit le thème de la souveraineté culturelle. On promit certains aménagements, en fonction du rapport de la commission, sans trop entrer dans les détails. Ce qui prouve qu'en temps d'élections, on parle toujours trop!

Néanmoins, une fois la reprise de la session, le gouvernement Bourassa, qui se devait de faire quelque chose, déposa un projet de loi —le fameux bill 22— qui, tout en déclarant la langue française « officielle », reconnaissait deux langues nationales. Des mesures étaient préconisées pour que la langue française soit un peu partout, mais avec tant d'exceptions, que finalement, comme le déclara François Cloutier alors ministre de l'Éducation et parrain officiel de la loi, on comptait plus sur « l'incitation que sur la coercition ». Mais la cerise, ou plutôt la citrouille, sur le sorbet fut le paragraphe sur l'enseignement. En fonction dudit, les enfants des immigrants de langue anglaise pouvaient entrer directement dans le secteur anglais. Pour les autres, il fallait qu'ils passent un examen prouvant qu'ils avaient une connaissance suffisante de l'anglais. Sinon on les enverrait à l'école française.

Cette formule qui essayait de contenter tout le monde, mit tout le monde en colère, les nationalistes en particulier. Le Mouvement du Québec français, la Saint-Jean Baptiste et naturellement le P.Q. se mirent à crier que cette formule consistait finalement à envoyer en classe française les laissés pour compte du secteur anglais. Que les immigrants, y compris ceux de langue anglaise, envoient tous leurs enfants à l'école française!

Les anglophones, et particulièrement le Protestant School Board, hurlèrent à la dictature: qu'on laisse le libre choix de langue à tous les parents, au nom de la liberté. Jamais, ils n'accepteraient pareille loi qui avait pour but caché de les réduire, de les enfermer dans un ghetto scolaire! Quant aux immigrants, ils prirent feu: les plus véhéments furent les Italiens par la voix du Consiglio Italiano. « C'est une mesure discriminatoire vis-à-vis des familles qui seront divisées, car —autre concession que le gouvernement avait cru subtile—cela ne touchait pas les enfants qui étaient déjà à l'école. Par conséquent, le frère pourrait être à l'école anglaise, tandis que la soeur serait dans le secteur français! Pourquoi deux poids ou deux mesures? Ou tous les immigrants, sans exception, vont à l'école française ou on laisse le libre choix! »

Enfin quelques originaux, entre autres parmi les journalistes, suggéraient qu'il fallait une loi, mais que vu le concert de protestations, il vaudrait peut-être mieux reporter celle-ci aux calendes grecques pour modification.

Hélas, M. Robert Bourassa vient de sortir tout frais de son triomphe: on va bien voir qui gouverne ici! Malgré les pétitions, les déclarations et les manifestations, le 5 mai 1974, le ministre Cloutier dépose le projet de loi en première lecture à l'Assemblée nationale.

La bagarre éclate dès la création de la commission parlementaire qui commence le 11 juin, où M. Denis Hardy, ministre de la Culture, joue le procureur de la défense. C'est un défilé-fleuve d'organismes de toutes sortes qui passent devant la commission.

En s'en prenant à l'un des représentants de la commission scolaire Jérome-Le Royer, cette mère de famille italienne exprime sa colère.

Dans un premier temps, 76 veulent être entendus pendant 89 heures, chacun ou presque ayant son mémoire. Les interventions, finalement, se résument à trois positions: la loi va trop loin, pas assez, ou bien il faut tout simplement la retirer. Le parti Québécois, avec ses 6 membres commence un « filibuster », en présentant des centaines d'amendements qui sont tous refusés les uns après les autres, tandis qu'à Montréal et ailleurs, chacun y va de son petit défilé ou de sa protestation. Au bout d'un mois, le 11 juillet, excédé, M. Bourassa fait voter, par l'assemblée, la fin de la commission parlementaire: c'est ce que l'on appelle la « guillotine ».

Chœur des protestataires: c'est de la dictature!

Lors du vote sur la deuxième lecture, John Ciacca de Mont-Royal et Georges Springate de Sainte-Anne, votent contre leur propre parti, le 15 juillet après un débat-fleuve de 3 jours. Il faut dire que l'un se veut le porte-parole de la communauté italienne qui ne veut rien savoir et l'autre des anglais. Ajoutons que certains députés de comtés anglophones se sont débrouillés pour ne pas être là!

Les manifestations reprennent de plus belle, surtout à Montréal. Le 16 juillet, on arrive à l'étape finale: la troisième lecture. Commence alors un autre marathon. Les 8 députés de l'opposition, quelquefois pour des motifs différents, proposent amendements sur amendements, tandis que les engueulades succèdent aux engueulades. Car si M. Camille Samson et Fabien Roy sont contre —au nom de la liberté de choix— les députés du P.Q. le sont eux, parce que le français doit être la seule langue pour les immigrants! Du reste, le spectacle est aussi dans le public: le 17, 9 femmes s'enchaînent à l'Assemblée Nationale pour protester contre la loi. Le 24, les mouvements organisent devant le Parlement une manifestation qui groupe environ 4,000 personnes, tandis que les journaux anglais hurlent à la dictature. On verra des alliances improvisées, quasi contre nature: M. Roger Lemelin, qui ne porte pas pourtant le P.Q. dans son coeur, écrit un éditorial solennel dans *La Presse* du 24, pour demander que l'enseignement du français soit obligatoire pour tous les enfants des immigrants. Finalement le gouvernement utilise encore la motion de cloture —la fameuse « guillotine »— le 25, et la loi est votée le 30, au milieu des cris, des hurlements et des injures. Même la soeur du ministre Cloutier, Lise Cloutier-Trochu est parmi les contestataires!

Le vote lui-même traduit la confusion: 92 pour, 10 contre, dont les deux premiers députés libéraux. Mais il se trouve aussi qu'un certain nombre de députés anglais, comme Georges Kennedy, Kenneth Fraser ne sont pas venus. Même, et aussi, Jean Cournoyer, ministre du Travail! Le soir même, les manifestations reprennent.

On pourrait croire que l'histoire allait s'arrêter là, surtout chez monsieur Bourassa. Il n'en fut rien. Non seulement les protestations continuèrent mais il en vint de partout! Monsieur Pierre Elliot-Trudeau, à tout hasard, déclara que ses services étudiaient la loi, pour savoir si elle n'était pas anticonstitutionnelle. Le 3 août, le vieux Dieffenbaker proclama que c'était une honte et que le gouvernement du Nouveau-Brunswick manifestait son opposition et demandait au gouvernement fédéral d'intervenir. Enfin le Mouvement Québec français se lançait dans une vaste campagne contre la loi « twenty-two ».

Toujours en septembre 1975, à la Commission scolaire Jérôme-Le Royer, des parents d'origine italienne manifestent contre le bill qui les oblige à envoyer leurs enfants à l'école française.

Ajoutons que cet été-là, beaucoup de jeunes italiens ou grecs eurent des vacances studieuses; on leur fit apprendre quelques mots d'anglais pour passer le test... À la rentrée, ce fut la pagaille au grand complet. Les uns ne voulaient pas passer le test, les autres oui, si bien qu'il fallut envoyer des fonctionnaires surveiller toutes les écoles. Messieurs Bourassa, Cloutier et Fernand Lalonde (alors solliciteur général), partis en tournée pour expliquer la loi, se firent, à peu près partout traiter de tous les noms d'oiseaux, « fascistes », étant le plus modéré; le tout en français, en anglais, en italien, en grec et en quelques autres langues plus rares!

En vain s'époumonèrent-ils, tant en 74 qu'en 75, pour essayer de vanter les charmes de leur créature: la même opposition se manifesta en 1975. On ne leur pardonnera jamais! Et quand un jour il adviendra une certaine élection, et la loi 101 qui s'en suivit, la loi 22 y fut pour quelque chose. Pourtant monsieur Robert Bourassa avait de bonnes intentions! Mais il venait de découvrir que l'enfer en est pavé.

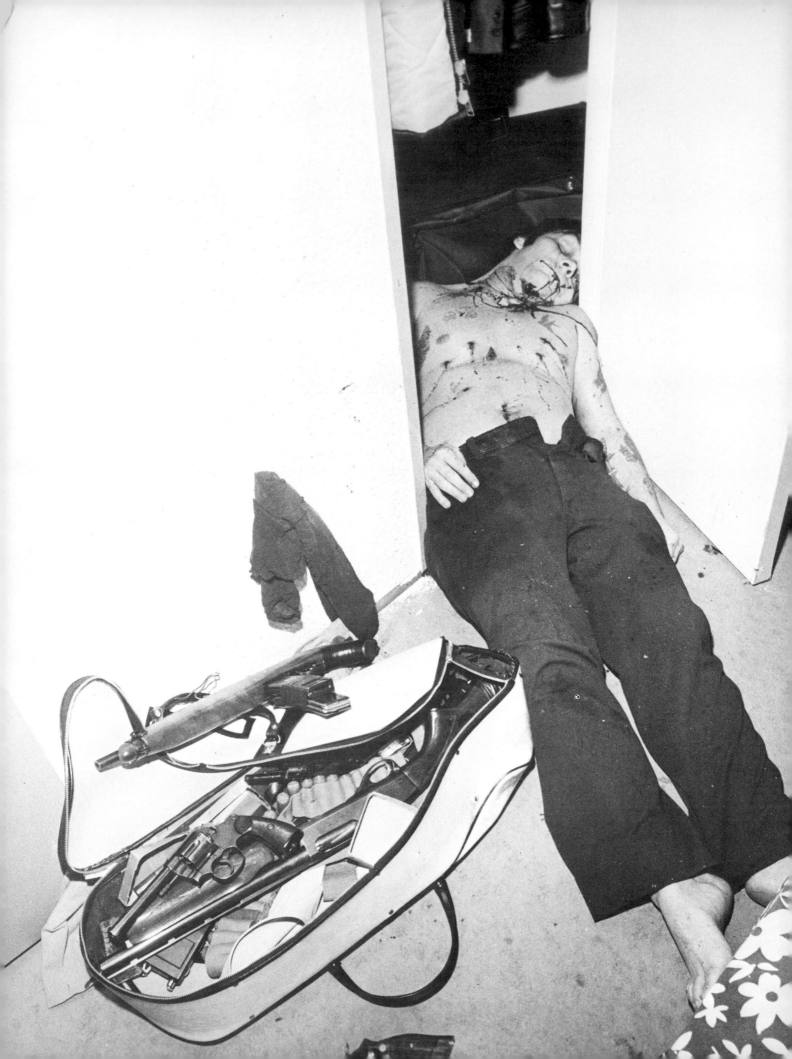

L'EXÉCUTION DE RICHARD BLASS

Une balle dans la nuque: c'est l'exécution économique à peine digne d'un gouvernement révolutionnaire qui vient de sortir du maquis. Douze balles dans la peau: voila une exécution qui a du décorum, surtout si le peloton est commandé par un bel officier au képi galonné et si l'on y ajoute —luxe suprême— un roulement de tambour. Mais trente balles qui poivrent le corps nu d'un bandit au fond d'un placard: voila qui dépasse la simple exécution de routine...

Ce fut l'exécution de Richard Blass par un commando de policiers au petit matin du 25 janvier 1975.

Le chalet où Richard Blass avait passé la nuit en compagnie de son « chauffeur », Benoit Vinet, et de deux petites demoiselles, Ginette et Lucette, est accroché au flanc d'une colline des Laurentides, à Val David. Armés de puissantes mitraillettes, une quinzaine de policiers de la Sûreté du Québec, le cernent au lever du jour alors que les quatre occupants dorment encore, se croyant bien à l'abri de toute recherche.

Soudain la porte de bois éclate en morceaux sous la poussée d'une puissante botte et avant que Blass ne puisse réagir et sauter de son lit pour tenter de se jeter dans un étroit placard de la chambre à coucher, il est littéralement criblé de balles.

Lorsque les photographes de presse peuvent enfin entrer pour photographier celui qu'on surnomme dans son milieu de la petite pègre montréalaise « le chat à neuf vies », il s'aperçoivent que le pantalon de Richard Blass ne porte aucune trace de balles. Certains en déduisirent que le cadavre avait mis son pantalon après avoir été abattu tout nu...

Le chalet de Val David à flanc de colline, où fut exécuté Richard Blass.

Et pourquoi mobiliser ainsi tout un commando de policiers pour ce petit bandit? Il y avait vraiment une bonne raison. Blass avait dépassé les bornes de la « bienséance » tolérée habituellement aux pires criminels.

Ce petit homme qui avait à peine atteint la trentaine était parvenu à se créer une petite « gang » d'admirateurs: « la bande du nord ».

Après ses premiers exploits dans le crime, il fréquentait certains cabarets tenus par la « bande des Italiens ». Au début, on croyait qu'il existait une certaine entente avec les grands caïds de la pègre. Mais, bien vite, Blass et ses séides exigent de partager le gâteau. Moitié-Moitié...

Les « outils de travail » de Richard Blass...

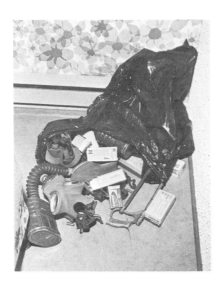

Mal lui en prit. Et c'est dès lors qu'en 1968 commence la guerre ouverte entre la « bande du nord » et les Italiens. Le sang coule. On découvre des cadavres dans les ruelles qui bordent des cabarets — le « Petit Baril » et le « Tabouret ». Les ramasseurs de la Morgue en ont plein les bras et les fourgons. Règlements de compte. Tantôt ce sont les amis de Blass qu'on ramasse dans une mare de sang, tantôt des victimes appartenant à la bande adverse.

On fait même à Richard Blass l'honneur de déplacer un tueur à gage italien, venu des États-Unis, qui ne réussit qu'à décharger une mitraillette sur le « chat à neuf vies » au travers des vitres de sa luxueuse « Continentale ». Blass n'est blessé qu'à un bras.

Les choses tournent au vinaigre, lorsque les amis de Blass tuent deux Italiens à la sortie d'un cabaret, deux hommes qui n'ont rien à voir dans cette guerre ouverte et à qui on ne peut certainement rien reprocher... à part d'être des Italiens.

Souvent arrêté, Blass et ses amis réussissent des évasions spectaculaires, allant jusqu'à s'emparer, un jour, de la camionnette du blanchisseur qui est autorisé à pénétrer à l'intérieur de la prison.

Le procureur général du Québec lance même contre cet incorrigible la fameuse « accusation de criminel d'habitude », ce qui remet le sort d'un bandit entièrement « aux bons soins du lieutenant gouverneur en conseil ».

Le bar-salon « Gargantua », au-dessus de la boutique du nettoyeur, où les agents de la morgue s'affèrent à retirer 13 cadavres, après l'incendie du 21 janvier 1975. Ce fut là l'exploit le plus sanglant de Blass.

À partir du 30 octobre 1974, les choses vont encore plus mal tourner. Ce jour-là, Blass pénètre au cabaret *Gargantua*, rue Beaubien et décharge les deux pistolets qu'il braque en même

Richard Blass, lors d'un de ses procès, plaisante et tente d'amuser le public.

temps: deux meurtres. On emporte les cadavres de Roger Lévesque et de Raymond Laurin.

Le 31 décembre, tombent deux autres victimes: Serge et Roger Côté, meurtres qu'on impute encore à Richard Blass.

Le 15 janvier 1975, c'est le vol à main armée à la bijouterie Ernest Robert, rue Beaubien, où Blass et son acolyte, Fernand Beaudet, dérobent à la pointe du revolver $50 000 en bijoux et en argent. (Beaudet sera condamné à 12 ans).

Enfin la coupe va déborder avec l'horrible massacre du cabaret *Gargantua* ou treize personnes ont trouvé une mort épouvantable.

C'était le 21 janvier 1975. Le gérant de ce cabaret avait été remplacé par un homme solide, Réjean Fortin, ancien policier qui n'avait pas froid aux yeux.

Mais, il fallait compter sans Blass qui est entré là, revolver à la main, le soir, pour descendre « l'ancien beu ». En langage académique on dirait « l'ancien flic »!

Blass l'abat d'une balle de calibre 22 en plein front. Mais il y avait à ce moment-là dans le cabaret une douzaine de personnes qui auraient pu servir de témoins contre « le chat ». Qu'à cela ne tienne. Il faut éliminer les témoins. Blass et ses complices enferment toute la clientèle dans un réduit où l'on conserve les caisses de bière. Il traîne contre la lourde porte le « juke box » pour que personne ne puisse sortir après avoir mis le feu à l'intérieur du réduit. Tout le cabaret s'enflamme. On ne retire de la « chambre à bière » que cadavres calcinés de pauvres victimes innocentes étouffées dans les affres les plus horribles.

C'en est assez! Blass est exécuté par les policiers quatre jours plus tard dans le chalet des Laurentides où il s'était réfugié.

On a beaucoup discuté cette décision policière. Est-il vrai, comme l'on dit les témoins, que le trop célèbre Blass a pointé un revolver sur ceux qui venaient le réveiller?

À l'enquête du coroner sur cette mort violente, les policiers, après avoir témoigné, furent exonérés de tout blâme.

Lorsque le loup devient enragé, il est bien certain qu'on ne peut le garder en cage!

Matamore de la « petite gang du nord », Richard Blass aimait poser avec des pièces à conviction.

Les dégats à l'intérieur du « Gargantua ».

MIRABEL: HORIZON 2020

Le port de Montréal perdant peu à peu sa suprématie, les transports ferroviaires n'étant plus un facteur décisif dans le développement économique de la grande région métropolitaine et la grille des autoroutes se développant de plus en plus, favorisant ainsi une communication rapide dans toutes les directions, le gouvernement du Canada donnait le feu vert, en mars 1969, au projet du nouvel aéroport international de Montréal, lequel serait aménagé à Sainte-Scholastique, à une vingtaine de kilomètres au nord-ouest de Montréal.

Le 27 mars 1969, le gouvernement envoie 3 126 avis d'expropriation à autant de propriétaires dont les lots sont situés à Sainte-Scholastique et dans plusieurs municipalités voisines. Au total, Ottawa expropriera 93 000 acres dans Sainte-Scholastique, Sainte-Monique, Saint-Augustin, Saint-Janvier, Saint-Hermas, Saint-Canut et Belle-Rivière.

C'est la première fois que le gouvernement canadien entreprend un si vaste projet d'expropriation et l'expérience en sera une de taille. Les expropriés, dont un grand nombre sont agriculteurs actifs, ne sont pas prêts à quitter leur terre sans se faire entendre. Ceux qui ne vivent pas des produits de la terre acceptent le dédommagement proposé. Mais des centaines d'agriculteurs évaluent la perte subie à une somme bien supérieure à celle consentie par le gouvernement. Mille sept cents familles appartenant à 16 paroisses sont déracinées de leur milieu de vie. Elles ne sont toutefois pas toutes chassées puisque la zone d'expropriation prévoit les besoins d'expansion jusqu'en l'an 2000. Plusieurs familles occuperont donc, durant plusieurs années, à titre de locataires du gouvernement, la maison et les terres qui leur appartenaient avant le mois de mars 1969.

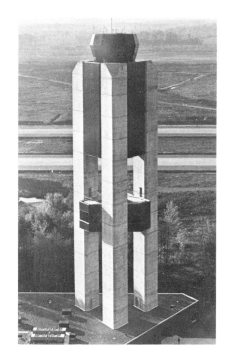

Mirable, sentinelle immobile, attend son prodigieux futur.

La voie des airs remplace celle du rail... En mai 1970, cette petite gare fut détruite pour laisser place à Mirabel.

Pour ce couple de fermiers qui a travaillé toute sa vie durant, l'oisiveté est synonyme de désespoir.

Les agriculteurs expropriés organisent une farouche opposition au gouvernement fédéral dans le dossier des expropriations. Après cinq ans de discussions, de rencontres, de négociations et de contestations périodiques de la part des agriculteurs, plus de 300 cas sont toujours en attente. L'aménagement de l'aéroport international de Montréal aura fait disparaître jusqu'à cinq générations de cultivateurs, mais le gouvernement central l'aura payé cher: plus de $400 millions!

La petite municipalité rurale de Sainte-Scholastique est engloutie par l'histoire. Le gouvernement du Québec crée la ville de Mirabel qui englobe toutes les municipalités environnantes, lesquelles deviendront des secteurs dans cette grande municipalité.

Et pendant ce temps, Mirabel prend forme. On y construit le plus grand bâtiment aéroportuaire du monde. La phase I de Mirabel offre des services complets au secteur des vols internationaux entre Montréal et les grandes villes du monde, à l'exception des États-Unis. Une flotte de 30 autocars de la Commission de Transport de la Communauté urbaine de Montréal assure une liaison régulière entre Montréal, Dorval et Mirabel. Un stationnement de trois étages, intégré à l'aéroport, offre un accès rapide au bâtiment principal, à l'abri des intempéries. Des véhicules transbordeurs

324

entre l'avion et l'aérogare évitent aux voyageurs de longues marches. Mirabel peut recevoir six millions de voyageurs et 275 000 tonnes de fret par an. Mais c'est 50 millions de voyageurs et plus d'un million de tonnes de fret que doit recevoir Mirabel en l'an 2000.

Les opérations de Mirabel créent environ 5 000 emplois et près de la moitié des employés habitent la région immédiate de Mirabel, impact économique qui n'est pas négligeable. En 2025, Mirabel sera toujours l'un des plus importants aéroports au monde.

Malgré l'importance du trafic, les concepteurs n'ont pas négligé l'environnement. En effet, plus de 40 000 acres auront conservé leur vocation agricole et 15 000 acres auront été consacrées à la récréation. Enfin, 3 000 acres auront donné naissance à l'un des plus imposants parcs industriels en Amérique du Nord. Mirabel entend relever le défi de ce développement industriel en tirant profit de sa situation unique comme point convergent du trafic international et intercontinental pour tout le Canada et pour tout l'est des États-Unis. On veut faire de Mirabel le trait d'union le plus court entre l'Europe et l'Amérique du Nord, la plaque tournante des échanges internationaux pour tout l'est du continent nord-américain.

Assemblée générale des expropriés en plein air.

Dès 1970, les antiquaires ont passé au peigne fin la région de Sainte-Scholastique et de Sainte-Monique et récolté des trésors.

Devant le Parlement d'Ottawa, où les expropriés de Sainte-Scholastique manifestent, une fermière tue symboliquement l'effigie de Trudeau.

En août 1973, les expropriés défilent
dans les rues de Montréal pour
sensibiliser la population urbaine
à leurs problèmes.

Ce n'est pas un volcan en éruption, mais seulement 300 kgs de dynamite qui explosent. Mirabel est en marche.

De ces deux casques, un seul retrouvera son propriétaire: Gaston Demers qui s'en tire avec des blessures. L'autre appartient à Paul Bolduc, mort après une chute à pic de 36 mètres.

Un gigantesque chantier à l'échelle du 21ème siècle.

Un corps recouvert d'une toile, c'est celui d'un ouvrier appartenant à une entreprise de Saint-Léonard. Mirabel a encore frappé.

Les experts des gouvernements canadien et québécois prétendent que les aéroports de New York, Boston et Chicago seront frappés de saturation à brève échéance et que les équipements et installations de Mirabel en feront le déversoir le plus facilement accessible des lignes congestionnées desservant la mégalopolis qui s'étend de façon presque ininterrompue de Boston à Philadelphie.

La capacité de Mirabel, dit-on, sera telle qu'on pourra y traiter la totalité des marchandises passant annuellement par Détroit, Boston et Toronto en plus de celles qui transiteront par Montréal! Les autorités gouvernementales veulent suivre l'exemple de l'aéroport Schipol, d'Amsterdam, où quelque 320 entreprises se sont établies à proximité de l'aéroport au cours des dernières années. Schipol est un aéroport moderne conçu, comme Mirabel, pour être une plaque tournante du fret aérien.

328

Le Concorde était de la fête lors de l'inauguration officielle de l'aéroport. Ce vieux zinc aussi.

Michèle, Didier et Pascal Gillon, de l'avenue Marcil à Montréal sont les premiers passagers à débarquer à Mirabel le 11 août 1975.

BONJOUR, FACTEUR!

En 1608, Samuel de Champlain fonde la première colonie permanente du Canada à Stadacona (Québec). En 1642, Paul de Chomedey de Maisonneuse fonde Ville-Marie (Montréal). Très vite, les compagnies que le roi de France a chargées de coloniser le pays se lancent dans la traite des fourrures et, pour protéger leur commerce, bâtissent des forts à Tadoussac et à Trois-Rivières. Entre ces villages, pas de routes.

Comment communique-t-on? D'abord, il faut dire que les premiers colons n'éprouvent guère le besoin d'écrire, étant le plus souvent illettrés... Très vite, ils ont compris qu'il est plus lucratif de courir les bois à la recherche de fourrures que de défricher le sol. Les femmes blanches étant rares, ils ne dédaignent pas épouser de jeunes autochtones. Par leur truchement, les français peuvent communiquer avec les Indiens, dont ils ont appris la langue. Pendant le premier siècle de la colonisation, c'est eux que l'on charge de porter les missives, ainsi que leurs enfants métis et —lorsqu'ils parlent la langue des blancs— les traditionnels messagers des tribus indiennes. Dans son journal, Jean de Brébeuf parle d'un Indien qui avait mémorisé vingt messages et qui, après un périple de 1200 kms, était revenu avec toutes les réponses qu'on attendait impatiemment, il va sans dire!

Comment voyagent-ils? À pied, se frayant un chemin à la hache dans les bois, en canoë, sur les rivières et sur les lacs et, l'hiver, en raquette ou en traîneau à chien. C'est seulement en 1705 qu'on nomme le premier facteur officiel du Canada: Pedro Da Silva, chargé par Raudot, l'intendant de Québec, de transporter les dépêches du Gouverneur entre Québec, Trois-Rivières et Montréal. Pour porter les lettres des particuliers de Québec à Montréal, il

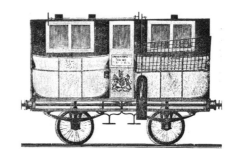

Le premier bureau de poste ambulant en 1839.

1866. *La diligence des temps héroïques.*

demande 10 cents. Et c'est naturellement le destinataire qui paye, car il n'est pas rare que le messager n'arrive jamais à destination.

L'histoire des postes est étroitement liée à celle des moyens de transport. Sur l'eau comme sur terre, ces courriers sont remarquablement rapides. Ainsi, pour parcourir les 1 000 kms de la piste de Témiscouata, qui relie Québec à Louisbourg, ils mettent seulement quatorze jours, et huit ou neuf jours pour aller de Montréal à Albany, en hiver. Néanmoins, lorsque les nouvelles arrivent à destination, elles ne sont plus très fraîches ! Il faudra attendre l'avènement de moyens de transports plus « modernes » pour que le courrier commence à circuler plus vite... C'est d'abord le cheval, grâce à la route Québec-Trois-Rivières-Montréal qui est ouverte en 1734. Tous les 15 kms, on trouve des postes de relais où les messagers peuvent louer de nouveaux chevaux. C'est un immense progrès.

En 1763, par le traité de Paris, le Canada passe aux mains de l'Angleterre. L'année suivante, Benjamin Franklin, sous-ministre des Postes des Colonies Britanniques d'Amérique du Nord, se rend à Québec pour veiller à l'ouverture des premiers bureaux de poste de Québec, Montréal et Trois-Rivières. Il affirme « *qu'un service postal efficace fait plus que toute autre chose pour unir les habitants d'un même pays et pour donner à chaque région l'impression qu'elle fait partie d'un tout* ».

Avec la conquête de l'ouest et l'ouverture de nouvelles routes, le réseau des postes prend de l'expansion. De plus en plus, le courrier voyage à cheval ou en voiture l'été, et en traîneau l'hiver. Mais la marche à pied, le canoë et la raquette restent très utilisés. En 1840, il faut dix jours aux messagers pour parcourir les 1100 kms qui séparent Halifax de Québec. Il est alors plus économique de faire porter les lettres à New York : il suffit d'une semaine pour s'y rendre en partant de Toronto, et de cinq à six jours selon la saison, en partant de Québec. En 1816, il y a une liaison hebdomadaire régulière en diligence entre Montréal et Kingston. De là, le courrier continue sa route à cheval jusqu'à Niagara, et à pied jusqu'au lac Erié, toutes les deux semaines.

Une grande date dans l'histoire des postes canadiennes : 1851. Les provinces qui trouvent les tarifs d'affranchissement trop élevés se libèrent de la tutelle du ministère des Postes Britanniques. Désormais, elles administreront leurs services postaux elles-mêmes. C'est à ce moment, également, qu'apparaissent les premiers timbres canadiens, de trois, six et douze pences. Au début,

L'arrivée du courrier à Tagish Post en 1898.

27 août 1918. Le premier service aéropostal par le Royal Air Force entre Ottawa et Toronto.

les expéditeurs ne comprennent pas pourquoi ils devraient payer au départ d'une lettre, dont rien ne garantit qu'elle arrivera un jour. En outre, jusque-là, certains utilisaient des « trucs » pour ne pas avoir à payer. Par exemple, les habitants d'Albion avaient un code : « Si on avait écrit délibérément « Allbion » pour Albion, cela signifiait « C'est une fille ! » Si on avait écrit « Alboyon », cela signifiait « C'est un garçon ! ». Le destinataire examinait atten-tivement la lettre pour déchiffrer le message et la remettait au maître de poste, en déclarant qu'il ne voulait pas payer. » Cependant, on impose bientôt une amende au destinataire, sur les lettres non-affranchies, et les expéditeurs finissent pas se résigner à coller des timbres sur les missives qu'ils envoient. Le Canada adoptera un système décimal pour sa monnaie et ses timbres-poste en 1859.

Dans les années 1820, on instaure un service de bateau vapeur entre Montréal et le lac Ontario, grâce à la construction du canal Lachine. À partir de 1853, le chemin de fer s'installe dans la province du Canada. C'est d'abord le chemin de fer du Grand Tronc, de Québec à Sarnia, à la frontière occidentale de la province (aujourd'hui en Ontario). Les moyens de transport se modernisent. La poste suit, et le service postal y gagne en célérité. Le 6 juillet 1876, le chemin de fer intercolonial reliant Halifax à Québec est achevé. En novembre de la même année, c'est la section Ottawa-Montréal qui est inaugurée. Le 4 juillet 1886, le courrier arrive par chemin de fer à Port Moody, en Colombie Britannique. Les lettres voyagent maintenant par rail sur une distance de 6 000 kms, d'un océan à l'autre. L'ère des bateaux vapeur touche à sa fin.

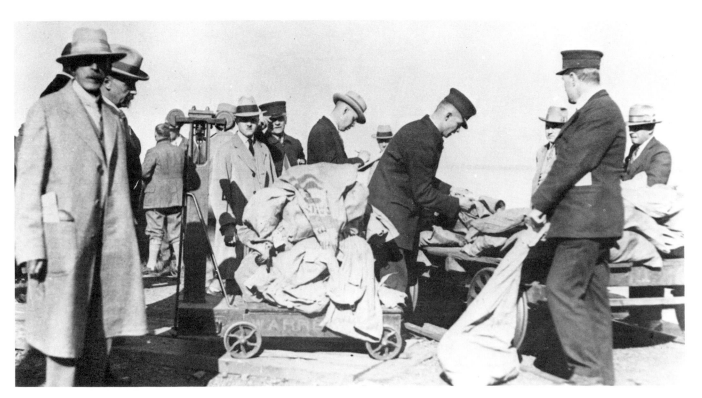

Et puis l'avion va supplanter le train. Le 14 juin 1918, le commandant Bryan Peck transporte une centaine de lettres de Montréal à Toronto, à bord d'un avion de l'Aviation Royale Canadienne. C'est le premier voyage de l'aéropostale canadienne! En 1924, des pilotes de brousse assurent une liaison postale entre Haileybury (Ontario) et Angliers (Québec). En 1927, personne au ministère des Postes ne doute plus de l'avenir de l'aéropostale. Dans son rapport pour l'année fiscale 1927-1928, le ministre des Postes note: « *Au cours de l'hiver dernier, du courrier a été transporté aux Îles de la Madeleine par avion. Pendant les hivers précédents, les habitants de ces îles étaient complètement isolés du monde extérieur, à l'exception des nouvelles radio diffusées chaque matin et de la visite possible d'un brise-glace.* »

C'est vers la fin de 1938 que Trans-Canada Airline commence à assurer un service postal quotidien entre Montréal et Vancouver, avec escales à Ottawa, Toronto et Winnipeg. À partir du 1er octobre 1969, tous les envois de moins de 11,5 kg (à l'intérieur du Canada) sont transportés par avion, au tarif première classe. Le service ambulant sur rails s'est éteint en 1971. Un dernier wagon postal a circulé en 1973, lors de la visite de la reine Elisabeth II.

Au ministère des Postes, on rêve d'avenir et de fusées. Si on place les centres de tri en orbite autour de la lune, gagnera-t-on vraiment du temps? Mais rien ne saurait arrêter le progrès!

La première liaison postale aérienne entre le Canada et les États-Unis en 1928.

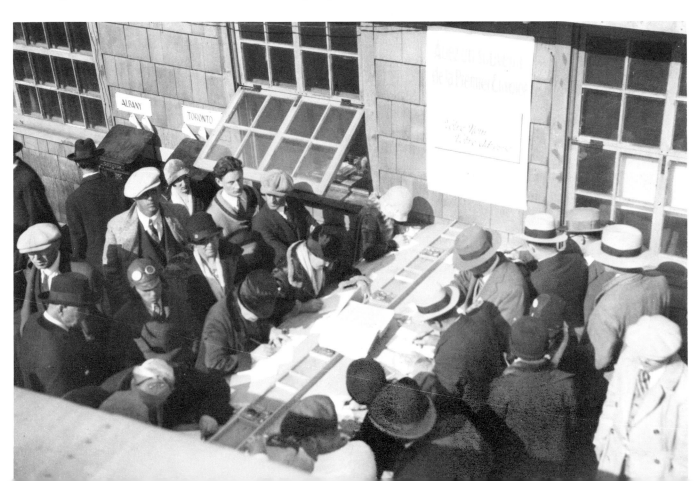

Ça ne peut plus continuer comme ça. On a besoin d'un vrai gouvernem...

LE TRIOMPHE DE RENÉ LÉVESQUE

« Je n'ai jamais été aussi fier d'être québécois... Il me semble que nous sommes en train de devenir quelque chose qui pourrait être un grand peuple... »

Le reste se perd dans les clameurs du Centre Paul-Sauvé où, en ce soir du 15 novembre 1976, à l'annonce de la victoire électorale du parti Québecois, 15 000 personnes poussent un cri qui tient du soulagement et de l'orgasme. En 11 ans, une idée est devenue un parti, ce parti, le pouvoir. Ce que la foule acclame, ce n'est pas un nouveau gouvernement, mais un changement de société.

Qué-bec libre! Qué-bec libre! se mélange avec *Re-né* puis avec *Mon cher Re-né, c'est à t-on tour...* Une vedette devenue symbole est sacrée idole à son corps défendant: René Lévesque.

Ce triomphe consacre un des aspects les plus étonnants de René Lévesque: la fatalité de l'ambiguïté. Bien malgré lui, on célèbre ce soir-là un « cheuf » mystique qui incarne une idée radicale.

Or René Lévesque, ni par goût, ni par vocation, n'a rien du « sauveur suprême »: bien au contraire, c'est un homme d'équipe qui souhaite être le premier parmi ses pairs. Il aime les grandes discussions, même orageuses, et la contradiction. C'est un verbo-moteur: en parlant, il progresse au fil des interventions et des contradictions. C'est un pointilleux, même vis-à-vis de lui-même. Lors de ses discussions nocturnes (c'est un couche-tard!), il essaye ses arguments sur son auditoire, les assouplit en cours de route. La recherche de la perfection, toujours proche mais jamais atteinte, en fonction d'une ligne de pensée qui évolue lentement, va le faire même douter de certains de ses arguments qu'il n'hésitera pas à

« C'est notre meilleur! », assure Lise Payette.

Un petit garçon nommé René Lévesque en 1925.

remettre en question. Il est loin d'être « le cheuf » suprême de la tradition politique québécoise...

Enfin, par nature, il n'est pas radical, alors qu'on l'a toujours associé à des extrêmes: paradoxalement, c'est son amour de la précision et des détails abondants —peu habituels chez un tribun classique— qui conforte cette idée. L'indépendance inconditionnelle, que ce soir-là beaucoup de ses partisans voient déjà arrivée à travers lui, n'a jamais été son option, ni même sa pensée fondamentale: au pire, elle est « le dernier argument du roi » si plus rien d'autre n'est possible.

Ce n'est pas faute de l'avoir répété! Dès la déclaration de principe de fondation du parti Québécois, le 4 août 1968, il établira deux points majeurs de sa ligne politique sur lesquels il reviendra sans cesse:
- Parvenir à la création d'un État Souverain de langue française par une action politique visant à rallier démocratiquement une majorité de Québécois.
- Dans le cadre général de cette interdépendance de plus en plus étroite à laquelle sont soumises toutes les économies nationales, proposer au reste du Canada la négociation d'un traité d'association économique qui pourrait prendre la forme d'une communauté tarifaire et monétaire, tout en laissant à chacun le contrôle souverain de ses institutions bancaires et financières.

Toute la souveraineté-association est là! Il aura beau s'époumonner à expliquer la chose, la confusion, même chez ses partisans, soigneusement entretenue par ses adversaires, le fera soupçonner de dissimulation ou de radicalisme. Lui un homme précis et modéré, porté sur le compromis! Toute sa vie, et d'abord sa personne, en témoignent.

Dans l'ombre de Duplessis, un reporter, micro à la main, commente le résultat des élections. Vingt-quatre ans plus tard, ce sera au tour du jeune journaliste de lever les bras en signe de victoire.

Petit, mais râblé, le front agrandi par une calvitie précoce qui couronne un visage ovale troué par deux yeux bleus couleur d'eau, le menton un peu carré, René Lévesque paraît, au premier coup d'oeil, la caricature idéale de l'intellectuel bohème. Impression qu'un deuxième coup d'oeil confirme: dans un costume qui sera vite fripé (un homme impossible à habiller!), la cigarette de ce fumeur impénitent fait des loopings et des arcs de cercle à bout de bras quand il parle, tandis que la tête se penche légèrement sur la gauche, en guise de ponctuation; de plus, il a une voix qui porte, malgré des enrouements cycliques. Bref, « l'artisse » au sens péjoratif du terme...

Ce qui pourrait être des péchés mortels, surtout dans la mentalité québécoise, se transforme en qualités à cause de sa nature. Spontanément, il est chaleureux vis-à-vis de n'importe lequel de ses interlocuteurs et aussi d'une franchise déroutante. Un manque total d'orgueil qui contraste avec son assurance qui en impose: s'il ignore quelque chose, il l'avoue tout net! De plus, ce volubile sait écouter: à preuve ses réponses. Le cas échéant, (il ne faut pas gratter bien loin pour retrouver le journaliste!) il renverse les rôles: c'est lui qui pose les questions et il se montre avide d'apprendre, même de la part d'un parfait étranger.

C'est là sa grande force: il ne perd jamais le contact avec l'homme de la rue: souvent ses idées sont la conception de ce que les gens pensent mais ne savent pas élaborer.

Cette qualité majeure, il la tient sans doute de ses origines. Ce n'est pas un citadin mais un homme de la « province », un Gaspésien. New Carlisle, où il est né et où il a vécu toute son enfance, ce n'est plus un village mais ce n'est pas encore une ville. Les gens sont pêcheurs ou agriculteurs, souvent les deux: la vie n'y est pas facile. L'hiver y est long: durant son temps, on cause ou on lit. Surtout chez papa Lévesque où il y a une grande bibliothèque, dans laquelle les enfants piochent. Papa est avocat. Ici pas d'effets de manchettes, ni d'affaires prospères. Un avocat, ici, s'occupe plus de conflits de bornage, de braconnage ou de chicanes interminables entre voisins —c'est l'atavisme normand— que de grandes affaires criminelles.

Autre fait qui l'a marqué: New-Carlisle est une de ces communautés à majorité anglophone du Golfe. Bien que les disputes entre « french pea soup » et « craw fish » anglais fassent partie du folklore, on y vit ensemble. D'ailleurs, il n'y a qu'une école pour les enfants: on y parle sans trop s'en rendre compte anglais et français, dès l'enfance, entrecoupé de joual à saveur locale.

Correspondant à la VIIème armée américaine en 1944.

Ce qui marquera profondément René Lévesque... Aussi à l'aise dans une langue que dans l'autre, ce nationaliste n'est pas anglophobe, même s'il est pour la priorité du français. Sa frustration est d'abord sociale: le culturel en découle par conséquence. Il prêche plutôt l'égalité que la différence par contradiction, comme la plupart des nationalistes classiques.

Plus encore: sa conception de la vie politique est profondément britannique. Être souverain, c'est avoir le « self-gouvernement ». Gagner c'est suivre les règles du jeu: le pouvoir ne se prend pas dans la rue —ce qui entraînera sa répugnance pour le R.I.N.— mais selon le processus de « mutual consensus » de la plus dure tradition parlementaire britannique.

Britannique encore, ce système de pensée personnel qui évolue en fonction des références et des précédents. La légalité procède et se transforme, en fonction de la légitimité. D'où cet effort constant de justifier par la logique ce qui jaillit en lui spontanément; voire même de retarder une idée qui lui semble évidente, tant qu'il n'a pas trouvé ce qui la justifie. Un travail acharné qu'il dissimule avec une pudibonderie latine: ce n'est pas lui qui se fera prendre en photo en train de travailler. Cet aspect-là, c'est pour les intimes!

Ce qui explique son succès grandissant dans 17 ans de carrière de journalisme à plein temps, dont le couronnement fut l'émission *Point de Mire* à la télévision de Radio-Canada qui en fit une vedette. Mais aussi le début d'un homme politique...

Il est presque normal qu'un journaliste de carrière, tôt ou tard, ait la tentation de la voie politique. Témoin descriptif, il subit la frustration de l'action qui se déroule à travers lui, mais sans lui. Tôt ou tard, inconsciemment, il a envie de se défouler. Encore faut-il que l'occasion fasse le larron! En l'occurence, ce fut la grève de Radio-Canada du 28 décembre 1958 qui déclancha, chez René Lévesque, un processus irréversible.

Double découverte: le Québec s'aperçoit qu'une image, une vedette du petit écran, est aussi une personne qui s'engage. Son animateur d'affaires publiques préféré est sur le piquet de grève, parle au nom des grévistes.

Le journaliste René Lévesque fait son analyse professionnelle dans une situation où il est directement partie: une nouveauté pour lui. Cette grève n'est pas seulement un conflit de travail, mais elle est aussi politique: tout se passe à Ottawa, en anglais, et les réalisateurs anglais de Montréal continuent tranquillement leur travail: c'est

une affaire de « french pea soup ». La direction le sait: elle sera impitoyable. 68 jours plus tard, les réalisateurs rentreront sans avoir rien gagné, mais pas vaincus. Cela fait réfléchir un grand nombre de travailleurs intellectuels au Québec. Il faut s'affirmer quelque part.

C'est sans doute le thème des conversations que devaient avoir deux anciens confrères de classe, entre deux parties de poker dans les moments creux, qui se sont retrouvés pour l'occasion: Jean Marchand et René Lévesque. Or cette amitié retrouvée va avoir un effet d'enchaînement: par Jean Marchand, René Lévesque resserre les contacts avec Gérard Pelletier qui amène nécessairement Pierre Elliot-Trudeau, le penseur de *Cité Libre*. Le groupe « de la rue Saint-Denis » (domicile de Jean Marchand), qui plus tard se transportera chez Gérard Pelletier, rue Elms, pour devenir « la gang d'Outremont », va avoir d'énormes conséquences sur les 16 années politiques qui vont suivre, non seulement au Québec, mais au Canada!

Une chose est certaine: le petit groupe décide d'agir en rentrant dès que faire se pourra, sur la scène politique. Jean Marchand et René Lévesque ont bien juré d'y aller ensemble...

Lors des élections de 1960, Jean Lesage, flairant des recrues de choix, fait savoir au groupe qu'il serait bien heureux de les compter

Le manifestant René Lévesque est relâché par la police.

Un collégien de Rimouski.

341

dans ses rangs. Or Jean Marchand vient tout juste d'être élu président de la CSN: quant aux autres, futures colombes, ils n'étaient pas disponibles pour différentes raisons. Seul René Lévesque l'était, et pour cause! À Radio-Canada, malgré sa popularité, on lui gardait une dent pour son attitude pendant la grève. Il part donc seul dans la bagarre avec l'appui moral des autres.

Même si les gens se bousculent pour le voir « en chair et en os », lors des assemblées électorales, même s'il est un des arguments de la victoire de Jean Lesage (le groupe des 3L), c'est par un poil (129 voix de majorité) que le 28 juin 1970, René Lévesque est élu député de Laurier. En fait, si l'on excepte 1976, il aura toujours de la difficulté à se faire élire à titre personnel...

N'étant pas un politicien de métier, entré sous la bannière libérale par occasion, René Lévesque devient Ministre des Richesses Naturelles avec l'enthousiasme du néophyte. Il est persuadé que le rattrapage du retard qui existe au Québec ne peut s'effectuer que par le contrôle des moyens économiques. Aussi sec, il reprend la vieille idée de Philippe Hamel: la nationalisation de l'électricité. Pour être franc, cette idée ne soulève pas l'enthousiasme des foules à l'intérieur du parti libéral. Pour des raisons de caisse électorale, tout d'abord; ensuite, parce que pour beaucoup, parmi l'ancienne « gang », il n'est qu'une vedette qui fait gagner des voix, mais presque un inconnu dans la maison. On ne lui dit pas non, mais plutôt qu'il est préférable d'étudier la chose, bref de remettre ça à plus tard. Seulement Lévesque est tenace et surtout bavard: il en parle constamment. Non seulement il attire les jeunes du parti, mais il commence à répandre l'idée dans le public. Un moment viendra où il faudra que Jean Lesage, son chef, prenne position. Ce n'est qu'à la suite d'une réunion orageuse, en petit comité, au chalet du Lac à l'Épaule, que Jean Lesage décide de faire une élection sur ce thème. Durant la campagne, René Lévesque se lance à fond: il soulève les foules, tandis que Lesage se taille un joli succès dans la première confrontation télévisée des partis au Québec, le 14 novembre 1962, sur ce thème: « C'est une nouvelle victoire électorale pour le gouvernement. »

Maintenant que l'on a vendu la peau de l'ours, reste à le tuer... Ce que l'on fait au moyen d'un emprunt de 300 millions. Mais, chose bizarre, c'est dans le petit groupe de la rue Saint-Denis qu'avait eu lieu, à propos de la nationalisation de l'électricité, le premier accrochage entre Trudeau et Lévesque. Pour Trudeau, ça n'était que du gaspillage et une façon d'amuser la galerie. On se traita joyeusement de « politicailleur », « richard » et autres douceurs du genre. Ce n'est que grâce aux talents de négociateurs de Jean Marchand que les réunions reprirent plus tard.

Entre temps, il se passe deux choses: René Lévesque s'aperçoit que le pouvoir « ce n'est pas la fin du monde » si on ne s'en sert pas au moyen d'une idée, tandis que dans le parti, on commence à trouver que ce jeune homme prend beaucoup trop de place. Son leadership, et surtout ses prises de position à propos de bien des choses, commencent à agacer sérieusement les hiérarques du parti. D'autant plus que les indépendantistes lui font des avances... René Lévesque est pour une refonte radicale dans les relations avec Ottawa, mais sans trop en voir la forme, tandis que Jean Lesage est un réformiste avec une touche d'autonomisme. Bref, chacun possède sa version du « Maître chez nous » qui avait fait fureur lors de la campagne électorale.

Lévesque était-il devenu indépendantiste? Sans doute que non: comme ses camarades du club « d'Outremont », le nationalisme

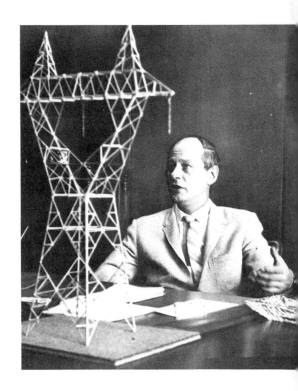

Ministre des Richesses Naturelles dans le cabinet Lesage. On lui doit la nationalisation de l'électricité.

classique a pour lui un parfum rétrograde. Mais les événements du FLQ en 1963 le révoltent! Cependant, il fut un des rares hommes politiques à analyser les raisons de l'événement. C'est peut-être vers la fin de 1963, lors d'une réunion chez Gérard Pelletier, où le groupe attrape son coup de mort, que René Lévesque commence à découvrir sa voie.

L'histoire agence d'étranges rendez-vous: cinq personnes cette nuit-là établissent presque leurs futurs qui vont devenir contradictoires: André Laurendeau, futur président de la Commission Laurendeau-Dunton qui devait débrider la plaie; Jean Marchand et Gérard Pelletier qui allaient suivre le quatrième, Pierre Elliot-Trudeau, à Ottawa et enfin René Lévesque. C'est le début de la fin. D'autres groupes se formeront: il y aura un autre « club Saint-Denis », mais les destins se seront séparés.

D'ailleurs, à l'intérieur du gouvernement, on commence à mettre René Lévesque sur la touche: on le case aux Affaires Sociales qui n'avaient pas à l'époque l'importance actuelle, mais qui en prirent avec lui.

Mais, lors de la défaite de 1966, où, pendant la campagne on avait fait jouer à Lévesque les seconds violons, la rupture commence à se faire, ou plutôt le rejet. La visite du général de Gaulle avec son discours célèbre, le départ en fanfare du député François Aquin, accélèrent les choses.

En vain, René Lévesque, en bon légaliste qu'il est, croit qu'il peut faire passer sa solution —la souveraineté du Québec— parce qu'on ne peut plus attendre d'Ottawa qu'il cède des pouvoirs qu'il garde jalousement, et une association avec le reste du Canada. Le 18 septembre, il publie une sorte de mémoire sur le sujet, pensant pouvoir influencer les délégués qui doivent se réunir dans un Congrès spécial le 15 octobre. En fait, il vient de donner le bâton

pour se faire battre: la machine du parti se met en branle, en le présentant sous l'image du « séparatiste ». Les délégués sont triés sur le volet, et avant même que le congrès s'ouvre, les cartes sont tellement jouées que son chef Jean Lesage déclare à la veille du Congrès, dans une entrevue à Radio-Canada, qu'il devra se soumettre ou se démettre. Il verse un pleur réthorique en évoquant le départ possible du parti de son ancien ministre: tout était prévu pour une mort si juste! Y compris une résolution de Paul Gérin-Lajoie préconisant un statut particulier.

Aussi, avant même que sa motion soit présentée, René Lévesque annonce qu'il quitte le parti. Elle reçut 4 voix sur 1 500!

Puis c'est la fondation du Mouvement Souveraineté-Association, suivi, un an plus tard, du parti Québécois. Dans les premiers temps, tout est idyllique: lors de la campagne électorale de 1970, on retrouve le René Lévesque des grands jours décrivant Ottawa comme « une maison de fous dans laquelle les vieux partis se rient des aspirations du Québec, y compris au niveau provincial ». Mais c'est aussi la première fois que l'ex-membre du club, Pierre Elliot-Trudeau, devenu premier ministre, tonne contre le séparatisme et le parti Québécois « que son chef mène à l'aventure ».

La bagarre de la rue Elms continue sur la place publique! Las, René Lévesque perd son siège. Pourtant c'est un beau succès: pour sa première apparition, le parti Québécois obtient 23% des voix et 7 sièges, à cause du système électoral. Quoi de plus normal que les 7 députés en chambre, menant un combat parlementaire se mettent en vedette, et qu'évidemment certains contestent le chef qui, lui, n'est pas élu.

Or, c'est justement le caractère même du chef qui change le cours des choses. René Lévesque a de rudes batailles à livrer avec les différentes fractions qui se forment dans le parti: ex-gens du RIN, ex-libéraux, ex-créditistes du Rassemblement National: tant il est vrai qu'il est plus facile d'être contre que pour quelque chose.

Mais jamais —ce qui était une originalité au Québec en matière politique— René Lévesque n'essaye d'exclure, par le biais de son autorité, les contestataires. Il transforme plutôt le parti en forum, dont le programme est modifié par les congrès, avec quelques fois des résolutions qui ne lui plaisent pas outre mesure, mais qu'il accepte d'avance.

Après les élections, pour pouvoir gagner sa vie, il écrit une chronique de politique étrangère dans le Journal de Montréal!

La politique impose parfois d'étranges acrobaties...

« En finir avec la peur », lance-t-il lors de la campagne de 1970.

Pour la première fois réuni, le ministère de René Lévesque.

Il advint alors un paradoxe: le parti Québécois ressemblait beaucoup plus à son chef que d'autres, alors que précisément, celui-ci ne tenait pas à être un chef classique. Si on discutait, parfois violemment, on considérait que dans le fond, c'était une bonne chose. Tant et si bien que, harassé, fatigué, après les élections de 1973, où le P.Q. avait perdu un siège (lors du balayage Bourassa) mais gagné des voix (29%), n'ayant pu être élu, il songeait sérieusement à quitter son poste. On le retint.

La deuxième fois où il faillit partir, et la seule fois où il mit son autorité en balance, ce fut lorsque, selon le plan Claude Morin, il fallut faire accepter l'idée du référendum pour consulter le peuple, une fois au pouvoir. Il s'en fallut d'un cheveu —et Dieu sait s'il n'en a pas beaucoup!— pour qu'il quitte le parti si la résolution ne passait pas: néanmoins, elle passa. Encore une fois, le côté « britannique » et institutionnel de René Lévesque prit le dessus...

Arrive 1976. Les scandales, olympiques ou non, du gouvernement Bourassa, la détérioration de la situation économique mondiale qui se ressent durement au Québec —surtout après le contrôle des prix et des salaires imposé par Ottawa— les chicanes avec le fédéral qui aboutissent à une impasse, poussent le gouvernement libéral

québécois à faire des élections anticipées, espérant prendre les adversaires de court.

Le parti Québécois se lance dans la bataille avec ardeur, y compris naturellement René Lévesque: l'occasion est trop belle! Au fur et à mesure que la campagne électorale progresse et que les sondages montrent que le P.Q. prend la vedette, la fougue des militants augmente. À huit jours du scrutin, dans les permanences du parti, tout le monde chante victoire! Tout le monde, sauf René Lévesque. On n'est pas de New-Carlisle pour rien! « Faut voir », comme on dit en Gaspésie. À tel point qu'il modère un peu l'enthousiasme en disant que rien n'est joué. Mais pris par l'ambiance, et l'optimisme régnant, René Lévesque, à quelques jours du scrutin, va jusqu'à dire, en petit cercle, que non seulement le parti Québécois sera l'opposition avec un bon nombre de députés, mais que pour la prochaine élection, ça serait sûrement dans la poche... dans 4 ans!

C'est donc tout guilleret à cette alléchante perspective qu'il se dirige, le 15 novembre au soir, vers le Centre Paul-Sauvé, prêt à

« S'il vous plaît, arrêtez de charrier! ». 1976.

Le symbole d'une expression que l'Histoire retiendra: le grand balayage...

célébrer l'augmentation du pourcentage des voix qu'il espère bien voir monter jusqu'à 35%...

Les 40% et la victoire lui tombent sur la tête comme le gros lot que l'on n'espère plus! Et c'est vraiment sous le coup de la surprise et de l'émotion qu'il prononce la phrase désormais célèbre: « Je n'ai jamais été aussi fier d'être québécois... ».

La victoire! Enfin! « Je n'ai jamais été aussi fier d'être québécois! », ne cesse de répéter le nouveau Premier Ministre.

L'ÉPOPÉE DES JEUX OLYMPIQUES

LES COULISSES
DE L'EXPLOIT

Un printemps précoce fleurit Amsterdam. Les solides bicyclettes hollandaises passent roues à roues devant le Palais international des congrès. Il est sept heures du soir. À l'intérieur du Palais, les membres du Comité international olympique, venus des quatre coins du monde, délibèrent depuis deux longues heures. Qui obtiendra les Jeux olympiques de 1976? Trois villes sont en lice: Los Angeles, Moscou, Montréal. Le dernier tour de scrutin vient de s'achever. Avery Brundage (alors président du CIO) se lève pour proclamer les résultats. Montréal gagne par 41 voix, contre 28 pour Moscou. Un tonnerre d'applaudissements couvre les derniers mots de son discours. Les bravos se prolongent dans presque toute la presse internationale. Le choix de Montréal fait l'unanimité.

Roger Taillibert, l'architecte.

À Montréal, la nouvelle arrive à un moment où l'on parle de marasme économique, de chômage, de léthargie financière. Les Jeux sont une promesse de reprise économique pour la construction, l'hôtellerie, les commerçants en général et les compagnies de transport. C'est l'enthousiasme! Le maire Jean Drapeau redevient le héros du jour. Bientôt renaîtra pour la ville la fébrilité des beaux jours de l'Expo 67. Le président de la bourse canadienne et de Montréal déclare que cette décision vient de hisser définitivement Montréal sur la scène internationale, et que, c'est sans doute là le point de départ d'un meilleur climat social et économique. Dans les milieux du sport amateur, on voit dans l'obtention des Jeux la plus grande récompense que l'on pouvait espérer en compensation —pour les bénévoles— des innombrables heures consacrées aux jeunes sportifs.

Il faudra construire un stade, une piscine, un vélodrome, un village olympique, et achever le réseau routier de la métropole. Prolonger la ligne de métro, aménager des terrains de stationnement, etc. Certaines parties de la ville, plus particulièrement l'Est, qui a été choisi comme futur siège des Jeux d'été, recevront un impact bénéfique. Seule note discordante: certains comités de citoyens qui craignent que les priorités olympiques fassent passer les leurs au dernier plan.

Le Comité organisateur (COJO) naît et grandit sans pouvoir s'appuyer sur des réalisations déjà vécues. Il existe, bien sûr, les rapports officiels détaillés des Jeux les plus récents: Tokyo et Mexico, et des observateurs iront à Munich suivre les Jeux de 1972 et s'inspirer de leurs structures, mais en réalité il faut travailler le plus souvent empiriquement, à un projet colossal dont les rouages doivent être aussi précis qu'un système d'horlogerie, et qui ne vivra que du 17 juillet au 1er août 1976.

Pendant ces six années, la presse canadienne loue ou décrie l'organisation, ricane ou encense. L'opinion publique proteste, se révolte ou s'enthousiasme. La même passion habite partisans et détracteurs. On s'attaque à coups de chiffres, de dates et d'évidences qui ne sont que des demi-vérités. Les hivers sont longs, rigoureux. L'inflation galopante accélère le mécontentement. Des conflits ouvriers éclatent dans la construction. Reflet de la presse nationale, la presse étrangère commente sans indulgence un retard que l'on croit irrémédiable. En janvier 1976, le complexe olympique n'est qu'un vaste chantier inachevé. Mexico offre de se substituer à Montréal. Pourtant, au début du printemps, la fonte des neiges opère son miracle annuel. Tout redevient possible et chaque problème trouve sa solution. Solution de dernière heure, solution folle parfois, mais solution. Finalement, quelques semaines avant les Jeux, la fièvre olympique se propage dans la ville. Le public se précipite aux guichets de vente des billets. Le 17 juillet 1976, Montréal pavoisée et enthousiaste ouvre la XXIe Olympiade. Dans le stade, 80 000 personnes clament leur joie et ovationnent leur maire, les athlètes et l'olympisme.

Pour assister aux Jeux, 3 195 000 spectateurs ont dépensé $27 000 000 et plus d'un milliard de personnes ont vu l'Olympiade à la télévision. Le COJO a employé 22 000 personnes, sans compter les membres des Forces canadiennes et de la police.

Les épreuves ont été disputées dans des installations sportives d'une qualité exceptionnelle, et les moyens et services mis à la disposition des athlètes et de leurs accompagnateurs ne laissaient absolument rien à désirer. Ces facteurs, combinés aux conditions météorologiques ainsi qu'à la participation d'athlètes superbement

Lord Killanin, président du Comité Olympique International, se fait expliquer les plans par Roger Taillibert.

entraînés provenant de tous les continents ont été à l'origine d'une véritable avalanche de records.

Le transport. C'est le prolongement de la ligne de métro qui conduit au Parc olympique, l'augmentation de la fréquence des autobus pour absorber des centaines de milliers de visiteurs. Ce sont les voitures, minibus, fourgonnettes, autocars, camions (environ 1 500 unités) attachés au COJO qui devaient circuler sans encombre et emmener officiels, athlètes, employés, là où ils devaient être, à des heures précises. Ces véhicules ont parcouru 7 500 000 kilomètres en 22 jours. Dans la ville, la circulation a été aussi fluide —sinon plus— que les étés précédents.

La sécurité. Il n'est guère possible de rapporter ici les mesures de prévention complexes prises pour la protection des visiteurs. L'horreur des évènement de Munich était omniprésente dans les mémoires et mieux valait être trop rigoureux que négligent. Tous les échelons de la police, de l'armée, de l'aviation militaire, de la garde côtière, de l'immigration et des douanes participaient à l'organisation de la sécurité avec les résultats que l'on sait, aucun attentat, aucune perte de vie.

L'un des éléments de précaution a consisté à faire passer un filtrage de sûreté à la plupart des membres de la presse et des media d'information; à tous les officiels et athlètes venant de l'étranger, avant même que ces visiteurs ne quittent leur pays d'origine.

Le service médical. Il s'accroche à tous les Jeux olympiques un service médical indispensable et divers. À Montréal, il fallait mettre en place des laboratoires, des systèmes de collecte et de livraison d'échantillons d'urine des athlètes et des chevaux, sans compter les contrôles de dopage et de féminité. Ce service comptait 1 280 personnes dont: 188 médecins, 32 dentistes, 13 psychiatres, 155 physiothérapeutes, 11 vétérinaires, 2 podiatres, 11 radiologues et 350 ambulanciers, qui ont traité 15 862 patients, dont 9 961 athlètes, 530 officiels, 3 131 spectateurs et 2 240 travailleurs. Cet immense hôpital ambulant pouvait recevoir des patients de toutes les langues, le service des interprètes y pourvoyait.

Le sytème des résultats. L'essor fulgurant de la technique et des communications a marqué d'une empreinte profonde le déroulement des Jeux olympiques de Montréal. Les performances des athlètes ont été enregistrées au centième de seconde près. C'est

Un des plus grands chantiers du monde...

ainsi qu'en natation, par exemple, la longueur d'un ongle aurait pu faire la différence entre une médaille d'or ou une médaille d'argent.

Des moyens de télécommunication ultra-modernes ont permis de retransmettre dans le monde entier, en quelques secondes seulement, le résultat de toutes les épreuves. Ordinateurs, tableaux de résultats électroniques, équipement sonore, télécommunications, télévision en circuit fermé, capteurs électroniques,

chronomètres, appareils de mesure, machines à trier, à imprimer et à expédier les résultats: tels sont les éléments principaux de l'énorme dispositif électronique qui a été mis en place.

Cinq médailles d'argent, six médailles de bronze pour le Canada, Piètre récolte, ont dit certains. Mais n'y avait-il pas dans les Jeux autre chose qu'une récompense immédiate? Vaudrait-il la peine de déployer tant d'efforts, d'investir tant d'argent si les Jeux ne devaient constituer qu'une fête de 15 jours? Leurs retombées vont bien au-delà. Un réveil du public, d'abord, qui jusque là ne connaissait bien que les sports professionnels; des installations omnisports utilisées aujourd'hui par 35 fédérations non olympiques; une plus grande conscience de l'importance du sport et la confirmation qu'il apporte un élément positif à la culture de la jeunesse canadienne. C'est vrai, tout n'est pas résolu. Les problèmes du sport amateur sont nombreux et complexes. Il n'y a pas de réponses simples aux grandes questions. Mais ce qui est certain, c'est que les Jeux olympiques ont apporté ici un souffle nouveau qui fera respirer les générations futures, pour autant bien sûr que les gouvernements leur en fournissent les moyens.

En janvier 1975, devant une maquette du stade olympique, Jean Drapeau explique le financement des Jeux devant l'Assemblée nationale, à Québec.

357

LA LOI DE L'EFFORT

Dès les cérémonies d'ouverture, le ton est donné. Commencées à la minute exacte, ces cérémonies à la fois gigantesques et simples se déroulent devant 73 000 spectateurs au stade olympique et, sans doute, plus d'un milliard de téléspectateurs installés devant leurs écrans. Le stade lui-même, miraculeusement terminé à temps, est splendide. La puissante musique du compositeur québécois André Mathieu a des résonances de cathédrale. Dès les premières notes, l'émotion paralyse le stade.

La présentation des équipes hautes en couleurs est un régal pour l'oeil. Il flotte dans l'air un indéfinissable sentiment de communication et de rapprochement entre les spectateurs et les athlètes de 94 pays. Les guerres sont oubliées, la fête de la fraternisation universelle commence. Chaque équipe est applaudie chaleureusement. Les querelles politiques sont oubliées, le miracle olympique s'accomplit une fois encore. Qui pourra oublier l'accueil délirant réservé à l'équipe canadienne? Ou à la minuscule délégation des Iles Fidji: un homme, une femme et un accompagnateur? Ou cette banderolle du Liban —où sévit la guerre civile— qui dit simplement: « Paix, Unité, Liberté »? Ou les Israéliens, avec leur bannière en deuil commémorant le massacre de Munich?

La reine Elizabeth ouvre officiellement les Jeux. Elle a droit à une réception sinon enthousiaste, du moins polie. Mais, celui qui vole la vedette, c'est encore une fois le maire de Montréal, son Honneur monsieur Jean Drapeau, chaleureusement applaudi chaque fois que l'on mentionne son nom.

L'émotion est à son comble quand la torche olympique entre au

La flamme olympique vient de s'allumer pour la première fois dans le stade.

Lancer du disque.

stade. Elle est portée par Sandra Henderson, de Toronto, et Stéphane Préfontaine, de Montréal. Bilinguisme oblige! Après le cérémonial d'ouverture, la fête du sport commence!

En tout, 6 189 athlètes sont inscrits officiellement aux Jeux de Montréal, dont 1 274 femmes. Il faut ajouter 2 661 officiels et le nombre effarant de 9 420 représentants de la presse, de la radio, de la télévision et du cinéma. Les journalistes sont donc beaucoup plus nombreux que les athlètes. Qu'importe, ils se plaindront qu'il y avait plus de policiers et de militaires que d'athlètes...! Malheureusement, des milliers d'athlètes ne peuvent prendre part aux Jeux. Pas moins de 21 nations retirent en effet leur équipe à la veille des Jeux: Taïwan, qui voulait seule représenter la Chine, et 20 pays africains qui contestent la présence de la Nouvelle-Zélande à cause de ses relations sportives avec l'Afrique du Sud, pays de l'apartheid. Le Liban se contente de participer au défilé tandis que cinq autres pays annoncent leur retrait après le début des Jeux. Le départ de leurs athlètes s'effectue dans la tristesse. Plusieurs Africains ne craignent pas d'affirmer qu'ils abandonnent les Jeux à regret, victimes des décisions politiques de leurs pays. Seules la Côte d'Ivoire et la Somalie, vivront l'expérience olympique au complet.

Vaillancourt

Les grands moments sportifs sont nombreux. Chacune des 21 disciplines au programme compte les siens. Mais les Québécois n'ont bientôt plus d'yeux que pour l'écuyer Michel Vaillancourt

Le Canadien Roger Fortin face au Russe Anatoly Klimanov, vainqueur.

Dans quelques instants, le drapeau olympique flottera sur le stade.

dont on n'attendait au départ qu'une honnête figuration. Sa monture, Branch County, a été louée par la fédération québécoise de Sports équestres qui veut absolument insérer un des siens au sein de l'équipe canadienne. Or le cheval n'a que sept ans et ne permet guère d'espérer de grands succès.

À Bromont, par un après-midi pluvieux, chevaux et cavaliers évoluent sur un terrain boueux. À la fin du Grand Prix de sauts d'obstacles, il y a triple égalité en deuxième position derrière l'Allemand de l'Ouest, Alwain Schockenmoehle, déjà assuré de la médaille d'or en vertu d'un parcours parfait. Il y a barrage pour déterminer les médailles d'argent et de bronze, et le premier à

Le canadien Michel Vaillancourt.

s'exécuter est Michel Vaillancourt, le moins expérimenté du groupe et sans doute le plus nerveux. Il a eu 22 ans la veille. « Je ne songeais qu'à réaliser un bon temps, avec un minimum d'erreurs, dira-t-il, afin d'exercer une certaine pression sur ceux de mes rivaux qui allaient suivre. » Le jeune homme fait tant et si bien qu'il réussit un meilleur temps et commet moins d'erreurs que ses adversaires, méritant ainsi la médaille d'argent. Il devient le premier Canadien à remporter une médaille individuelle en Sports équestres aux Jeux olympiques. « Le parcours de Bromont est de loin le plus difficile que j'ai connu en compétition », déclare Vaillancourt. Trois jours plus tôt, 50 000 spectateurs s'étaient entassés au même endroit, autour du parcours utilisé pour l'épreuve de fond du concours complet. Parmi eux, la famille royale britannique qui vient voir évoluer la princesse Anne. L'autoroute est bloqué de Montréal à Bromont, une voie complète ayant été réservée à ces seuls visiteurs célèbres. Plusieurs experts jugent les obstacles très dangereux et souvent mal placés. Même la reine, excellente écuyère, est impressionnée par certaines difficultés. Sa Majesté redoute surtout

Saut à la perche.

La princesse Anne d'Angleterre avant sa chute.

le 10ème obstacle. Pourtant, c'est au 19ème que la princesse Anne chute violemment lorsque son cheval, Goodwill, qui provient de l'écurie maternelle, rate un large S. La princesse est blessée à la joue et au bras droit. Sous la violence du choc, elle demeure étendue quelques minutes. Puis elle remonte sur son cheval et poursuit sa course sous les chauds applaudissements de la foule. La reine Elisabeth charme les spectateurs en décidant, malgré son horaire chargé, de rester à Bromont après le passage de sa fille pour applaudir les autres compétiteurs.

Le duel Stones - Ferragne

Le grand stade vibre derrière l'idole locale, Claude Ferragne. Un nouvel élément de suspense s'est. ajouté: Dwight Stones, l'américain favori pour remporter l'épreuve du saut en hauteur, s'en est pris aux Canadiens français allant jusqu'à dire qu'ils ont gâché les Jeux. Deux jours après ces déclarations, lors des sauts de qualification, le sort veut que le Montréalais Ferragne saute immédiatement après l'Américain. Une bonne partie du public manifeste contre Stones, hué copieusement dès sa première apparition. Stones se relève, et lance des baisers à la foule. Les Américains —fort nombreux dans le stade— se mettent à huer Ferragne. L'atmosphère est tendue et les sauteurs ont de la

Saut en hauteur. L'envol...

Triple saut. James Butts, des U.S.A., médaille d'argent.

difficulté à se concentrer. Un d'entre eux, Claude Forget, le beau-frère de Ferragne, n'atteindra pas la finale, mais les deux principaux protagonistes se qualifient, ainsi que Greg Joy, de Vancouver. Nous voici maintenant en grande finale, le lendemain. Stones arbore un chandail sur lequel on peut lire: « J'aime les canadiens français ». Ferragne craque sous la tension et est éliminé rapidement. Sous la pluie, Stones va devoir se contenter d'une médaille de bronze. C'est le Polonais Jacek Wszola qui mérite l'or. La médaille d'argent? Elle va au Canadien Greg Joy, devenu le favori de la foule, un Joy qui admettra avoir profité de la petite guerre de spectateurs en prenant conscience de l'appui du public: « Je remercie publiquement Ferragne qui m'a aidé moralement après avoir été éliminé, dira-t-il encore. Mais je suis déçu de l'attitude de la foule à l'égard de Stones, mon ami et mon idole, qui m'a enseigné une foule de trucs. Stones ne déteste pas les Canadiens français et je suis sûr qu'il a été mal interprété. »

Les Canadiens, pendant ce temps, connaissent leurs plus grands succès de toute l'histoire des Jeux: sept médailles, dont cinq individuelles, et presque une huitième, en relais, alors que Stephen Pickell brûle le départ au 4 x 200 mètres, style libre. L'argent était déjà assuré! Comme d'habitude, les filles font le gros du travail et

Le décathlon. L'Américain Bruce Jenner emportera la médaille d'or.

Le saut de haies.

Un photographe plus remarqué que les vedettes du sport.

Nancy Garapick vole la vedette avec deux médailles individuelles, en bronze, à l'issue des courses sur le dos. Anne Jardin, de Pointe-Claire, au Québec, gagne également deux médailles de bronze, mais chaque fois en relais. Le Canada ne le cède qu'aux Allemandes de l'Est et aux Américaines, confirmant ici son intéressante troisième place sur la scène mondiale.

Une autre Québécoise, Robin Corsiglia, 14 ans, se voit également décerner une médaille de bronze à titre de membre de l'équipe de relais du 4 x 100 mètres, quatre nages individuelles. La belle jeune fille de Beaconsfield est une spécialiste de la brasse... La malchance poursuit Graham Smith qui ne souhaite pourtant rien d'autre que d'offrir une médaille à son père atteint du cancer. Smith termine deux fois en quatrième place à la brasse, respectivement 3 et 22 centièmes de seconde d'une médaille de bronze. Sa soeur Becky remporte cependant deux médailles de bronze, dont une au 400-mètres-quatre-nages individuelles, où une autre Canadienne, Cheryl Gibson, touche l'argent devant une foule en délire. Quant à la belle Wendy Quirk, de Pointe-Claire, elle mérite une cinquième et une sixième place en plus de rater deux finales par une seule position.

Pierre Harvey

Les cérémonies de clôture des Jeux.

Il pleut sur le Mont-Royal. Le parcours est dangereux. Les cyclistes, croit-on, ne connaissent pas la peur. C'est faux. Pierre Harvey, de Rimouski, s'est énervé. «J'ai eu peur de ne pas

La « grosse » vedette des Jeux:
Vasili Alexeev.

compléter la course. Quand il a commencé à pleuvoir, j'ai eu des moments d'anxiété. Surtout dans les descentes... » Néanmoins, il terminera l'épuisante épreuve en 24e place, meilleure performance canadienne cycliste aux olympiques.

Vasili Alexeev

« À première vue, écrit un journaliste, ça ressemble à un véritable spectacle de foire. » Les gros monstres bedonnants sont alignés sur le plateau comme des candidats au concours de Miss Univers. L'atmosphère est à la rigolade lors de leur présentation. Pourtant, l'Haltérophilie conquiert ses lettres de noblesse à Montréal. À l'aréna Saint-Michel, on doit refuser des centaines de personnes qui n'ont pu trouver de billets et les quelques 400 journalistes n'arrivent pas à se faire une place dans la cohue et le désordre. C'est la finale des super-lourds. Onze homme forts, totalisant 3,352 livres de muscles et de belle graisse. Mais on est surtout venu voir le soviétique Vasili Alexeev, l'homme fort d'entre les forts, l'énorme Alexeev.

La compétition est maigre et sa victoire assurée. Mais combien va-t-il lever? À l'arraché, il commence sa soirée là où il avait terminé à Munich, soit en empoignant 175 kilogrammes de fonte. Il atteindra 185 kilos, sa meilleure performance à vie. À l'épaulé, il commence à nouveau par égaler son record olympique de 1972, soit 230 kilos. Ensuite, il gaspille son deuxième essai et demande d'ajouter 25 kilos. La foule est incrédule: cette fois, il va trop loin. Mais non, il lève facilement ces 255 kilos et bouscule encore une fois la notion du mot « impossible ». Même les autres haltérophiles, à l'arrivée de la vedette, se mettent à applaudir l'ingénieur minier de 34 ans!

Bruce Jenner

Alexeev fut le plus fort. Nadia la plus populaire. Bruce Jenner, lui, devient le plus bel athlète du monde. Quand il franchit, tel un

La marche, une des disciplines les plus éprouvantes.

Lars Hansen (no 14) tente de contrer Adrian Dantley (no 6).

Lutte gréco-romaine. Howard Stupp le Canadien contre Kazimier Lipien le Polonais.

dément, les 250 derniers mètres de l'épreuve finale du décathlon — l'épuisant 1 500 mètres — toute l'Amérique court avec lui. Il ne remporte pas cette course, mais sa deuxième place lui assure la médaille d'or et consacre une autre performance inoubliable des Jeux de Montréal. On ne saura jamais où il a puisé ses dernières énergies. Et l'image du grand Américain qui effectue son tour d'honneur, sous des applaudissements à tout rompre, pendant que ses adversaires s'en remettent aux soins des responsables du service médical, n'est pas prête de s'effacer non plus. Pas plus que ne disparaîtra facilement de nos souvenirs l'image de sa femme, une jolie blonde, que les caméras de la télévision ne se privent pas de filmer. Elle fait oublier l'homme d'affaires et le futur biographe qui doublaient malheureusement le champion olympique. Et c'est tant mieux...

Alberto Juantorena

En cet été de 1976, le Cubain Alberto Juantorena se hisse parmi les grands dieux du stade. Quelques minutes avant la finale de 400 mètres, Fred Newhouse et Herman Frazier s'échauffent à fond. Les athlètes américains, régulièrement bafoués depuis l'ouverture des Jeux, veulent sauver la face. Pendant ce temps, Juantorena est assis, le dos appuyé sur l'indicateur d'allée. Il envoie la main au boxeur Teofilo Stevenson, un compatriote qui vient de mutiler l'Américain, John Ate, en finale de boxe des poids lourds, et qui est accouru au stade pour encourager le camarade Alberto. Celui-ci ne le décevra pas, remportant la course et devenant le premier homme de l'histoire à mériter la médaille d'or dans les épreuves du 400 et du 800 mètres. Âgé de 25 ans et étudiant en économie à l'Université de La havane, Juantorena déclare: « Teofilo et moi sommes de grands amis et sa présence dans le stade m'a servi de stimulant, m'a donné du courage pour mieux représenter la patrie cubaine... Mon premier but est avant tout de servir le régime socialiste de Cuba. » Quelques jours plus tôt, il avait dédié sa victoire au 800 mètres à Fidel Castro.

Quant aux Américains Frazier et Newhouse, ils ne participent pas à la conférence de presse d'après-course. Ils disparaissent dans le paysage, sans doute pour cacher la gêne de l'Athlétisme américain, le grand perdant des Jeux de Montréal.

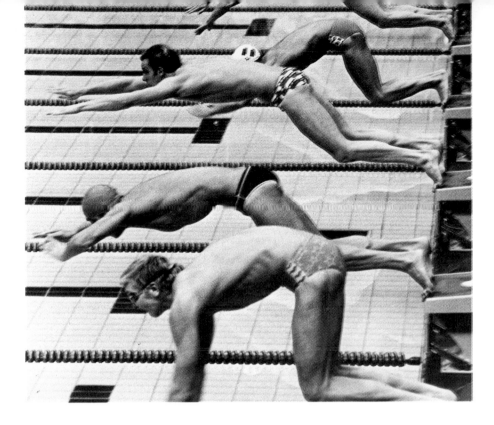

Un seul départ et huit façons différentes de s'élancer.

Concentration avant le tir.

Boris Onistchenko

Un seul incident sportif marque les Jeux et l'excellente organisation montréalaise n'y peut rien. Le soviétique Boris Onistchenko, 38 ans, médaillé d'argent à Munich en 1972, trois fois champion du monde, a triché! Le scandale survient lors des compétitions d'escrime tenues dans le cadre de l'épreuve du pentathlon moderne. Le Soviétique trafique l'élément électronique de son épée de telle sorte qu'il peut enregistrer une touche par une simple pression du doigt sur un bouton dissimulé dans la poignée de son arme, sans même qu'il soit besoin d'effleurer l'adversaire.

Ce fut la seule tricherie olympique... à part celle du coût des Jeux.

Ulrike Knape plonge.

Les photographes à l'action.

369

UNE PETITE FÉE NOMMÉE NADIA

Les spectateurs qui emplissent le Forum sont ébahis. Même l'électronique est déboussolée. Nadia Comaneci, pour la première fois aux Olympiques, vient d'obtenir une note de 10 sur 10 aux barres asymétriques. La perfection existe donc en gymnastique! Le cadran électronique qui n'a pas prévu la chose s'arrête à 9.95. Aux Jeux Olympiques de Montréal en 1976, la petite Roumaine de 14 ans va atteindre la perfection et devenir indiscutablement la reine des Jeux. Et quelle reine! Comme un seul homme, le Québec tout entier est à ses pieds... La Fédération de gymnastique du Québec reçoit dès lors une quarantaine d'appels par jour de parents qui voient en leur petite fille une Nadia en puissance et le phénomène allait durer! À Noël, les enfants demandent des barres parallèles en cadeau! Dans Bye Bye 76, Dominique et Denise exploitent le côté ridicule de cette vogue soudaine. En moins d'un an, le nombre de membres enregistrés à la fédération grimpe de 450 à 2 600. Tout cela, bien sûr, grâce à Nadia. Sans le vouloir, la jeune Roumaine va chambarder les goûts de toute une génération de québécoises. Ses 10 perpétuels remettent pratiquement la gymnastique en question. Pourtant elle-même n'a jamais été surprise de ses notes parfaites. Le triomphe est son élément! N'a-t-elle pas déjà obtenu 17 fois déjà en compétition le maximum de 10 points? À son arrivée à Montréal, elle est depuis un moment la plus jeune championne européenne de l'histoire. Elle est la gymnaste à battre et elle le sait. Elle annonce même qu'elle va gagner: « Je ne suis pas nerveuse, je n'ai pas le trac. J'attends que tout commence en me concentrant sur moi-même... » Sa confiance n'est pas arrogante mais bien fondée. C'est sans vantardise qu'elle dira tout bonnement: « Je préfère les barres asymétriques parce que je peux faire des exercices différents et tellement difficiles que les autres ne peuvent pas les exécuter. » Avant le début de la compétition, elle séduit déjà en

répondant aux questions d'une meute de journalistes. Charmante dans sa robe lilas, sans un brin de maquillage, sa célèbre queue de cheval bien lissée, propre, nette, elle symbolise le calme, la confiance en soi. Dès le premier jour d'épreuves, au premier 10 sur 10, la foule bondit et crie son enthousiasme. Le miracle commence. « Je savais que ma performance était parfaite », commente simplement celle qui vient déjà d'être sacrée reine d'un royaume quasi sans frontières.

Son nom est prononcé dans toutes les langues, son image est sur tous les écrans de télévision et fait la « une » des journaux du monde entier. Il va en être ainsi pendant une semaine, alors que ses exploits couronnés de cinq médailles dont trois d'or vont rejeter dans l'ombre toutes les autres performances, dont celles du gymnaste soviétique Nikolai Andrianov, sept fois médaillé dont quatre fois d'or. Un journaliste de « Paris Match » invente même une nouvelle prière: « Je vous salue, Nadia pleine de grâce, Zeus est avec vous ». Zeus, dieu de la Grèce, berceau de l'Olympisme, paraît veiller dans l'ombre sur la frêle silhouette de Nadia. Un journaliste de Montréal suggère d'enrichir le dictionnaire du mot « nadiesque » pour définir « la plus parfaite des perfections ». Seule Nadia semble garder tous ses esprits pendant cette semaine de règne.

Le lendemain de son premier exploit, elle ajoute deux 10 à la poutre et à nouveau aux barres asymétriques, cette fois dans les exercices libres. Déjà son nom est sur toutes les lèvres. Mais la petite écolière, qui aime surtout l'étude des langues, les mathématiques et la géographie, garde un sang-froid remarquable. Comme la veille, ses notes ne l'étonnent pas. Elle parle même d'apprendre de nouveaux mouvements, de s'améliorer encore. Une journaliste écrit: « Ce n'est plus une petite fille, c'est une machine. Elle marche sur la poutre, saute, fait des sauts périlleux et toujours elle retombe sur cette largeur de quatre pouces, sans même trembler. On dirait qu'elle saute sur un trottoir. »

Quelque part dans un couloir du Forum, une affiche dit: « Le hockey, le sport le plus spectaculaire, le plus excitant et le plus rapide au monde. » Mais pendant ce temps, les « scalpers » font des affaires d'or à l'extérieur du Forum, grâce à la gymnastique, et vendent jusqu'à $200 un billet qui en vaut $20. Les jours suivants, le Forum est tantôt en délire, tantôt recueilli devant Nadia, sa nouvelle déesse, mais aussi devant Nelli Kim, cette gracieuse Soviétique qui, pour sa part, récolte deux 10 et se révèle la seule rivale de Nadia. Quand Nelli Kim obtient son premier 10 au saut de cheval, on demande à Nadia si elle peut réaliser un saut de cette perfection: « Je l'ai déjà fait », répond-elle simplement.

Jusqu'à la fin, Nadia et Nelli retiennent l'attention. Pourtant, le public sympathise avec Olga Korbut, la Soviétique, reine détrônée de Munich. On hue les juges qui lui donnent de mauvaises notes. L'ex-reine a la mine triste, la déception se lit sur son visage. La gloire est éphémère en effet, et Nadia le sait, elle qui déclare à la fin de la compétition, entourée de cinq policiers chargés de la protéger de ses admirateurs: « Je suis sûre que ces résultats n'influenceront pas mon caractère et que je travaillerai encore plus durement pour satisfaire mon public. » La fatigue marque son jeune visage et elle ajoute: « C'est difficile d'expliquer ce qui se passe dans la tête d'un être lorsqu'il arrive à être connu du monde entier. » Quelques jours plus tard, Nadia quitte Montréal dans le plus grand secret, surprise seulement par un journaliste du *Montréal-Matin*, qui va l'accompagner jusque chez elle, en Roumanie. À l'aéroport, un important détachement de la gendarmerie royale, walkies-talkies et regards nerveux, encadre et emballe littéralement Nadia, qui s'embarque dans l'avion 15 minutes avant tout le monde. Jamais un premier ministre ou encore l'artiste le plus populaire, ni Maurice Richard, ni Guy Lafleur, n'ont eu droit à un traitement semblable.

En Roumanie, 6 000 compatriotes enthousiastes ont envahi la piste d'atterrissage une heure avant l'arrivée de l'avion, portant pancartes et banderolles. Des centaines d'enfants chantent, sur son passage, un hymne spécialement composé pour Nadia. Les adultes la portent en triomphe.

Reine des Jeux, Nadia aura contribué à faire oublier toutes les querelles politiques et les discussions économiques qui ont marqué trop souvent les Jeux Olympiques ces dernières années.

PHOTOS

Le Mémorial du Québec
a été composé en caractères
Times Romain 12 pts au studio
Doutre + Dupras Ltée.
Cet ouvrage a été imprimé sur les presses de
l'Imprimerie Laflamme Ltée (Québec)
sur papier Satincoat 160M de la
Compagnie de Papier Rolland Ltée.
Reliure
Imprimerie Co-opérative Harpell.